CB048513

VLADÍMIR ILITCH LÊNIN

CADERNOS FILOSÓFICOS

HEGEL

REVISÃO DA TRADUÇÃO: PAULA VAZ DE ALMEIDA

Título original: *Философские Тетради/ Filossófskie tetrádi*

Direção geral Ivana Jinkings
Conselho editorial Antonio Carlos Mazzeo, Antonio Rago, Augusto Buonicore, Ivana Jinkings, Marcos Del Roio, Marly Vianna, Milton Pinheiro, Slavoj Žižek
Edição André Albert
Assistência editorial Artur Renzo e Thaisa Burani
Tradução Edições Avante! (escritos de Lênin) e José Paulo Netto (Introdução)
Revisão de tradução dos escritos de Lênin Paula Vaz de Almeida
Revisão Thais Rimkus
Formatação dos originais Luca Jinkings e Thaís Barros
Coordenação de produção Livia Campos
Assistência de produção Isabella Teixeira
Capa e aberturas Maikon Nery
Diagramação Aeroestúdio

Equipe de apoio
Allan Jones, Ana Carolina Meira, Ana Yumi Kajiki, Artur Renzo, Bibiana Leme, Carolina Yassui, Eduardo Marques, Elaine Ramos, Frederico Indiani, Heleni Andrade, Isabella Barboza, Isabella Marcatti, Ivam Oliveira, Kim Doria, Luciana Capelli, Marlene Baptista, Maurício Barbosa, Renato Soares, Tulio Candiotto, Valéria Ferraz

CIP-BRASIL. CATALOGAÇÃO NA PUBLICAÇÃO
SINDICATO NACIONAL DOS EDITORES DE LIVROS, RJ

L585c

Lênin, Vladímir Ilitch, 1870-1924
Cadernos filosóficos: Hegel / Vladímir Ilitch Lênin ; tradução Paula Almeida. – 1. ed. – São Paulo : Boitempo, 2018. (Arsenal Lênin)

Tradução de: Философские Тетради
ISBN 978-85-7559-577-0

1. Hegel, Georg Wilhelm Friedrich, 1770-1831. 2. Filosofia. I. Almeida, Paula. II. Título. III. Série.

18-49513 CDD: 193
CDU: 1(44)

1ª edição: junho de 2018;
1ª reimpressão: maio de 2020; 2ª reimpressão: maio de 2021;
3ª reimpressão: abril de 2024

BOITEMPO
Jinkings Editores Associados Ltda.
Rua Pereira Leite, 373
05442-000 São Paulo SP
Tel.: (11) 3875-7250 / 3875-7285
editor@boitempoeditorial.com.br
www.boitempoeditorial.com.br | www.blogdaboitempo.com.br
www.facebook.com/boitempo | www.twitter.com/editoraboitempo
www.youtube.com/tvboitempo | www.instagram.com/boitempo

SUMÁRIO

NOTA DA EDIÇÃO BRASILEIRA

O segundo volume da coleção Arsenal Lênin reúne um conjunto de textos que, embora pouco conhecido do grande público, é considerado fundamental para a trajetória teórico-prática dos intensos dez últimos anos de vida de Vladímir Ilitch Lênin. Desafiadoras, essas anotações sobre obras e palestras do Hegel maduro centradas na lógica, na dialética e na filosofia da história documentam um momento de transição no pensamento leniniano.

Com a eclosão da Primeira Guerra Mundial, em 1914, e a cisão por ela gerada no interior da Segunda Internacional em decorrência da adoção de posturas chauvinistas por líderes da social-democracia europeia, Lênin viu-se forçado a deixar seu exílio na Polônia e estabelecer-se na Suíça, país neutro no conflito. No período em que esteve em Berna, leu, fichou e comentou textos filosóficos de diferentes épocas e procedências. Todos convergiam, no entanto, para uma preocupação central: a fundamentação dialética da transformação social. Ainda que fragmentárias, suas anotações representam uma mudança qualitativa no pensamento filosófico de Lênin, que já demonstrara desenvoltura nesse campo em *Materialismo e empiriocriticismo* (1908-1909), sua obra filosófica conclusa mais conhecida. De fato, a reelaboração da dialética materialista por ele empreendida no período entre 1914 e 1917 torna-se progressivamente evidente em seus escritos da época sobre o imperialismo, a revolução e a estratégia e as táticas do partido.

No presente volume, selecionamos os escritos relacionados às obras *Ciência da lógica*, *Lições sobre a história da filosofia* e *Lições sobre a filosofia da história*, de Hegel, figura central para o desenvolvimento da dialética. Exceto pelo fragmento "Sobre a questão da dialética", publicado em 1925 na revista *Большевик/ Bolchevik*[1], os demais sumários e rascunhos foram publicados pela primeira vez em 1929-1930 nos volumes 9 e 12 da *Ленинский сборник/ Léninski sbórnik*[2] [Coletânea Lênin]. Mais tarde, receberiam o nome *Философские тетради/ Filossófskie tetrádi*[3] [Cadernos filosóficos], pelo qual se tornaram conhecidos.

Lênin não datou essas anotações, mas estima-se que seu sumário de *Ciência da lógica* tenha sido feito entre setembro e dezembro de 1914, enquanto as demais teriam sido escritas no primeiro semestre de 1915. Embora não se tratasse de seu primeiro contato com essas obras de Hegel, foi apenas nessa ocasião que Lênin – ilhado em um país neutro, afastado de sua terra e inconformado com os rumos tomados pelas lideranças social-democratas europeias – fez anotações detalhadas a respeito.

Em paralelo às anotações sobre *Ciência da lógica* (conhecida como a "Grande Lógica" de Hegel), o líder bolchevique redigiu comentários comparativos a respeito da *Enciclopédia das ciências filosóficas*[4] (a "Pequena Lógica"). Ao mesmo tempo que critica o idealismo manifesto do filósofo alemão, entrevê em seu pensamento elementos materialistas. Desse sistema de categorias lógicas que fundamentaria o processo de conhecimento de cada ser humano, Lênin propõe eliminar os elementos idealistas e explorar o caráter dialético da prática a fim de que se possa compreender o desenvolvimento histórico e social. Para o revolucionário russo, teria sido exatamente isso o que ocorrera quando Karl Marx escreveu sua mais importante obra, *O capital*.

1 Vladímir Ilitch Lênin, "К вопросу о диалектике"/ "K vopróssu o dialéktike", *Большевик/ Bolchevik*, Moscou, n. 5-6, 1925. Posteriormente republicado, com os demais textos, em *Ленинский сборник/ Léninski sbórnik*, v. 12 (Moscou, GIZ, 1930), p. 321-6.

2 Idem, "Конспект книги Гегеля Наука логики"/ "Konspiekt knígui Guéguelia *Naúka lóguiki*", em *Léninski sbórnik*, v. 9 (Moscou, GIZ, 1929), p. 29-203; "Конспект книги Гегеля Лекции по истории философии"/ Konspiekt knígui Guéguelia *Lektsii po istórii filossófii*", em *Léninski sbórnik*, v. 12, cit., p. 169-276; "Конспект книги Гегеля Лекции по философии истории"/ "Konspiekt knígui Guéguelia *Lektsii po filossófii istórii*", em *Léninski sbórnik*, v. 12, cit., p. 149-68; "План диалектики (логики) Гегеля"/ "Plan dialiéktiki (lóguiki) Guéguelia", em *Léninski sbórnik*, v. 12, cit., p. 289-92.

3 Moscou, Partizdat, 1933.

4 Hegel, *Enciclopédia das ciências filosóficas em compêndio* (trad. Paulo Meneses e José Machado, São Paulo, Loyola, 2005).

Se os sumários de *Ciência da lógica*, *Lições sobre a história da filosofia* e *Lições sobre a filosofia da história* revelam o estudo crítico realizado por Lênin, o "Plano da dialética (lógica) de Hegel" e "Sobre a questão da dialética" são anotações inconclusas que deixam entrever sua intenção de escrever algo definitivo com base naqueles estudos.

Critérios de edição deste volume

Os textos-base deste volume foram traduzidos pelo coletivo das Edições Avante!, de Portugal, e publicados no último volume das *Obras escolhidas em seis tomos*[5], totalmente dedicado às anotações filosóficas de Lênin. A edição portuguesa, por sua vez, teve como base o texto consolidado na quinta edição em russo das *Сочинения/ Sotchinénia*[6] [Obras] de Lênin. Para a presente edição, a tradução foi cotejada com o original russo e adaptada para o português brasileiro por Paula Vaz de Almeida.

O trabalho de consolidação do texto também levou em conta as edições brasileiras das obras de Hegel sobre a lógica. Apenas na última década a *Ciência da lógica*, trabalho de um filósofo alemão notório pela dificuldade de tradução, teve versões nacionais diretas a partir do idioma original, baseadas na edição revista e ampliada de 1832: primeiro, uma seleção de excertos dos três volumes que compõem a obra[7]; mais recentemente, os dois primeiros volumes foram publicados na íntegra[8]. Ainda que as edições não sejam totalmente concordantes, apontam para caminhos comuns e transpõem para o português diferenciações presentes na língua alemã. Além das duas edições brasileiras de *Ciência da lógica*, também foi consultado o *Dicionário Hegel*, de Michael Inwood[9].

Nos casos em que havia divergência de tradução, optou-se pelo uso mais corrente nas obras de autores marxistas que se debruçaram sobre a herança

5 Vladímir Ilitch Lênin, *Obras escolhidas em seis tomos*, v. 6 (Lisboa/Moscou, Avante!/Progresso, 1989)

6 Idem, *Сочинения/ Sotchinénia*, v. 29 (Moscou, Izdátelstvo Polititcheskoi Literatúry, 1969).

7 Hegel, *Ciência da lógica – excertos* (org. e trad. Marco Aurélio Werle, São Paulo, Barcarolla, 2011).

8 Idem, *Ciência da lógica*, v. 1: *A doutrina do ser* (trad. Christian G. Iber, Marloren L. Miranda e Federico Orsini, Petrópolis, Vozes, 2016); v. 2: *A doutrina da essência* (trad. Christian G. Iber, Marloren L. Miranda e Federico Orsini, Petrópolis, Vozes, 2017).

9 Trad. Álvaro Cabral, rev. téc. Karla Chediak, Rio de Janeiro, Jorge Zahar, 1997.

hegeliana, como György Lukács. Nesse sentido, por exemplo, *Aufhebung* e *aufheben* foram traduzidas por "superação" e "superar"[10], ainda que muitos estudiosos de Hegel adotem "suprassunção" e "suprassumir".

Os textos adicionais

A introdução deste volume é uma interpretação clássica do trajeto que leva da dialética idealista hegeliana ao materialismo histórico elaborado por Marx e Engels e atualizado na teoria e na prática de Lênin. Elaborada por Henri Lefebvre e Norbert Guterman em setembro de 1935, poucos anos após a publicação desses escritos do revolucionário russo, expressa as preocupações de uma época que via a ascensão do nazifascismo no mundo. A tradução, feita a partir do original francês por José Paulo Netto para uma edição brasileira anterior de "Sumário do livro de Hegel *Ciência da lógica*"[11], é aqui publicada com pequenos ajustes.

O posfácio de Michael Löwy é uma versão atualizada de "Da *Grande Lógica* de Hegel à estação finlandesa de Petrogrado"[12]. Nele, o autor estabelece o nexo entre dialética e revolução, detendo-se nos decisivos momentos que se seguiram à chegada de Lênin à Estação Finlândia, em abril de 1917, e à enunciação das "Teses de abril". Para o filósofo franco-brasileiro, é precisamente no intervalo entre sua leitura de *Ciência da lógica* e seu retorno à Rússia que Lênin gesta a ruptura com o pensamento que então prevalecia entre as principais lideranças marxistas europeias – e acaba, ao fim, sendo mais bem-sucedido que elas.

A apresentação gráfica e as notas

Esta edição dos escritos filosóficos de Lênin sobre a obra hegeliana procurou apresentá-los graficamente de modo que se preservassem os destaques e as indicações do autor e, ao mesmo tempo, se garantisse uma leitura clara. Assim,

10 Por exemplo, György Lukács, *O jovem Hegel* (trad. Nélio Schneider, rev. téc. Ronaldo Vielmi Fortes e José Paulo Netto, São Paulo, Boitempo, no prelo).

11 Em Vladímir Ilitch Lênin, *Cadernos sobre a dialética de Hegel* (Rio de Janeiro, Editora UFRJ, 2011).

12 Em Michael Löwy, *Método dialético e teoria política* (Rio de Janeiro, Paz e Terra, 1975).

anotações laterais, boxes e textos indicados entre < e > reproduzem, de maneira simplificada, as diferentes formas de intervenção do revolucionário russo em seu sumário dos textos de Hegel. Por sua vez, criou-se uma escala de destaques gráficos para representar o número de traços com que Lênin destacava termos e frases.

Representação de destaques no texto de Lênin
Itálico: um traço
Negrito e itálico: dois traços
Negrito sublinhado: três traços

Todos os trechos entre aspas, exceto quando houver indicação em contrário, são citações dos textos de Hegel por Lênin. A indicação de supressões feitas pelo autor foi representada com reticências separadas por espaço das palavras que as antecedem e as sucedem, a fim de diferenciá-las do mero uso do sinal gráfico por ele. A numeração indicada ao longo das anotações remete à paginação da edição alemã consultada por Lênin.

No texto, preservaram-se no idioma original os termos escritos por Lênin em alemão, francês, inglês, latim (sempre destacados em itálico) e grego (mantidos no alfabeto original, com transliteração na nota de rodapé). Para todos esses termos foram propostas traduções em notas de rodapé. A fim de evitar a repetição das notas em termos que aparecem com frequência, elaboramos uma relação para consulta, reproduzida na página seguinte.

Já as notas de fim, numeradas, trazem informações mais detalhadas sobre obras, autores e conceitos. Para essa seção, foram aproveitadas – com ou sem adaptação – notas das edições soviética e portuguesa e, ocasionalmente, acrescidas outras.

Código de notas de fim
N. E. – Nota da edição brasileira.
N. E. P. – Nota da edição portuguesa, de 1989.
N. E. R. – Nota da edição soviética de 1969, publicada em russo no volume 29 das *Сочинения/ Sotchinénia* [Obras] de Lênin.
N. E. R. A. – Nota da edição soviética de 1969, com adaptações.

Termos frequentes

An sich: em si.
Aufheben: superar, suprassumir, elevar (a um nível superior).
Begriffe: conceito.
Bewegung: movimento.
Daseit: ser determinado, existência.
Ding: coisa.
Ding an sich: coisa em si.
Erscheinung: aparecimento, fenômeno.
Für sich: para si.
Fürsichsein: ser para si.
Gang: curso.
Gegenstand: objeto.
Grund: razão de ser, fundamento.
Jenseits: o Além.
Sache: fundamento da coisa, coisa.
Schein: aparência, reflexo.
Selbstbewegung: movimento interno, movimento espontâneo.
Vernunft: razão.
Vernünftig: racional.
Verstand: entendimento, inteligência.
Verstandlich: inteligente.
Wahrheit: verdade.
Wesen: essência, natureza (da coisa).
Wesenheit: entidade, abstração.
Wirklichkeit: efetividade, realidade efetiva, realidade atual.

Como dito, em seus comentários, Lênin usa com frequência expressões em alemão, francês ou latim. As mais recorrentes são:
À peu près: aproximadamente.
Abstrus: abstruso.
Bien dit!: Bem dito!
Ergo: logo.
Etwa: aproximadamente.
NB [*nota bene*]: prestar atenção.
Respective: ou.
Sehr gut: Muito bem.
Très bien: Muito bem.
Und Andere: entre outros.
Voilà: eis.

INTRODUÇÃO*

Henri Lefebvre e Norbert Guterman

1.

Entre setembro e dezembro de 1914, quando de sua estância em Berna, Lênin leu *Ciência da lógica*, de Hegel. Para utilização pessoal, em simples cadernos escolares, ele tomou uma grande quantidade de notas (em russo, inglês, francês) e citações, acompanhadas de comentários às vezes irônicos, às vezes admirados, frequentemente reduzidos a uma palavra, uma interjeição ou um simples ponto de exclamação.

Lênin não foi um "filósofo" no sentido habitual da palavra. No entanto, a leitura destes cadernos sobre a dialética de Hegel** revela que não estamos diante de um amador cultivado. O leitor se encontra na presença de um pensamento que, apreendido em toda a sua significação, na totalidade de seus objetivos e *interesses*, suporta a comparação com as grandes obras filosóficas. Nestes simples cadernos se prolonga, vigorosamente, o pensamento dos fundadores do socialismo científico, Marx e Engels, que – não sendo empiristas – vinculavam sua estratégia e seus objetivos políticos a uma concepção de mundo. Por meio de Hegel, todas as aspirações filosóficas à unidade e à verdade, ao universal e ao concreto, são retomadas e expressas por Lênin com o dom de apreender na abstração o que ela possui de concreto e de efetivo, dom que foi uma das dimensões de seu gênio.

* Texto escrito em Nova York, em setembro de 1935, e publicado originalmente em *Cahiers sur la dialectique de Hegel* (Paris, Gallimard, 1938). Tradução publicada anteriormente em *Cadernos sobre a dialética de Hegel* (Rio de Janeiro, Editora UFRJ, 2011) e gentilmente cedida por José Paulo Netto. As notas de rodapé numeradas constam da edição francesa. (N. E.)

** Além desta introdução, constavam de *Cahiers sur la dialectique de Hegel* o "Sumário do livro de Hegel *Ciência da lógica*" e o "Plano da dialética (lógica) de Hegel", incluídos no presente volume. (N. E.)

Lênin, contudo, não mantém diante dos temas filosóficos a atitude especulativa de quem pretende contemplar o universo. Menos ainda, uma postura dolorosa, de quem "sofre" com o tormento das contradições do pensamento e do mundo – não é a angústia que mobiliza sua reflexão. Lênin enfrenta esses temas como homem de ação revolucionária, que já experimenta seus objetivos de forma prática.

A data desses trabalhos pode parecer surpreendente. Por que, em 1914, no início da devastação mundial, estando exilado e quase sozinho na defesa de suas posições políticas – depois do colapso da Internacional social-democrata –, Lênin se põe a ler o mais nebuloso dos filósofos?

Lênin não era homem de uma ação sem verdade.

No mesmo momento em que ele lê Hegel, outro "homem de ação", Mussolini, adapta-se às circunstâncias; aproveitador imediatista, já fareja os ganhos de frutuosas modificações de suas posições políticas: trânsito do internacionalismo ao intervencionismo e, em seguida, ao nacionalismo fascista. Lênin, tragicamente isolado, medita e verifica suas teses; nesta solidão do exílio, ele afirma pela reflexão filosófica o futuro e o valor universal de sua posição. Somente aos que, de um lado, consideram a cultura simples distração e a filosofia algo inútil e, de outro lado, admiram os líderes políticos como aventureiros e manipuladores desprovidos de verdadeiras exigências intelectuais, somente a eles as preocupações de Lênin nesse período podem parecer estranhas. Lênin não era um desses homens para os quais a ação se contrapõe ao pensamento, compensando a impotência da reflexão ou vinculando-se a ela só indiretamente, mediante laços artificiosos. Para ele, a prática política é uma prática consciente. Aqui, consciência não significa nunca cinismo, mas universalidade e verificação; e prática não significa jamais servir ao existente, pragmatismo a ele adaptado – sem o questionar e sem examinar seus fins – e empenhado apenas em tornar-se eficaz. Lênin lê Hegel no momento em que a unidade do mundo industrial moderno se dilacera, com os estilhaços da unidade do que se acreditara realizado colidindo violentamente – no momento em que explodem todas as *contradições*. A teoria hegeliana da contradição lhe demonstra que o momento em que a *solução*, a unidade superior, parece mais se afastar é, às vezes, o momento em que ela está próxima.

Nesse momento, 1914, o pensamento burguês abandona seus valores – a universalidade e a verdade – e se petrifica no isolamento nacionalista. Tais fenômenos já anunciam o fascismo no plano ideológico; nos fascismos, o pensamento renuncia a seus valores, a si mesmo e a sua resistência diante do fato consumado. A ideologia vem *em seguida*, encomendada pelos aventureiros políticos a serviçais de baixo nível[1]. Os temas são manipulados e entretecidos para se tornarem justificações. Tornam-se temas literários com os quais tudo se desembaraça – dos apelos à emotividade aos preconceitos, aos fantasmas oriundos da opressão e que a conservam. E toda concepção universal do homem e do mundo desaparece. No momento em que tantos intelectuais se põem a serviço da polícia política dos cérebros, Lênin, quase solitário no mundo, sustenta uma visão universal, uma concepção *lógica* da existência – e sua visão prepara sua ação.

2.

A verdade só pode ser uma superação*. Toda elaboração do pensamento procede de elaborações anteriores – eis a razão da necessidade de uma leitura crítica dos textos clássicos. Para esta crítica, há dois métodos, tradicionais e opostos:

1. *Método puramente interno*. O filósofo se torna passivo; ele se fluidifica voluntariamente para se introduzir no conjunto ideológico que lhe é apresentado. Trata-se do que se denomina apreender desde o interior. Este método conduz ao desarmamento do crítico e à emasculação do pensamento. Ele corresponde ao liberalismo invertebrado que confronta e discute interminavelmente. A pesquisa da verdade nas grandes

1 "O fascismo italiano necessita imediatamente, para escapar à morte ou, pior ainda, ao suicídio, munir-se de um 'corpo doutrinário' [...]. A expressão é muito forte. Mas eu desejo que a filosofia do fascismo seja criada daqui a dois meses, daqui ao congresso nacional." Benito Mussolini, "Carta a Bianchi", 27 de agosto de 1921, impressa em *Messagi e proclami* (Milão, Libreria dell'Italia, 1929), p. 29.

* No original francês, *dépassement*. Em alemão, Hegel utiliza *Aufhebung*, palavra com diferentes traduções possíveis para o português: "superar", "suprassumir", "ultrapassar", "suprimir", "suspender". (N. E.)

expressões do pensamento comporta, aqui, o esquecimento da existência viva da verdade e dos problemas efetivos.

2. *Método externo*. É o método do moralista que julga, do dogmático. O filósofo, presa de um anacronismo perpétuo, pesquisa na história um simples reflexo de si mesmo. Ele omite o tempo e a história e descobre apenas uma confirmação de suas ideias pressupostas.

O método de Lênin é interno-externo. Ele não opera com nenhum dos dois sofismas que viciam o ato de pensar: ocultar-se a si mesmo, proclamar-se a si mesmo. Já Hegel, em sua *História da filosofia*, compreendera cada sistema como um *momento* histórico e tentara apreender as características profundas do movimento*. Tal como Hegel, Lênin procura determinar o movimento imanente do objeto que se lhe apresenta e considera esse objeto como um todo em que é preciso penetrar sem destruir. Esse todo, porém, não é fechado. Cada doutrina abre perspectivas. Trata-se, pois, de prolongar seu movimento e de superá-la. O crítico deve estar simultaneamente em seu interior e em seu exterior. Lênin procura descobrir os pontos precisos em que Hegel está limitado e aqueles em que está aberto ao futuro. Realiza-se, pois, o oposto de uma crítica desrespeitosa: os limites e os aspectos débeis tornam-se justamente os pontos a ser ultrapassados. Lênin, como se verá, irrita-se, irrita-se vitalmente quando percebe o pensamento de Hegel apequenando-se e traindo-se: seus apontamentos revelam-no *simultaneamente* rigoroso e apaixonado, militante e objetivo, líder político e historiador das ideias. Ele simboliza, assim, o proletariado moderno, que, precisamente na consecução de sua missão revolucionária, reencontra e prolonga todas as conquistas humanas. Deste modo, a leitura crítica torna-se um ato criador. Lênin julga Hegel com uma severidade que só se pode ter em relação a si mesmo – em relação a seu passado, no momento mesmo em que este é superado (foi também dessa maneira que ele leu e anotou Aristóteles**). Lênin, assim, está à

* Neste volume, ver, por exemplo, os comentários de Lênin às *Lições sobre a história da filosofia* nas p. 253, 259 e 287. (N. E.)

** Ver Vladímir Ilitch Lênin, *Obras escolhidas em seis tomos*, v. 6 (Lisboa/Moscou, Avante!/Progresso, 1989), p. 305-13; ver também, neste volume, p. 289-97. (N. E.)

vontade diante dos textos mais abstrusos – extrai deles, imediatamente, a substância assimilável. O pensamento hegeliano é um pensamento contorcionado, na medida em que envolve um sutil compromisso entre o estático e o dinâmico, entre a metafísica e a teoria do movimento, entre a eternidade e o desenvolvimento. E, igualmente, porque contém sempre o tormento de uma consciência que ainda não apreendeu seu fundamento objetivo e suas condições históricas e sociais. Graças a sua posição revolucionária e suas convicções práticas, Lênin simplesmente penetra nesse quadro confuso e o esclarece.

Lênin se alegra com jovialidade apaixonada toda vez que Hegel atinge, por meio de Kant, a raiz de todo idealismo – a coisa em si, o incognoscível, a substância mística! Escreve simplesmente: "Fora do céu!"*. E mesmo as frases aparentemente mais abstratas tomam um sentido atual, urgente, carregado de virulência. Por exemplo: Lênin extrai e sublinha algumas palavras de Hegel – "Sem dúvida que todo ultrapassar de um limite [...] não é uma verdadeira emancipação em relação a ele"**. Sem comentários... Essa pequena frase não contém, para ele, a crítica de todo romantismo literário? O leitor deve reencontrar seu pensamento. Devemos ler Lênin como ele leu Hegel, seguindo as lições de Hegel. É preciso, de modo ativo, extrair os prolongamentos dessas fórmulas breves.

Hegel era um "grande burguês" liberal e otimista, que acreditava no automatismo do mundo, num progresso – decerto nem banal nem linear – sem verdadeiros acidentes. A partida estava ganha, previamente, por Deus. O progresso conduzia à época burguesa liberal, vale dizer, a ele mesmo e ao rei da Prússia! Daí, nele, o compromisso entre o dinâmico e o estático. Ademais, Hegel era, por temperamento e por ofício, um especulativo sem travas.

Ele leva ao extremo a presunção do filósofo que crê que o mundo gira ao redor de sua cabeça. Lênin o despe de seu pedantismo professoral e burguês, dessa certeza acerca da própria importância, que constituiu o lado idealista e limitador de seu gênio. A pressuposição do pensamento filosófico era não

* Ver, neste volume, p. 116. (N. E.)

** Ibidem, p. 124. (N. E.)

mais que o próprio filósofo: o homem que se põe à parte do mundo, juiz e testemunha, para "pensá-lo" por inteiro. A gênese dessa atitude está ausente na fenomenologia hegeliana. Este é um dos pontos em que a teoria marxista da divisão do trabalho (separação entre o trabalho manual e o intelectual, entre a prática e a teoria) completará o hegelianismo. Lênin afasta do pensamento fecundo toda a ganga proveniente dessa pressuposição. Imediatamente, a filosofia e a história do pensamento se desembaraçam de mesquinharias eruditas, de sutilezas especializadas. O horizonte se abre. Surge uma nova grandeza: um otimismo, uma superação revolucionária.

Lênin desenvolve, assim, uma das grandes ideias de Marx e Engels. A filosofia clássica não concluiu sua tarefa; esta só pode ser continuada pelos representantes do proletariado revolucionário e se prolongará na sociedade sem classes.

Estes cadernos revelam, ao mesmo tempo, o movimento do pensamento marxista-leninista e a verdadeira essência do pensamento hegeliano.

3.

Para a maioria dos intérpretes, somente o *método* dialético é válido – o *conteúdo* do hegelianismo deve ser rejeitado, pois é prenhe de idealismo. De acordo com muitos, o método de Hegel deve servir de ponto de partida para a construção de um método dialético materialista. Segundo outros, o método perde seu conteúdo dialético ao se tornar materialista e se transforma numa teoria de forças reais, de seu equilíbrio e da ruptura desse equilíbrio mecânico.

Nos cadernos de Lênin, o problema da "inversão"* é colocado de forma muito mais profunda e concreta. Trata-se de uma operação complexa, que se desenvolve para além de umas poucas fórmulas.

1. A forma e o conteúdo do hegelianismo não são separáveis por uma triagem sumária. Tanto quanto o método, uma parte desse conteúdo se

* Trata-se da "inversão materialista" do método de Hegel. (N. T.)

transfere para o materialismo dialético. É impossível que a doutrina e o método não interajam e que a doutrina seja inteiramente falsa, ao passo que o método é válido. O idealismo hegeliano possui um aspecto objetivo. Sua teoria do Estado e da religião é inaceitável. No entanto, como Lênin sublinha expressamente, o capítulo mais idealista da lógica hegeliana, o da ideia absoluta, é, *ao mesmo tempo*, o mais materialista.
Hegel destrói a realidade da natureza, da história, e nega explicitamente qualquer evolução. Mas, *ao mesmo tempo*, fornece os elementos de uma crítica ao evolucionismo banal e de uma teoria desenvolvida da natureza, da história e da evolução – ou seja, ele oferece mais que uma metodologia formal.
Nessas condições, a "inversão" não pode ser uma operação simples, executada mediante um único e mesmo procedimento para todas as partes do hegelianismo. Em alguns pontos, a "inversão" se opera por si mesma: basta traduzir Hegel em termos modernos (teoria da contradição). Mas, frequentemente, o texto hegeliano deve ser rejeitado (teoria da religião) ou subvertido para obter proposições efetivamente inteligíveis (teoria da alienação). Entre esses casos extremos, estende-se toda uma gama de casos nuançados, de dificuldades de interpretação. É preciso, por vezes, destrinçar pacientemente as fórmulas hegelianas para apreender sua essência – e, também por vezes, para uma "desmistificação" dessa mesma essência (por exemplo, na teoria da sociedade civil e do Estado).

2. O método, para que perca a forma limitada do hegelianismo e se torne uma razão moderna, deve ser objeto de uma nova elaboração. Ele não é como uma caixa cujo mau conteúdo pode ser descartado para que nela se introduza um conteúdo melhor. Ele não está para a filosofia de Hegel como peça de uma máquina. A unidade do materialismo e da dialética transforma esses dois termos. A teoria materialista da contradição, por exemplo, só será suficiente na medida em que for rigorosa e em que traduzir precisamente os termos mais obscuros do vocabulário hegeliano (o em-si, a indiferença, a relação com si mesmo, a negatividade etc.).
3. O problema da "inversão" coloca-se especialmente para o hegelianismo, forma conclusa e superior da especulação. Contudo, coloca-se para toda

metafísica. Na verdade, dizem os metafísicos, a alma (o espírito, o pensamento, a consciência) existe previamente ao corpo, embora o corpo *pareça* nascer antes da alma e a criança *pareça* preceder o homem lúcido e o bárbaro *pareça* estar na origem do homem civilizado. O fim está à frente do início, nas profundezas da verdade. O superior é a fonte misteriosa do inferior, e o pensamento é a razão das coisas. Assim se definia, para o metafísico, desde Platão, a verdade contra a aparência. Hegel simplesmente levou ao extremo o paradoxo metafísico, afirmando que a ciência é a causa dos objetos de que ela é ciência e que o encadeamento lógico produz o encadeamento das coisas.

O primado ontológico conferido ao ideal foi, sem dúvidas, a expressão do júbilo dos pioneiros da filosofia diante desta nova realidade: o pensamento. Para melhor acentuar seu valor, eles esqueciam suas bases elementares. A afirmação desse primado era inevitável pelas condições sociais que vinculavam o indivíduo pensante a uma classe dominante – aristocracia e, mais tarde, burguesia –, separando-o da materialidade, da natureza e do trabalho (divisão do trabalho, separação entre trabalho intelectual e manual). Este paradoxo deveria tornar-se intolerável. A metafísica *inverte* a ordem prática, real, das coisas e mergulha a verdade no escândalo e no mistério. Reverter essa operação significa simplesmente reencontrar a sucessão, a produção das coisas e das ideias sem nada perder das descobertas que foram feitas graças ao orgulhoso estratagema dos metafísicos. Por meio de Hegel, devemos incorporar e restabelecer uma grande tradição do pensamento; mas a pretensão metafísica, a soberba dos metafísicos, deve ser reduzida.

4. O "filósofo revolucionário" deve conhecer Hegel porque ele alcançou a forma mais elevada da elaboração racional de conceitos – porque, lucidamente, o hegelianismo esforçou-se por incluir e superar todas as filosofias anteriores.

No entanto, seria um erro grosseiro supor que a obra do pensamento se conclui com uma paráfrase de Hegel. Ao contrário, um renascimento do pensamento crítico, unificador, começa com a retomada, em um novo plano, da filosofia clássica. Sua integração à prática revolucionária significa um aprofundamento.

A "inversão", operação delicada e complexa, deve ser considerada, então, como momento de um processo ainda mais amplo do pensamento. Esse momento é essencial na medida em que garante a integração e a conservação de todo o acúmulo filosófico anterior.

Sobre todos esses pontos, o texto de Lênin contém numerosas e insubstituíveis indicações.

Podemos esboçar o quadro seguinte dos problemas que se colocam ao "filósofo revolucionário", enfatizando expressamente que se trata de um quadro aproximativo, provisório, e que as questões se entrelaçam de tal modo que sua separação é sempre artificial.

A) *Aspectos já elaborados da dialética materialista*

1. Teoria do movimento interno das contradições. Retificação do método hegeliano.
2. Teoria da verdade e do relativismo dialético.
3. Teoria da unidade "sujeito-objeto", "teoria-prática".

B) *Problemas sobre os quais os fundadores do marxismo deram indicações precisas, mas que devem ser retomados em função da atualidade filosófica*

1. Teoria da consciência e da representação ideológica.
2. Teoria da superação (*aufheben**) e do progresso dialético.
3. Teoria do erro e da aparência.
4. Análise da categoria de prática ("práxis").
5. Teoria dos níveis e dos domínios específicos. Metodologia.
6. Relação entre o individual e o social.

C) *Problemas em aberto. Perspectivas do desenvolvimento do pensamento dialético*

1. Crítica social das categorias do pensamento.
2. Teoria da "alienação" humana e da integração dos elementos do homem.

* Conforme o original francês. Em alemão, "superação" é *Aufhebung* e "superar", *aufheben*. (N.E.)

Uma vez mais: trata-se de aspectos, de momentos de um todo, acentuados ou a ser acentuados pela prática, pela história, pela atualidade e pela pesquisa. Sobre os problemas do homem (grupo C), Marx deixou numerosas indicações – estão no centro de seu pensamento. Todavia, Marx e Engels não tinham o gosto das antecipações proféticas; o problema do homem só se coloca concretamente no curso das transformações da vida real dos homens. As questões do grupo A têm respostas formuladas nos textos de Hegel, Marx, Engels, Lênin etc. – o que se faz necessário é compreender e desenvolver tais escritos. Deles, porém, não há nenhuma exposição sistemática completa. Enfim, os problemas do grupo B são postos pela vida e demandam uma análise dos dados dinâmicos da atualidade; mas é preciso ter claro que nem por isso a resposta a eles é incerta: ela virá a sua hora e terá seu lugar numa linha geral. Os problemas não estão "em aberto" num sentido metafísico: sua solução já é vislumbrada, e até mesmo verificada, em muitos de seus aspectos ou de suas aplicações.

Em cada seção, a propósito de cada um dos "problemas" que se podem distinguir, põe-se a questão da "inversão" de Hegel e de toda ideologia mistificada. A respeito de cada um desses pontos, procuraremos oferecer aqui alguns esclarecimentos, em função do texto descontínuo dos cadernos de Lênin e, também, dos problemas filosóficos atuais (isto é, posteriores a Hegel).

Teoria da contradição

Ela só será suficiente quando se compreender e se retomar, em função da práxis humana, a *Fenomenologia* de Hegel*. Nessa obra, o filósofo tentou mostrar como se constitui a consciência dialética (a consciência da contradição e de sua unidade com a unidade, a consciência da unidade do ser e do conhecer).

* Ed. bras.: G. W. F. Hegel, *Fenomenologia do espírito*, 2 v. (trad. Paulo Meneses, Petrópolis/Bragança Paulista, Vozes/São Francisco, 2008). (N. T.)

Toda atividade e toda consciência sempre foram contraditórias, porque envolviam uma colisão com a natureza e conflitos entre grupos e classes sociais. No entanto, a consciência clara da contradição supunha condições complexas: nível ideológico elevado, vocabulário adequado, eliminação das formas nebulosas e emotivas do pensamento, tensão extrema das forças humanas, da ação sobre a natureza e do movimento da história[2]. Essa consciência, portanto, só poderia constituir-se lentamente – como Hegel demonstrou, ela deveria experimentar múltiplas atitudes e posições limitadas e unilaterais. Ela emerge sob formas mágicas, místicas, morais: o Bem e o Mal, o Herói e o Destino, Deus e o Diabo, lutas recíprocas entre forças obscuras e contra o homem etc.

Pouco a pouco, contudo, em circunstâncias ainda mal esclarecidas, essa consciência se decanta e se elucida. Aparecem, então, determinações precisas: o Um e o Todo, o Mesmo e o Outro, o Idêntico e o Diverso (Parmênides, Heráclito, Platão). O desenvolvimento social faz explodir a forma religiosa da ideologia e cria a exigência de uma consciência intelectual rigorosa, fundada na razão de cada homem. Começa, então, um grande jogo de confrontos, que durará séculos, entre esses diferentes conceitos. A consciência da contradição se justapõe à da unidade e, em geral, submete-se a esta (de Parmênides a Leibniz, que realizou em sua *Monadologia** um esforço heroico, ainda que fracassado, para reconduzir o múltiplo ao uno e a contradição à identidade). Para Platão, a dialética – isto é, a consciência da contradição nas ideias e nas coisas – era um método para encontrar não diferenças, mas identidades, resolvendo as contradições nas ideias puras até o acordo final. Para os sofistas e os céticos, ao contrário, a dialética era um modo de confronto, descobrindo que cada posição do pensamento só se definia pela posição antípoda, destruindo-se a si mesma. Em Hegel, enfim, a luta e os compromissos entre essas determinações são superados. Elas deixam de ser exteriores umas às outras. O sentido histórico e a teoria da evolução, frutos do século XVIII

2 Ver Friedrich Engels, *Dialektik der Natur*, p. 187 [ed. bras.: *Dialética da natureza*, Rio de Janeiro, Leitura, s.d., p. 162].

* Ed. bras: *A monadologia e outros textos* (trad. Fernando Luiz Barreto Gallas e Souza, São Paulo, Hedra, 2009). (N. E.)

e da época revolucionária, unem-se à lógica antiga. A lógica e a história, vinculando-se, dão um decisivo passo adiante. A lógica torna-se concreta, e a história torna-se inteligível ao conectar seu movimento ao das contradições do pensamento. Hegel toma consciência, simultaneamente, da contradição e da unidade – do movimento e do inteligível. Em vez de opor-se à contradição (o que deixava fora da unidade todos os fatos reveladores de antagonismos e oposições), a unidade racional torna-se unidade contraditória. A dialética se funda como ciência.

A *Fenomenologia* de Hegel leva a dialética até a *Lógica*. Ele toma o resultado como princípio, e a unidade dos contrários torna-se a causa de todo o movimento que conduziu a consciência a si mesma, a razão ideal das coisas nas quais se podem encontrar a unidade, a contradição, o movimento. Mesmo tendo estabelecido que o absoluto não é mais que a totalidade do relativo, o filósofo acredita penetrar na intimidade do absoluto. Ele abandona a história concreta (fenomenologia) para se instalar na história abstrata da ideia. O começo não é mais a sensação nem a ação; para esse desenvolvimento absoluto da ideia, é necessário um começo puro – o ser, idêntico ao nada.

As proposições dialéticas poderiam passar por simples fenômenos de consciência. Quando pensamos em uma coisa que se transforma, percebemos que não é suficiente afirmar que o estado A desapareceu pura e simplesmente e que apareceu um estado B. Algo de A perdura em B; a anulação de A não é absoluta; ainda pensamos em A quando pensamos em B. A consciência comum (o entendimento, *Verstand*) contenta-se em afirmar: "B é outro que A". A consciência dialética discerne que essa palavra – *outro* – dissimula relações. A negação é uma relação. Nosso passado perdura em nós; contudo, ele não existe mais. Os conhecimentos elementares que obtivemos estão presentes em nossos conhecimentos superiores, mas de um modo singular: não por eles mesmos nem em si mesmos – eles são "negados" e, no entanto, "elevados" a um nível mais alto. O hegelianismo afirma que a dialética objetiva explica a dialética em nossa consciência. Não é a história empírica (ideológica) de nossa consciência que explica a percepção do movimento, da relação de anulação. Não é a reminiscência, não é o reconhecimento que explica a concepção dessa relação. A dialética, ao contrário, explica a própria memória. De acordo com o princípio aristotélico, a ordem do ser é inversa à ordem do conhecer – o que é o último no conhecer (a ideia, a consciência dialética) é o primeiro no ser.

E é aqui que começam as dificuldades para o filósofo que quer "inverter" Hegel e "colocar sobre seus pés o método hegeliano". É preciso "inverter" Hegel porque ele mesmo inverte as coisas e as põe de cabeça para baixo: a ideia antes do real e a consciência antes da ideia. Mas Hegel realiza essa operação para passar legitimamente da consciência à ontologia: para explicar toda a história da consciência mediante uma forma aperfeiçoada dessa consciência – de modo que pode parecer impossível remeter a consciência dialética a uma dialética objetiva sem tomar sua posição.

Essa dificuldade pode tornar-se precisa em três questões que correspondem aos problemas do "grupo A", colocados pela primeira elaboração da teoria dialética:

1. Como a contradição e a unidade dos contrários, relações "ideais" percebidas apenas pela consciência mais elevada, podem ter um sentido fora dessa consciência? Como a contradição pode ser outra coisa que não uma essência lógica interior ao espírito?
2. Hegel afirma que a verdade existe anteriormente às coisas das quais ela é a verdade e que se engendra no interior do espírito, como causa final absoluta a partir de um começo expurgado de toda pressuposição – o ser. O que resta do hegelianismo caso se recuse a construir metafisicamente o real?
3. A unidade e a adequação do sujeito e do objeto no conhecimento são garantidas em Hegel, postas como razão (causa final) dos objetos e dos sujeitos reais. O que resta dessa garantia da verdade caso se abandone o idealismo hegeliano?

Quando se analisam os comentadores idealistas de Hegel, torna-se flagrante que eles se empenham em depreciar a objetividade da contradição dialética. McTaggart escreve (em *Studies in the Hegelian Dialectic*, p. 85*):

* John Ellis McTaggart (1856-1925), *Studies in the Hegelian Dialectic* (Cambridge, Cambridge University Press, 1896). O autor é referido por Lênin em anotações filosóficas feitas entre 1914 e 1915: ver Vladímir Ilitch Lênin, *Obras escolhidas em seis tomos*, v. 6, cit., p. 329. (N. T.)

> As contradições não estão no ser enquanto oposto ao pensamento. Elas estão em todo pensamento finito, desde que este procure operar. A contradição sobre a qual se funda a dialética é esta: se utilizamos uma categoria finita em relação a um objeto, somos forçados, caso examinemos a implicação de seu emprego, a empregar também seu contrário ao mesmo objeto.

Ou seja: a contradição dialética só tem um valor epistemológico para nosso pensamento limitado. O objeto não é contraditório. A contradição é apenas ideal: a ideia suprime nela mesma, no absoluto, a contradição. Croce, outro comentador idealista, tenta opor a *distinção* à *contradição*. Os distintos podem estar em relação, mas têm uma existência autônoma, irredutível a essas relações. A contradição é assim debilitada em oposição e diferença e, em seguida, em simples distinção. "Hegel não fez esta importante discriminação [...]. A teoria dos opostos e a teoria dos distintos foram confundidas por ele [...]" (ver *O que é vivo e o que é morto na filosofia de Hegel*, p. 95 da tradução inglesa*).

Ora, Hegel não se cansa de repetir (e Lênin o sublinha) que tudo o que existe é contraditório, que a dialética é objetiva, que a lógica tradicional que só confere existência ao não contraditório é insuficiente.

O parágrafo 240 da *Enciclopédia* oferece uma indicação da mais alta importância (confirmada por toda a filosofia da natureza e do espírito) sobre como Hegel concebia a realidade da contradição. A contradição não é idêntica em todas as esferas e em todos os graus. A negatividade é específica. Há um debilitamento crescente da contradição na progressão dialética do ser para a ideia, na qual a contradição não é mais que uma diferença interna. A atividade do pensamento (a ideia) consiste, pois, em conter em si e a manter os termos contraditórios que existem objetivamente no ser. Para Hegel, portanto, a contradição é *mais efetiva* no ser objetivo (na natureza) que no pensamento. Somente o pensamento marxista desenvolve essa sugestão hegeliana, compreendendo-a. A unidade dos contrários não é apenas inter-

* Trad. Vitorino Nemésio, Coimbra, Imprensa da Universidade, 1963. Essa obra de Croce (no título original em italiano, *Ciò che è vivo e ciò che è morto della filosofia di Hegel*) é de 1906. A referência de Lefebvre e Guterman é à tradução inglesa de Douglas Ainslie, *What is Living and What is Dead of the Philosophy of Hegel*, de 1912. (N. T.)

penetração conceitual dos termos ou dilaceramento ideal: é conflito, choque, relação viva em que os contrários se produzem e se mantêm um e outro em sua própria luta, até a vitória de um deles ou até a mútua destruição – assim, a luta das espécies animais, das classes sociais etc. A contradição deixa de ser uma relação definida logicamente, unívoca e ainda metafísica, para se tornar uma relação existente de fato, de que a dialética é a expressão e o reflexo. É um fato natural e histórico, que passa por fases e graus: latência, paroxismo, explosão, superação ou destruição. Decerto, conforme a concepção hegeliana, o pensamento é "*menos contraditório que o ser*" (a natureza), porque a contradição se resolve em pensamentos "diferentes". O pensamento de uma destruição não é uma destruição desse pensamento. Um pensamento concentra termos que, na realidade, são incompatíveis, ainda que ligados no drama de sua luta e seu devir, que são "totalidade dispersa"[2].

A origem de todas as dificuldades parece estar numa confusão entre a contradição e a consciência da contradição. Hegel distingue-as implicitamente, mas não aprofunda a distinção. Confundi-las leva a uma posição insustentável. Afirma-se, então, que a contradição existe apenas na consciência, o que retira qualquer valor objetivo à dialética. Ou, ainda, afirma-se que o pensamento, sendo contraditório, destrói incessantemente a si mesmo e deve agarrar-se a um ser místico, no qual haveria de se dissolver. A distinção proposta talvez resolva a dificuldade. A *contradição* existe nas coisas, e só existe na consciência e no pensamento porque existe nelas. A *consciência da contradição*, porém, define uma atividade que se desenvolve com uma coerência imanente: o pensamento dialético. O pensamento é totalidade dinâmica, não dispersa, é totalidade interna.

Se o pensamento dialético não é, pois, contraditório no mesmo sentido em que o são a natureza e as coisas, o conhecer e o ser diferem, ainda que estejam ligados. Particularmente o conhecer, no curso de seu desenvolvimento, não é um reflexo exato e contínuo do ser, mesmo que a ligação sempre possa ser reencontrada e que o resultado seja *um "reflexo" do ser*. A adequação se

2 O "paradoxo" do pensamento dialético, pois, consiste em aguçar a percepção das relações contraditórias ao mesmo tempo que as domina e as une numa atividade imanente.

dá somente no fim do processo. A dialética objetiva opera especificamente no pensamento e nas coisas, embora seja a *mesma* dialética. Conforme a notação de Aristóteles, há uma distinção entre a ordem do conhecer e a ordem do ser – e, até, uma pode ser o inverso da outra. (Assim, o conhecimento humano teve inicialmente uma forma mística e mágica; e a lucidez dialética é tardia.) É preciso, portanto, tomar como ponto de partida o que foi adquirido em último lugar. Mas essa inversão da ordem histórica das ideias não autoriza a inversão metafísica. O paralogismo metafísico consiste em não distinguir o que é conhecer e o que é a fenomenologia do conhecer, o que é etapa e o que é resultado, o processo de aquisição e o conteúdo. A metafísica inverte grosseiramente todo o processo: ela se apropria do resultado que era necessário apenas *extrair* e o põe como princípio ontológico. É precisamente o que faz o idealismo hegeliano.

A contradição do ser, segundo Hegel, seria apenas uma manifestação da diferenciação interna, da *alienação* da ideia, tornada estranha e exterior a ela mesma. Então, com efeito, a contradição se resolve na diferença, e esta, na distinção e na pluralidade. E então a lógica dialética se liquida – e, com ela, a contribuição de Hegel ao pensamento. A idealidade da contradição postula a efetividade do espírito e o ato místico de um absoluto que se fecunda a si mesmo e dá à luz o universo. Uma lei do movimento do conhecimento é hipostasiada num ser de razão e, por isso mesmo, desmentida, suprimida, remetida ao mistério. Essa hipótese, para falar propriamente, não pode ser refutada. É um ato do homem Hegel. Não se pode refutar Dom Quixote. Disso, a vida se encarrega – e a morte. A refutação do idealismo hegeliano se reduz a isto: a idealidade da contradição significa que se reconduziu a contradição à consciência da contradição; a essência profunda da *transformação* é, portanto, ideal, vale dizer, não há transformação real. A coerência não é mais que imobilidade. O conhecimento deixa de ser determinado como um desenvolvimento racional. A identidade metafísica triunfa. O movimento dialético se transforma numa escala estática de noções, o que contraria o próprio espírito do hegelianismo. Assim, a contradição está no sistema, sob uma forma imprevista, como um desmentido interno – que o obriga a mover-se, a implodir... Mas, se alguém quer ser incoerente, quem poderá impedi-lo?

Na unidade do sujeito e do objeto, do conhecimento e do ser (unidade que opõe esses termos, unindo-os), o primado conferido à subjetividade destrói a própria unidade. Porque não se pode compreender de onde surge o ser se a ideia é posta primeiro. Assim, coloca-se na origem a noite mística em que, como o próprio Hegel diz ironicamente, "todos os gatos são pardos". Apenas o primado do objeto sobre o sujeito e do ser sobre o conhecer – da contradição objetiva sobre a consciência dialética – permite compreender este fato fundamental: o conhecimento é conhecimento do ser! A dialética só se mantém como dialética se não deixa fora dela o materialismo, quando se une a ele. Para o idealismo, a ideia se exterioriza e se degrada em natureza. Para o materialismo, a natureza se supera e a ideia supõe e envolve as relações da natureza e da sociedade humana, sua luta e sua unidade. E essa tese é a única conforme à fórmula hegeliana: "*Die sich selbst zerreissende Natur aller Verhältnisse*"*. A determinação recíproca da contradição e da identidade só pode ser concreta num mundo onde o todo é tanto multiplicidade real quanto unidade real – interdependência, choque, conflito e movimento e superação criadora.

Toda tentativa de fazer da contradição uma essência lógica que o espírito põe e suprime é uma maneira de fixá-la numa idealidade fechada e eterna. Procura-se, então, resistir à morte pela afirmação da eternidade imóvel, pela negação ideal da morte. Procura-se retirar a contradição do indivíduo pensante, e precisamente assim se sacrifica a vida concreta à morte. Nega-se o drama verdadeiro da existência, que resulta do fato de os contrários terem necessidade um do outro sem poder evitar sua luta: o homem e a natureza, a vida e a morte, o indivíduo e a espécie frente a frente uns aos outros... A morte, o único inimigo do homem, serve implicitamente para definir o espírito absoluto – o que talvez seja o crime absoluto contra o espírito vivo...

A noção de *totalidade* merece ser examinada desde já. Algumas doutrinas que afirmam a irredutibilidade de múltiplos domínios podem ser consideradas *pluralismos*. A autonomia recíproca da arte, da religião, da ciência,

* "As circunstâncias ou condições da natureza que se dilacera a si mesma." (N. T.)

sua independência diante da prática e da vida social, são postuladas pelos pluralismos "antitotalitários". Sob uma forma irrefletida, essa concepção é extremamente generalizada. Ela foi filosoficamente formulada por W. James, Croce etc. Historicamente, ela corresponde a um liberalismo que "respeita" todas as atividades.

Essa filosofia "pluralista" experimenta e constata passivamente, em vez de conhecer. E nada limita o número de "essências" que ela pode admitir. Magia, espiritismo, ocultismo podem muito bem passar por "domínios". O pluralismo só compreende a confusão ou o isolamento das noções. A posição dialética – conexão e oposição, diferença na unidade – lhe escapa.

O pluralismo está superado. A vida social (Hegel pressentira) comporta uma correlação orgânica de diversas formas de atividade. A vida moderna exige que essa correlação se torne consciente e planificada. Não é possível contentar-se com um abandono às diversas "experiências", a um polimorfismo. Os problemas práticos (por exemplo, a pedagogia), os problemas internos dos diferentes domínios (a relação da arte com a vida social, a consciência do artista) exigem uma concepção unitária.

Aqui duas direções se opõem. Uma apresenta a totalidade como um círculo, como uma esfera – como *fechada*. O organismo social e humano é tomado como um todo definido de uma vez por todas e sujeitado e mantido em quadros apriorísticos que assinalariam a cada domínio seu lugar, sua forma e seu conteúdo. Um domínio terá a prioridade, o papel da ideia absoluta. O Estado será a alma da totalidade fechada. Chega-se, assim, à ideia fascista do Estado totalitário.

Bergson teve razão em distinguir as realidades "fechadas" e as realidades "abertas". Contudo, ele passa ao largo do verdadeiro problema – uma totalidade é necessariamente fechada? O aberto é necessariamente o amorfo, o inefável e o não prático? Decerto nossos hábitos mentais, sobrevivências da lógica metafísica, nos levam a figurar um todo como fechado. O pensamento dialético, porém, permite-nos conceber uma totalidade aberta – e essa é uma de suas novidades essenciais. Um ser vivo é uma totalidade movente. Ele é infinito e finito. Ele traz em si suas relações, seus conflitos, suas funções. Ele os mantém, os reproduz e os domina até sua morte.

O pensamento, tomado em seu conjunto e em seu movimento, é outro exemplo de totalidade aberta. Para a dialética materialista, a totalidade social deve ser a organização da vida humana e de seus meios, racionalmente ordenados a serviço do homem. Os indivíduos não devem ser sujeitados nem permanecer isolados. Sua relação com a totalidade deve ser tal que nela encontrem as condições de seu desenvolvimento e que cada um possa se propor constituir-se como homem total[3]. Não há prioridade conferida ao Estado – este é apenas um meio provisório. A prioridade é conferida ao possível racionalmente determinado, fundado sobre a planificação e o desenvolvimento das forças criadoras. A totalidade, pois, não diz respeito ao Estado, mas ao homem: ela tem um objetivo, um "ideal" – o homem total, que se apropria de todos os meios de sua vida. Apenas o materialismo dialético salva o dinamismo, o progresso e o *ideal*. O Estado fascista parodia a totalidade real. Ele infla sua forma caricatural e imóvel com um falso dinamismo, com o misticismo absurdo da raça, do chefe ou do passado. Ele exige o sacrifício dos indivíduos ao Estado fetichizado. Longe de suprimir as contradições, ele as dissimula até o instante em que o movimento emergir com maiores abalos.

Sobre esse ponto essencial, Hegel permanece equívoco. A ideia de totalidade está no centro de sua doutrina. A verdade está na totalidade. Cada efetividade (e cada esfera da efetividade) é uma totalidade de determinações, de momentos, de contradições efetivas ou superadas.

Cada efetividade é "aberta" em todas as suas relações e em ação recíproca com o mundo inteiro. Cada nível do ser se move e se abre para o nível mais elevado – por exemplo, a natureza em direção à vida, que concentra a totalidade das determinações dispersas na natureza. No entanto, a ideia é concebida como ciência já acabada, como sistema. Ela conclui a reinvolução de todas as determinações – o movimento total torna-se "possessão" de si mesmo. A ideia é eterna, sem possível: ela resolve eternamente as contradições que ela mesma põe. Ela é fechada, o que se traduz praticamente na apologia do Estado reacionário.

3 Cumpre, portanto, opor "total", no sentido dialético, a "totalitário".

"Inverter" Hegel, aqui, é liquidar o equívoco de seu pensamento e elucidar essa *ideia* inteiramente nova da totalidade aberta, resolvendo suas contradições num movimento ascendente, e não numa transcendência metafísica ou mítica.

A contradição é, pois, real, está nas coisas mesmas. Ela não é uma transposição conceitual do movimento nem tão somente uma expressão limitada e provisória das coisas, resultado de uma análise incompleta e fragmentária. A essência das relações reais é, como relação, ser luta e choque. Termos e relações são tomados não como eternos, mas como móveis.

Essas fórmulas não constituem uma apologia da contradição, do dilaceramento nem do absurdo.

O marxismo vê na luta de classes a última forma das lutas que ensanguentam a natureza biológica, a variedade última – e que deve ser superada – da contradição objetiva. Não é a contradição que é fecunda – fecundo é o movimento. E o movimento implica simultaneamente a unidade (a identidade) e a contradição: a identidade que se restabelece em um nível superior, a contradição sempre renascente na identidade. A contradição como tal é intolerável. As contradições estão em luta e em movimento até que superem a si mesmas.

A vida de um ser ou de um espírito não consiste em ser dilacerado pela contradição, mas em ultrapassá-la, em manter em si, depois de havê-la vencido, os elementos reais da contradição. Assim opera a humanidade inteira, considerada como uma totalidade aberta, como espírito. A contradição, como tal, é destrutiva; ela é criadora enquanto obriga a encontrar uma solução e uma superação. O terceiro termo, a solução, é a identidade enriquecida e emancipada, reconquistada num nível superior. A vida é essa superação. Constantemente, a contradição reaparece na vida. Constantemente, ela deve ser vencida.

A lógica dialética confere um novo sentido ao princípio da identidade: ela supera o formalismo tautológico (a velha lógica da inclusão espacial e estática dos conceitos) e se torna viva. Não apenas se observa a convenção do discurso e os termos permanecem "os mesmos" durante o juízo ou a inferência: cada termo é existência determinada, essência, efetividade, estrutura inteligível; cada termo é ele mesmo, mas, sendo ele mesmo, é outra coisa – é nó e centro de relações. A é A, mas, sendo A, também é B. A fórmula "A é B" exprime uma das relações, um dos atributos e uma das "propriedades" de A. O termo A é, pois, uma totalidade (determinada efetivamente e, no entanto, infinita, movente e aberta) de propriedades B, C etc., das quais cada uma é uma ação recíproca de A com os objetos que, em número infinito, estão imersos na interdependência universal[4]. Hegel estabelece que a substância é o conjunto das relações, e a essência, a totalidade de manifestações e aparecimentos.

A contradição, portanto, não é obtida de operações exteriores à essência. Ela se descobre pela *análise* do que – no coração de um *ser* – é seu movimento no inteiro mundo que o implica em seu devir. É ele e ele é outro e mais que ele. Ele só pode *ser* no interior do movimento. Assim, a destruição, o dilaceramento, a contradição *estão* nele. Contudo, ele é uma totalidade e uma unidade, a unidade dos contrários, laço interno de seus elementos e "momentos". No devir, a forma efetiva dessa unidade será superada, e seu conteúdo, resgatado – a unidade triunfará (*aufheben*) em um nível *superior*.

A contradição dialética não pode, pois, ser interpretada como um "absurdo realizado". A identidade tem um papel maior que na lógica formal: ela é concreta. A contradição é "insuportável", mas ela é. Hegel não ofereceu uma teoria da confusão dos termos. Lênin cita e sublinha todas as passagens que opõem a dialética à sofística. Não se pode dizer, ao mesmo tempo, que um objeto é redondo e que é quadrado. Mas é preciso dizer que o mais só se define pelo menos; a dívida, pelo crédito; que a estrada para o leste é também a estrada para o oeste; que o homem é um ser da natureza em luta com ela; que a superprodução provém do subconsumo; que o proletariado e a burguesia se engendram mutuamente no curso de uma longa luta etc.

4 O próprio Hegel (*Encyclopédie*, cap. 3, nota) exprime a verdadeira natureza das determinações da essência: "Na essência, tudo é relativo" (Friedrich Engels, *Dialektik der Natur*, cit., p. 157 [ed. bras.: *Dialética da natureza*, cit., p. 132]).

Sempre se pode encontrar numa realidade aquilo que a faz estar inscrita no devir e destinada à superação. *A análise dialética é sempre possível.* Uma laranja e um chapéu não estão em contradição e não constituem uma unidade. Somente é contraditório aquilo que é idêntico, e somente é idêntico o que é contraditório.

O jogo dos pluralistas, neste ponto, consiste em tomar objetos de domínios afastados – a laranja e o chapéu, a arte e a ciência. Eles demonstram, então, que não se podem aplicar a esses objetos as categorias do *imediato* e do contínuo. E têm razão! Seu procedimento consiste em ocultar os encadeamentos que ligariam, por exemplo, a arte e a ciência pela *mediação* da vida social, da cultura, da produção etc. A *distinção* aplica-se somente aos objetos e aos domínios mediatamente conectados e que são considerados apenas sob esse aspecto, sem o tratamento da interdependência. A análise isola momentaneamente as realidades – e é neste momento que sobrevém o risco de pensar metafisicamente. O pluralismo cai na armadilha. Ele regressa ao nível da metafísica do entendimento, que decifraria o mundo sílaba por sílaba, *partes extra partes**, metafísica que estava, ela mesma, no nível de uma ciência ainda tateante e, sobretudo, mecanicista.

> A ciência [contemporânea] confirma o que disse Hegel: a ação recíproca é a verdadeira *causa finalis* das coisas. Não podemos ir mais além do conhecimento dessa ação recíproca simplesmente porque não há nada além dela. [...] Para compreender os fenômenos isolados, nós os extraímos da interconexão [*Zusammenhang*] universal, nós os tomamos isoladamente; então aparecem as condições mutantes, umas como causas, outras como efeitos (Engels, *Dialetik der Natur*, p. 166).**

O pluralismo é vítima dessa aparência. Malgrado sua pretensão ao "empirismo integral" e seu respeito místico pelos domínios e pelos seres, ele reintroduz em cada domínio o encadeamento mecânico da causalidade e a tautologia lógico-metafísica. A posição de um pluralista se reduz a estas afirmações: "A arte não é a filosofia... A arte é a arte... O bem não é o útil..." etc.

* A expressão latina denota uma parte como coisa externa à outra parte. (N. T.)

** Ver *Dialética da natureza*, cit., p. 140-1. (N. T.)

O movimento total torna-se incompreensível. A dialética hegeliana, diz Croce (cit., p. 120), "está privada de meios para reconhecer a autonomia das formas variadas do espírito e para lhes atribuir o justo valor". O pluralismo, porém, leva ao absoluto essa autonomia (que a dialética não nega num sentido *relativo*) ao eliminar toda conexão explicativa. Talvez Croce tivesse razão contra um formalismo dialético idealista, para o qual não existiriam transformações reais. Mas ele erra em relação à dialética materialista, segundo a qual, precisamente, a dialética tem um conteúdo "material" que se transforma passando de um nível a outro (e, notadamente, da natureza ao humano) sem, por isso, deixar de ser dialética, e que leva em conta a diferença e mesmo a descontinuidade sem esquecer a unidade e a continuidade.

Para resumir a discussão, a teoria dialética combate:

1. O *formalismo lógico-metafísico*, seja sob sua forma tautológica (lógicas e sistemas da identidade), seja sob sua forma kantiana. As anotações de Lênin mostram como Hegel, superando o formalismo de Kant, tendia a superar seu próprio formalismo para chegar à plena objetividade da dialética.
2. O *empirismo*, para o qual a contradição é apenas um fato, não uma lei do ser, e que a reduz à diferença constatável pela observação, à simetria, à justaposição dos contrários. O pluralismo, forma refinada do empirismo, confunde o mediato com o imediato, desdenha as conexões explicativas; negando a contradição, nega qualquer espécie de teoria unitária e conduz a um misticismo de baixa qualidade.
3. A *sofística*, que realiza a contradição no pensamento (o pensamento hegeliano se serve da dúvida para dissolver as determinações absolutas do entendimento metafísico, mas supera esse momento do qual restam prisioneiros o sofista, o cético, o ironista).
4. O *materialismo vulgar*, segundo o qual a oposição é um simples antagonismo de forças externas, de essências não mutáveis, do qual cada uma é como uma causa absoluta. O mecanicismo deixa de observar que os contrários relacionam-se por uma conexão interna que constitui sua unidade. Ele oferece do encadeamento e da interdependência universal uma noção unilateral, simplificada. Só concebe a causalidade mecânica

(A produz B, que produz C), sem poder elevar-se à noção de ação recíproca (B reage sobre A, e A sobre B, donde o resultado C).

A esses "inimigos" é preciso agregar o ecletismo sem rigor, o evolucionismo banal, que despreza os incidentes do devir e só proporciona um esquema "estreito e estéril" (Lênin) e seu corolário, o "geneticismo", que desloca todas as dificuldades para a noite das origens (Hegel).

Essas doutrinas se situam num mesmo nível, no entendimento unilateral (vale dizer, burguês), numa mesma limitação e numa mesma negligência de vários elementos da realidade. As anotações de Lênin permitem superá-las e elucidar o que permanece obscuro no pensamento de Hegel.

Essas considerações não esgotam o problema da "inversão" da teoria hegeliana da contradição.

Em Hegel, a *negatividade* é o princípio e o motor do movimento dialético. Essa negatividade não é o "nada" absoluto. Ela é o nada *relativo*, como fim, limite, transição, mediação, começo de outra coisa. O pensamento de Hegel é a noção do *ser* em geral, do qual logo se nota a insuficiência. A negação é, então, para a afirmação inicial e imediatamente colocada, o início de determinações novas. A negatividade é criadora, "raiz do movimento", pulsação da vida...

Mas, no hegelianismo, a negatividade comparece com dois sentidos. Ela está na origem do movimento *ascendente* que parte do ser para alcançar a ideia, por meio da série das categorias. De outro lado, ela está na origem do movimento *descendente* que *aliena* a ideia e a dispersa. A negatividade aparece de modo muito equívoco. Mesmo quando tomada apenas no primeiro sentido, ela tem em Hegel um valor místico. As determinações posteriores e superiores (do ser e do pensamento) têm uma força estranha que lhes permite suscitar suas próprias condições. A negatividade parece, no pensamento hegeliano, ser um aperfeiçoamento da noção clássica de *virtualidade*. Trata-se de uma virtualidade ativa. O resultado está "virtualmente" presente em suas condições precedentes e, na realidade, existe mais profundamente que elas, preparando-se nelas mesmas para negá-las a fim de ser. O absoluto, abismo atuante, está assim presente desde suas mais simples determinações. E, definitivamente, existe antes delas.

Em *A sagrada família*, Marx já ironizava as consequências paradoxais dessa teoria. O fim é causa, e o resultado, princípio; o filho suscita seu pai e é o pai do pai*.

Essa "ideia" é uma estranha projeção, no absoluto, da consciência do indivíduo isolado que ignora suas próprias condições, acredita que sua própria consciência "racional" seja o centro, a causa e o fim do mundo inteiro e busca tirar o melhor partido possível desta "propriedade" milagrosa, estendendo-a a tudo que o cerca e tornando o universo um espelho de seu tormento. A dialética materialista só pode rejeitar a teoria da negatividade *descendente*, do abismo ou da ideia, abissal em si, que se precipita para se reencontrar. Ela só pode operar com a *negatividade ascendente* – essa noção deve ser cuidadosamente revisada e separada da noção metafísica de "virtualidade".

1. A dialética materialista não pode servir a uma construção especulativa da reflexão, da subjetividade e do "para si" (*fürsichsein*). A consciência se conquista prática e historicamente. Esse "para si" é tão somente a consciência filosófica, "o filósofo sendo a forma abstrata do homem alienado" (Karl Marx, "Crítica de Hegel", num dos *Manuscritos de 1844***). Trata-se, pois, de uma consciência desprovida de seus atributos vivos. A formação da consciência se estuda numa ciência das ideologias. O vínculo entre conhecimento e ser não é uma força misteriosa, a negatividade – é histórico e prático.
2. Como Engels observou, a negação dialética toma uma forma em cada domínio, o que liquida a noção de uma negatividade unívoca e geral. A negatividade hegeliana representa a intrusão do método especulativo nos domínios específicos: biologia, psicologia etc. A lógica deve se limitar a determinar a originalidade específica do movimento em cada uma dessas esferas e a elucidar as metodologias próprias, em função de uma metodologia geral dialética.
3. A natureza nos é *dada* como totalidade de ações recíprocas.

* Ver Karl Marx e Friedrich Engels, *A sagrada família ou A crítica da crítica crítica. Contra Bruno Bauer e consortes* (trad. Marcelo Backes, São Paulo, Boitempo, 2003), p. 190. (N. T.)

** Ver Karl Marx, *Manuscritos econômico-filosóficos de 1844* (trad. Jesus Ranieri, São Paulo, Boitempo, 2006), p. 110. (N. T.)

A negatividade da semente não é, pois, uma força misteriosa da planta, que levaria seu germe a se desenvolver. Ela é a relação, a interação da semente com o meio em que germina. A força é que depende da ação, e não a ação da força. Sem efetividade não há possibilidade. O virtual é uma determinação do efetivo, o que é perfeitamente compatível com a análise hegeliana da efetividade (*Wirklichkeit**). A negatividade significa que cada coisa se vê arrastada pelo movimento total e que esse movimento não é uma liquidação abstrata da coisa: ela se afirma nele e por ele, ela concorre para ele; ele só pode arrastá-la conservando o essencial dela. A negatividade é a expressão abstrata desse movimento – ele, sem cessar, oferece novas determinações que, na unidade e na interdependência (*Zusammenhang***) universal, continuam relacionadas àquelas que as produziram. Tal devir é *superação*. A interdependência universal não é um entrelaçamento sem forma nem um caos sem estrutura. É unidade na diferença e diferença na unidade. As leis do movimento são idênticas ao próprio movimento. A estrutura e a ordem provêm da interação (*Wechselwirkung****) das forças tumultuosas da natureza – do conjunto das criações e das destruições, das eliminações e das superações.

Se o dado (não no sentido kantiano da palavra, mas no sentido prático) é a efetividade do mundo, pode-se *começar* pela noção de ser?

Este último começo tem, para Hegel, um valor absoluto: permite reencontrar a gênese do espírito e reconstruir, a partir de uma noção além da qual não se pode remontar, todas as determinações do ser. A história efetiva dos seres não é mais que a nebulosa manifestação dessa história ideal. A lógica é ontológica. O pensamento do ser já é o ser – porque Hegel (que negligencia a práxis ou, pelo menos, não a enfatiza) pensa que, de outro modo, a relação do ser com o pensamento e a existência do pensamento no mundo são

* Guterman e Lefebvre traduzem o alemão *Wirklitchkeit* ora por *realité* (realidade), ora por *actualité* (atualidade). (N. T.)
Nesta edição, foi adotado o termo "efetividade", consagrado nas traduções de Hegel para o português brasileiro, a fim de estabelecer a diferença com relação a "realidade" (*Realität*). (N. E.)

** Palavra também traduzida por "interconexão" e "contexto". (N. E.)

*** Também traduzida por "causação recíproca". (N. E.)

ininteligíveis. Esse é o *argumento ontológico*. Hegel parte do começo puro, o ser; depois, ele chega à *realidade* e, enfim, à ideia.

Para nós, o ser puro não é mais que uma entidade: o ponto extremo da abstração. Assim se coloca o problema do começo. Não pode haver um começo absoluto e puramente lógico. O ser abstrato, *ens generalissimum**, tomado como termo primeiro, caracteriza o desejo de uma construção metafísica relativa ao conjunto do mundo, imobilizando-o, negando a experiência, o movimento, a especificidade dos domínios e a originalidade dos seres. Supõe-se a posse mágica desses seres reais no pensamento do ser. Velha ilusão dos metafísicos! Para o materialista, com o mundo "dado" na atividade prática, suas leis e suas categorias são imanentes e sua descoberta é o resultado de uma análise, não de uma construção sintética. O começo só pode ter um valor *metodológico*. O pensamento humano parte da ação sobre o real e alcança, após longos esforços, conceitos gerais, dos quais o mais simples, o mais desprovido de conteúdo, o mais elucidado – portanto, o mais abstrato –, é aquele de ser. Daí, o pensamento retorna à realidade. É somente nesta segunda operação que a lógica hegeliana adquire sentido. A primeira é urna lenta decifração do mundo, no curso da história, por meio do *entendimento*[5], longa análise que segmenta, desliga, isola e, ademais, constitui progressivamente a esfera própria do pensamento. Depois disso, é preciso reencontrar a unidade – rompida pelo entendimento – do movimento e do mundo. Hegel verificou bem esse papel da razão dialética; viu mal, porém, suas condições.

1. A história da decantação progressiva que conduz o pensamento (sob sua forma metafísica) à noção do *ens generalissimum* deve ser refeita. E tudo o que foi rejeitado no curso do processo de abstração deve ser retomado e elevado ao nível de clareza que só é atingido pelo pensamento mais vazio. Esse é um dos aspectos da "inversão" da filosofia idealista, um dos objetivos da fenomenologia concreta.

* A expressão latina denota um puro ser, aquém, além e acima de suas determinações. (N. T.)

5 Ver, a este respeito, o primeiro capítulo do *Anti-Dühring* [ed. bras.: Friedrich Engels, *Anti-Dühring*, trad. Nélio Schneider, São Paulo, Boitempo, 2015].

2. A unidade hegeliana entre o ser e o nada deve ser reinterpretada precisamente no sentido de que o ser abstrato nada é e seu pensamento só se valida desde que superado, posto em movimento e em contato com os seres concretos para apreendê-los por meio de um movimento incessante da análise à síntese, da generalidade abstrata (o ser, a forma lógica e racional do juízo) ao universal concreto (a ideia).
   No curso desse movimento, reencontram-se categorias que, de fato, provêm da práxis e da análise. Para o materialismo, o que Hegel designa por "determinabilidade", sem justificá-lo suficientemente, é de origem prática.
3. Não pode haver um começo unívoco. Cada domínio (cada ciência) deve ter um começo específico, procurado por meio de tentativas e erros (alquimia, astrologia, fisiocracia). A metodologia geral pode tentar determinar o começo ótimo para cada domínio, envolvendo o mínimo possível de pressuposições, preparando o caminho do simples ao complexo, do conhecido ao desconhecido, de modo tal que seja o último elo de outro domínio e o primeiro daquele que se estuda. Na prática e na história, porém, os começos reais foram e são ainda saturados de pressuposições complexas, relativas às épocas e aos pesquisadores e ao estado geral do pensamento. A investigação do começo ideal se manifesta pela transformação das teorias, pela análise de seus postulados (análise regressiva, crítica dos conceitos e das ideologias).
4. Na lógica geral, a noção de ser serve para elucidar as leis dialéticas, ou leis universais do movimento. A partir dessa noção, são sistematizadas as categorias obtidas pela prática e pelo entendimento analítico: qualidade, quantidade etc. O *movimento* do pensamento, assim, reproduz os caracteres gerais dos movimentos, reproduzindo ou "refletindo" o que Lênin chama de "ligação universal [...] de tudo com tudo"*. Essas leis são aquelas que Hegel descobriu: unidade dos contrários, negação da negação, saltos, transformação da quantidade em qualidade. Lênin, porém,

* Ver, neste volume, p. 158. (N. E.)

insiste na origem prática das leis e das categorias. Longe de ser conceitos ontológicos, substância do mundo, são "abreviaturas" da "massa infinita das singularidades da existência"*. Enquanto para Hegel a dialética é um método de construção *a priori*, para o materialista ela é um método de apreender o movimento total, do qual rompemos a unidade para depois a reencontrarmos. Tomadas isoladamente, leis e categorias são falsas. Elas se *tornam* verdadeiras no movimento do pensamento que as atravessa. A metodologia transforma a análise geral assim operada numa arte de pensar dialeticamente. Jamais, porém, o espírito deve satisfazer-se com essa arte e com esses conceitos, convertendo-os num objeto imóvel de contemplação, como se dessem uma imagem suficiente do mundo. Para Hegel, o laço do lógico com a natureza se situa no absoluto (na ideia); para o materialista, ele se encontra em todo objeto, em toda relação, em toda ação. O ser puro é apenas o ponto de partida e de retorno – insustentável por si mesmo – da atividade de penetração. Toda categoria é apenas uma etapa, um "ponto nodal"**.

O erro da maioria dos teóricos da dialética consiste em imobilizá-la, em não mostrar que o conceito (a categoria) só é verdadeiro no e pelo movimento total, na ideia no sentido aceitável: no sentido materialista da palavra. Eles reduzem a realidade específica de todos os objetos e de todos os movimentos como se as coisas e a história fossem tão só um decalque e uma aplicação da dialética abstrata. Assim, regressam à pior metafísica, anterior até a Hegel. Esses teóricos esquecem a riqueza inesgotável da realidade e que toda coisa é uma *totalidade* de momentos e de movimentos que se imbricam profundamente e que estes contêm outros momentos, outros aspectos, outros elementos próprios a sua história e suas relações. E que apenas por essa consciência da infinita riqueza de determinações da natureza o materialismo é vivo – o materialismo, que afirma que a realidade desborda o pensamento, que o ser precede o conhecer e que o pensamento humano, apoiado na práxis, deve

* Ibidem, p. 105. (N. E.)

** Ibidem, p. 109. (N. E.)

tornar-se mais e mais flexível, penetrante, "multilateral"* (Lênin), tendendo quase para um *limite*, para o conhecimento absoluto ou *ideia*.

Obtém-se um quadro muito pobre caso se limite a listar, uma ao lado da outra, as "leis dialéticas". Decerto que esse quadro, em sua brevidade abstrata, é mais rico que a velha fórmula "εν και παν"** ou que o mito hegeliano da autofecundação da ideia. Igualmente pobres são expressões secas do tipo "unidade dos contrários", "tudo muda, tudo se desenvolve, tudo se transforma de um em outro". Os materialistas lhes retiraram seu antigo frêmito panteísta. Seu sentido mais importante parece ser o de sinais para o espírito que procura orientar-se no real. Embora Lênin veja nelas, certamente, algo mais que uma gnosiologia, os marxistas, em geral, consideram a teoria dialética um conjunto de regras de pesquisa, de análise e de síntese. Aqui, "unidade dos contrários" significa: "Quando você encontrar um conceito que se apresenta com um caráter de unidade absoluta (por exemplo, o conceito de sociedade), desconfie dessa metafísica – procure as oposições que ele contém".

Esses marxistas não estão errados. A gnosiologia é indispensável. Mas esse ponto de vista ainda é limitado. O problema consiste em saber se esse conjunto de leis pode ser integrado a uma concepção "ontológica", ou cosmológica, não fechada e todavia total, a uma atitude espiritual nova, consciente do primado do ser e de sua riqueza...

Afirmamos, aqui, que a resposta deve ser afirmativa: sim. Restringir a dialética a uma gnosiologia é retirar-lhe seu conteúdo vivo. A teoria foi decantada, levada à extrema abstração do ser e da generalidade. Devemos restituir-lhe seu ambiente vivo. Sem dúvida, não se trata de ressuscitar a metafísica nem a vibração panteísta – o sentimento tão excitante de um parentesco antropomórfico com a alma do mundo está hoje ultrapassado. O mundo não é mais amistoso. A teleologia metafísica é falsa. No entanto, o mundo não é indiferente ou hostil. Essa tese pertence ao materialismo vulgar ou ao

* Ver "Sobre a questão da dialética", neste volume, p. 336. Em francês, Lefebvre e Guterman usaram *polyscopique* ("poliscópico"). (N. E.)

** O um e o todo. Transliteração do grego: *en kai pan*. (N. T.)

formalismo idealista. Ela é desencorajadora e cancela toda comunicação com o mundo, toda noção de beleza viva. Ela é falsa. A natureza não está "penetrada" por nenhuma alma; a vida é um nível qualitativo superior da natureza. Mas a natureza não está morta. Tomada em sua totalidade, a natureza não é vida nem espírito – é possibilidade da vida e do espírito. Ela é energia, desdobramento de forças. Ela já é dramática. Depois, a vida se ergue, ergue-se o homem. O homem não é precioso por qualquer semelhança com um tipo divino preexistente; é precioso pela prodigiosa oportunidade de sua formação na natureza, pelo concurso talvez excepcional, talvez único em todo um sistema astral, das circunstâncias necessárias a sua aparição.

A efervescência tumultuosa da matéria, a maré-montante da vida, a epopeia cheia de catástrofes da evolução, todo o drama cósmico se reflete nas leis dialéticas. O conteúdo sentimental e "estético" da contemplação do mundo e também as emoções, que foram "alienadas" sob formas religiosas (notadamente em Hegel), devem ser integrados no espírito renovado. O mundo recebe a ação do homem. O trabalho e seus instrumentos não são uma violência imposta à natureza. O homem permanece uma parte da natureza e, também, seu instrumento. E a natureza é recriada pelo homem –, e toma uma forma humana sem deixar de ser natureza. A poesia, como o sentido cósmico, deve ser restituída à dialética. A indiferença da natureza é uma visão tão antropomórfica quanto sua espiritualidade – que faz do espírito uma coisa fechada, conduzindo a um insuportável sentimento de solidão cósmica.

A gnosiologia um pouco esquemática deve ser integrada numa experiência humana mais ampla. É preciso arrancá-la da consciência especulativa e racional que se estabeleceu no indivíduo isolado da época burguesa. Isso supõe uma crítica nova – uma crítica social – de todas as categorias. Trabalhamos ainda com as sobrevivências do racionalismo burguês. Será preciso romper as barreiras entre essas abstrações e o conteúdo imaginado, dramático e vivo da consciência e da experiência. A arte, talvez, terá esse sentido. Serão apreendidos diretamente, nas coisas mesmas, conceitos que, na etapa atual da sociedade e da consciência, são tomados à parte das coisas, exteriormente a elas, esquálidos, atravancados por sobrevivências, na tensão de um esforço de superação.

A justo título, e por necessidades práticas, Lênin deu ênfase à gnosiologia. Ainda assim, ele não se esquece nunca de insistir no caráter vivo, não dogmático e não pedante, da dialética.

O progresso de seu pensamento, entre *Materialismo e empiriocritismo** e os cadernos sobre a dialética, consistiu precisamente na integração das preocupações gnosiológicas a uma concepção mais ampla do ser e da totalidade – a uma *Weltanschauung* [visão de mundo] que supera e executa em um sentido as concepções de mundo metafísicas.

Ele insiste em algumas leis que Hegel deixou na sombra:

- a lei do desenvolvimento em espiral (no ser e no pensamento);
- relações e interações da forma e do conteúdo;
- unidade da teoria e da prática;
- unidade do relativo e do absoluto, do finito e do infinito.

Sendo a dialética objetiva e sendo a unidade dos contrários ação, o esquema hegeliano das leis dialéticas e do movimento é profundamente modificado. Para Hegel, o terceiro termo (a síntese) apoia-se rigidamente sobre os dois primeiros. Constituem os três lados de um triângulo. O conjunto é hierárquico e espacial. Os momentos inferiores coexistem com os momentos superiores, na eternidade da ideia e do sistema. O tempo, a história, a liberdade se tornam irreais. Os elementos da totalidade se deixam dispor num quadro imóvel, em que figuram especialmente a sociedade e o Estado burguês. Para o materialismo dialético, o terceiro termo é solução, *solução prática*, ação que cria e destrói. O caráter dinâmico da superação é apreendido mais profundamente, e a negatividade é desmistificada e aprofundada. O terceiro termo retoma o conteúdo da contradição e o eleva, mas o transformando profundamente. Somente assim há história dramática: ação, unidade e desenvolvimento. A representação estática é substituída por uma noção viva da sucessão. As formas inferiores da existência são eliminadas ou integradas, sendo transformadas em profundidade. Somente

* Ed. port: *Materialismo e empiriocriticismo* (Lisboa/Moscou, Avante!/Progresso, 1982). (N. T.)

assim o homem vivo pode colocar-se um objetivo que seja superação: o homem total.

Em Hegel, o termo último, a ideia e o absoluto parecem produzir-se porque são o princípio. A vitória está garantida desde o começo. A história é um grande gracejo de mau gosto, uma prova filosófica, pretexto para o surgimento da consciência especulativa. Para a dialética materialista, o homem se produz numa luta real. Ele modifica a natureza de que emergiu. Ele a supera em si e se supera nela. O homem total não existe de partida, metafisicamente. Ele se conquista. A práxis adapta a natureza às necessidades do homem e, por uma ação recíproca incessante, cria novas necessidades que enriquecem a natureza humana. O homem se desenvolve encontrando a *solução* dos problemas colocados por sua própria atividade viva e prática, criando continuamente novas obras, avançando sobre os incidentes de um devir complexo, não linear, permeado por revoluções, regressões parciais ou aparentes, estagnações, saltos à frente, desvios.

Hegel

- Esquema triangular fechado.
- Síntese que conserva integralmente os contrários. Construção especulativa. Começo ideal.
- Negatividade formal. Hierarquia imóvel.
- Totalidade fechada.
- Círculo fechado (sistema).

Marx-Lênin

- Devir acidentado. Esquema aberto.
- Ação, luta, relações de forças.
- Recriação profunda, em cada nível, dos antecedentes.
- Análise sintética.
- Implicação em profundidade das determinações da natureza. Superação real. Destruição e criação reais.
- Movimento. Natureza, matéria.
- História. Espírito criado e criador. Soluções.
- Totalismo (totalidade aberta).
- Desenvolvimento imprevisto e determinado. Movimento em espiral ascendente.

Teoria da verdade

A teoria hegeliana da verdade é um dos "pontos nodais" do sistema.

Hegel vai além da posição dogmática que opera com "sim" ou "não" e para a qual uma tese é ou completamente verdadeira ou completamente falsa. Ele supera também o liberalismo eclético, cujo resultado não é mais que um compromisso entre as teses.

O hegelianismo quer retomar todo o esforço humano *em direção* à verdade. Ele mostra que as tentativas e os erros do pensamento não provêm de uma contradição no pensamento, mas têm sua origem no desenvolvimento do pensamento e da civilização inteiros (*Fenomenologia*). As teses, em um mesmo nível de pensamento, se supõem e se completam em sua oposição e conduzem a uma posição mais elevada. A verdade *lógica* de uma proposição se encontra nas premissas que serviram a sua dedução. A verdade *dialética* se encontra depois, na ideia que supera, que extrai o conteúdo das ideias precedentes, rompe seus limites e sua unilateralidade e alcança, em sua oposição, a unidade. O verdadeiro não é substância. Ele não é uma forma subjetiva exterior ao objeto. O objeto, sem o sujeito, não é conhecido. Mas o sujeito, sem o objeto, permanece vazio. A verdade é unidade de ambos. Ela envolve, pois, a relação: relação do sujeito e do objeto, relação da verdade mais alta com as verdades incompletas, limitadas (contraditórias), que permitiram chegar a ela.

Hegel considera que certa relação do sujeito e do objeto está incluída na noção de conhecimento: o objeto como momento do sujeito. Este não é o sujeito atuante, desejante, sensível. É o sujeito cognoscente (individual e não prático).

Hegel aperfeiçoa, assim, uma velha hipótese que vem de Platão. Para que o conhecimento do ser seja possível, é preciso que o ser seja conhecimento. O conhecer está na raiz do ser. Ele é seu próprio postulado, sua própria pressuposição. Onde, então, está a unidade de ambos, ser e conhecer? E não se põe, na base da filosofia, uma simples tautologia lógico-metafísica, "o conhecer é conhecer..."? Não se realiza, assim, mediante uma operação ilegítima, o fim proposto – o conhecimento – antes de ele ter sido alcançado? Não se destrói, pois, a originalidade do conhecimento, que é, precisamente, avançar da ignorância à verdade por meio de verdades parciais e de erros? Ora, o que importa isso ao metafísico Hegel!? O processo do conhecimento progressivo é idêntico ao processo pelo qual a ideia – isto é, o conhecimento acabado – cria aquilo que se quer conhecer. A ciência cria seu objeto, a ideia cria a natureza. O primado é do sujeito. Ele se põe como outro, aliena-se, refrata-se num jogo de espelhos. Jogo exaustivo e estéril: o fim é o começo. Hegel o diz expressamente na *Fenomenologia*: "O resultado é somente o mesmo que o começo, porque o começo é o fim"*. Essa finalidade absoluta destrói o movimento e o objeto. "[...] o verdadeiro só é efetivo como sistema, ou [...] a substância é essencialmente sujeito."** O movimento é somente uma curva fechada, um círculo, uma totalidade cerrada: o sistema eterno, que enfim se revelou, quando lhe aprouve, na cabeça de um *homo philosophicus* particularmente feliz, o dr. Hegel. Na sequência, só cabe contemplá-lo para todo o sempre.

"O verdadeiro só é efetivo como sistema" – vale dizer, conjunto de determinações vinculadas; "a verdade está na totalidade" – vale dizer, a ideia verdadeira é superação de verdades limitadas e relativas, que se tornariam erros caso se mantivessem fixadas. Essas fórmulas contêm a contribuição de Hegel ao pensamento humano. O sofisma consiste na vinculação da ideia de sistema à noção de subjetividade fechada. A verdade deixa de ser uma totalidade progressiva, avançando em espiral ascendente e aproximando-se de um limite ideal – a ciência acabada, o conhecimento adequado à totalidade do objeto. Hegel hipostasia esse limite, faz dele um estado do sujeito e considera que este o alcançou. Detém, pois, a história da verdade. Tendo determinado um fragmento da curva do conhecimento, crê haver traçado toda a curva. Conserva uma ideia não dialética do verdadeiro: identidade mística do sujeito e do objeto, tomados como substâncias absolutas que coincidem num estado privilegiado da contemplação. A categoria de realidade é levada arbitrariamente ao absoluto, quer se trate do espírito, quer da ideia. O objeto

* G. W. F. Hegel, *Fenomenologia do espírito*, v. 2, cit., p. 32. (N. E.)

** Ibidem, p. 33. (N. E.)

não só é negado em seu movimento (na natureza, na evolução, na história), mas também em sua própria existência. Ele não passa de um pretexto da subjetividade para se refletir.

Verifica-se claramente o que impede o racionalista Hegel (e todos os filósofos idealistas) de conferir anterioridade ao objeto. Esses pensadores exigem uma ligação racional dos conceitos. Sua reflexão recusa-se a admitir determinações extrínsecas, que seriam injustificáveis inserindo-se cada uma em seu lugar num conjunto de relações inteligíveis. O saber deve ser posto como virtualmente acabado – caso contrário, o desconhecido poderia trazer determinações novas, perturbadoras. O inteligível só está garantido se estiver na origem do ser. O materialismo, ou teoria da anterioridade do objeto, parece incapaz de ligar as propriedades que atribui às coisas; seja atomístico, seja geométrico, ele – segundo esses filósofos – não pode mais que constatar tais propriedades (dureza, elasticidade etc.) e deixá-las externas umas em relação às outras.

A noção de negatividade teria podido conduzir Hegel a uma teoria completa e articulada, conferindo ao objeto sua realidade e sem pressupor a consumação do saber. A negatividade, tanto no pensamento quanto nas coisas, é a virtualidade, a pré-formação do futuro. O desconhecido poderia ser posto no conhecimento como correspondente ao possível no movimento. O movimento no pensamento e o movimento nas coisas, sendo determinados pela mesma negatividade, teriam permitido a Hegel *abrir* o conhecimento (e a natureza) sem comprometer sua ligação.

Hegel, porém, hipostasia a negatividade como força mística do abismo no momento mesmo em que afirma que o conhecimento científico (mediante conceitos) é o mais elevado. Ele fecha, assim, a totalidade movente que teria podido conceber e mistifica seu sistema.

Decerto o materialismo vulgar é incapaz de ligar inteligivelmente as determinações que se limita a constatar. Mas a dialética materialista coloca a atividade prática na base do conhecimento como relação do sujeito e do objeto (ver as *Teses sobre Feuerbach* e a célebre passagem de *A sagrada família* em que Marx indica como a ação e o trabalho moldaram a mão e as sensações dos homens*). A práxis – isto é, a atividade social considerada como um todo, unidade da natureza e do "sujeito humano" coletivo – funda o conhecimento. Este conhecimento é, assim, uma totalidade. A ligação das determinações – a razão – é fundada e justificada. O conhecimento põe em jogo todas as funções orgânicas, sensoriais, cerebrais do homem, ligadas e sistematizadas pelas exigências da práxis. O objeto existe, real e movente. O conhecimento é um movimento específico. Conjunto de relações, totalidade aberta, está em relação com o objeto total, o mundo. O conhecimento torna-se falso na medida em que se enrijece e se isola. Só se mantém verdadeiro na medida em que é tensão crescente e consciente diante de todas as determinações que lhe escapam ainda, mas cuja conexão com elas é assegurada pela mediação da práxis.

A *natureza* é uma totalidade movente. E todo ser, todo objeto é também um todo em devir, que se insere no *Zusammenhang* e dele participa (o que viram os estoicos e, depois, Leibniz). O *conhecimento* é, ele mesmo, um objeto no universo, um todo movente que recepciona, por meio da práxis, a totalidade do mundo. Desse caráter de totalidade deriva, como na natureza, porém especificamente, sua finalidade interna e relativa. Como todo objeto particular, ele é limitado; no entanto, exprime e "simboliza" o mundo inteiro. E como a práxis humana domina a natureza, o conhecimento franqueia incessantemente seus limites. As espiras da curva se alargam. O momento superior emerge do inferior, procede dele e o utiliza. Como alcança mais relações e clareza, mais realidade, como é interpelado pelas contradições do momento inferior, contém sua razão e sua verdade. Ele é seu fim, sem finalidade metafísica. O conhecimento tem seu limite (no sentido matemático), seu fim ideal, no próprio objeto. Por meio de suas limitações provisórias, ele tende a esse limite último. Ele é "assíntótico" em relação ao conhecimento absoluto, à ideia. Absoluto e relativo são níveis do mesmo universo (Lênin). E toda verdade é, ao mesmo tempo, relativa e absoluta. Relativa a um

* Ed. bras.: Karl Marx e Friedrich Engels, "Teses sobre Feuerbach", em *A ideologia alemã* (trad. Rubens Enderle, Nélio Schneider e Luciano Cavini Martorano, São Paulo, Boitempo, 2007), p. 433-539; idem, *A sagrada família*, cit. (N. T.)

momento, a uma etapa do pensamento, da práxis, da história humana. Absoluta pelo progresso coletivo desse pensamento, pela *superação* perpétua numa direção, a do domínio e da posse do objeto. A verdade efetiva deve ser negada – caso contrário, deixaria de ser verdadeira. Ela só é verdade pela superação, e é essa superação que a conserva (negação da negação). Somente o pensamento movente e o movimento do pensamento – "estruturado" e "refletido" – são verdadeiros. É esse o sentido aprofundado da negatividade da superação.

Não é verdade que, para saber qualquer coisa, é preciso *desde já* saber tudo. Os lógicos, os idealistas e os materialistas não dialéticos, que tomam o sujeito e o objeto como *todos* fechados, raciocinam em relação à dialética como a aritmética elementar em relação ao cálculo integral. Os idealistas, em função de suas exigências racionais, aproximavam-se mais da verdade – o que fazia a força dos grandes metafísicos clássicos diante do materialismo vulgar.

O conhecimento é movimento. Cada um de seus momentos é um todo. Cada verdade é uma verdade parcial, simultaneamente relativa e absoluta. O conjunto das verdades parciais e contraditórias, em um momento dado, é ainda uma verdade parcial. Aproximação, limitação, contradição não significam falsidade. A dialética materialista eleva a um nível superior a teoria do progresso no conhecimento. Trata-se de uma relação específica do homem com a natureza, uma relação ativa, que contém, praticamente, uma parcela humana: pontos de partida empíricos para cada homem, cada época, cada ordem de pesquisa – técnicas e simbolismos. Porém, a aproximação não exclui o conteúdo objetivo. A totalidade do movimento é verdadeira. De cada ponto particular, pode-se e é necessário *tender* à totalidade do pensamento e à totalidade das coisas. O movimento dialético do pensamento e o da natureza estão profundamente ligados. É assim que o conhecimento é "reflexão" (reflexo) de coisas. Mas esse reflexo não é passivo. A atividade, a cada instante, envolve a possibilidade da fantasia e do erro[6], que é verdade parcial que se erige em absoluto. Ele começa pelo ato concreto, pela imediaticidade, pelo

6 Sobre essa possibilidade, Lênin insiste em suas notas sobre Aristóteles. [Ver "Conspecto do livro de Aristóteles, *Metafísica*", em *Obras escolhidas em seis tomos*, t. 6, cit., p. 307-13 – N. T.]

contato *prático* do sujeito e do objeto, em certo ponto particular da história e da natureza, com certo material técnico e ideológico. A verdade é sempre concreta (Hegel).

O conhecimento se apresenta, assim, como um conjunto articulado de movimentos que vão, no indivíduo, da sensação ao conceito, em cada ciência, dos fatos às leis e às teorias e, na sociedade humana, das representações primitivas, saturadas de antropomorfismo inconsciente, às categorias elaboradas. Esses movimentos *tendem* a se implicar, a reencontrar a totalidade que forma, em todo momento, o conhecimento humano. De um ponto qualquer – sensação, indivíduo, instante, símbolo –, sempre se podem encontrar o conjunto e o geral.

Não é pertinente, aqui, descrever esse imenso trabalho do pensamento. A história das ciências e a metodologia geral oferecem numerosas ilustrações da marcha extremamente flexível do conhecimento.

Insistamos, apenas, no caráter *ativo* desse processo. Ele transforma o obstáculo em estímulo, a resistência em ponto de apoio, o desconhecido aparentemente irracional em princípio de uma racionalidade mais profunda (assim, o número negativo, o imaginário etc. são de início impossibilidades, contradições, antes de se tornarem pontos de partida de um cálculo, de um novo ramo da ciência). O conhecimento especulativo se contentava em ser esclarecedor, passivamente contemplativo. A metafísica era a afirmação entusiástica, mas ineficaz, de uma vontade de prospecção e, por vezes, de progresso. O pensamento dialético sonda sistematicamente o desconhecido, localiza os escolhos e os arrecifes, instala faróis, estabelece pontes e rotas, alcança continentes novos. Método prudente, à primeira vista mais prosaico que a grande metafísica, porém muito mais eficaz e profundo... Seu lirismo, um lirismo de olhos bem abertos, ainda não se exprimiu por inteiro.

É em função desse caráter ativo, prático do conhecimento – dirigido às coisas e *interessado* no mais amplo e alto sentido da palavra – que aquilo que aparece *depois* é mais real, mais verdadeiro, que aquilo que vem antes. Sob a condição de ser uma superação. O momento precedente é, pois, o meio, a base do momento subsequente, em que ele se supera. Não se trata da pré-formação metafísica: trata-se da atividade dialética.

O empirismo e o racionalismo clássico são, assim, superados e reunidos numa doutrina mais ampla, numa teoria do desenvolvimento do pensamento e da civilização.

O empirismo tem razão ao situar a sensação na base do conhecimento. Mas a sensação é uma *relação real* do objeto com o homem atuante. O empirismo separava, por um lado, a sensação do objeto e, por outro, do organismo, da prática, da vida social. Sendo relação, ela se completa naturalmente ao ligar-se a outras relações ou à noção que as resume – e torna-se, assim, percepção, conceito, ideia. A dialética materialista deve retomar, até o detalhe, a teoria hegeliana do conceito.

Para o racionalismo, a razão caía do céu, já constituída; era fetichizada; ela era adorada como ser eficiente. A dialética materialista estabelece conexões *racionais* entre as realidades que parecem isoladas para uma racionalidade insuficientemente flexível e infundada prática e historicamente – notadamente entre as *realidades ideais* e a vida ativa dos *homens*. Desvela a constituição da razão, até mesmo em sua aberração fetichista. Demonstra que a causa das mudanças ideológicas não reside na revelação das abstrações metafísicas, mas na prática e na vida, nos processos sociais (materialismo histórico). Supera a racionalidade abstrata. Hegel, levando o racionalismo ao absurdo, comprometeu-o.

A dialética materialista está sendo elaborada progressivamente, mediante um lento e delicado trabalho, mediante uma análise complexa cujo avanço acompanhará a transformação revolucionária do mundo moderno. Para implementá-la, serão necessárias não somente condições mais adequadas para o trabalho intelectual, mas também uma modificação do "clima" cultural, uma lucidez dialética aprofundada, mais bem inserida na prática, na cultura.

Já Hegel se lamentava da estrutura das frases que, para exprimir a reciprocidade, a contradição e o movimento dialético, devem ser forçadas. Sua obscuridade deve-se, em parte, ao vocabulário e à gramática modelados por uma tradição de lógica estática. Não é por isso que foi obrigado, contra seu próprio "espírito", a aceitar algumas noções sem as criticar, estaticamente (o sujeito, a ideia, o próprio espírito)? Os marxistas, e Lênin especialmente, restituíram o movimento a essas categorias – introduziram relações e um vocabulário novo. Nós, no entanto, ainda operamos com um material verbal e conceitual ultrapassado. O racionalismo francês tem sua grandeza. Seu sentido de lucidez e de distinção é um insubstituível elemento da cultura moderna. Contrapartida: sua secura e sua rigidez. A língua de Voltaire não é exatamente dialética. É sempre um esforço tomá-la para exprimir o pensamento dialético. E nela se exprime melhor o que deixou de ser, como unidade e superação das determinações antinômicas do pensamento: empirismo e racionalismo, conceito e sensação, homem e natureza, individual e social, infinito e finito, total e efetivo, aberto e fechado etc.

É impossível prever como a dialetização do pensamento penetrará a linguagem, a gramática, a literatura etc. É possível, apenas, indicar que uma crítica progressiva das categorias do pensamento e da expressão é necessária e que essa revisão será um aspecto da vida e da prática social. As pressuposições desses conceitos, ainda inconscientes e aceitos passivamente, deverão ser elevadas à consciência.

A inversão do hegelianismo (que é, igualmente, a inversão, a integração e a superação de todo idealismo), no que concerne à lógica, pode ser assim resumida: quando Hegel vai da abstração (do começo puro) à realidade, sua teoria deve ser inteiramente revista e historicizada. Quando pesquisa a relação entre a efetividade e a ideia, basta aprofundá-la e transpô-la. Retomamos, assim, as profundas indicações de Lênin: o momento prático já está incluído na ideia hegeliana – o capítulo sobre a ideia é também o mais materialista. Porém, a dialética materialista introduz uma noção mais flexível do movimento, da relação, do limite. A ideia não é um princípio especulativo nem uma identidade mística do sujeito e do objeto. Ela se distingue da natureza como tal, sendo "reflexão" da totalidade do mundo. Ela é o *limite* do conhecimento. O método dialético está envolvido na ideia. Ela não é, portanto, formal. Sua objetividade é interna.

O problema da consciência

Para o racionalismo moderno, a consciência é o critério da verdade e da existência; é o ato mesmo do conhecer, no qual o pensamento se torna seu próprio objeto. Uma ideia é verdadeira quando se apresenta à consciência sob forma clara e distinta. A consciência é, ao mesmo tempo, princípio e substância.

O idealismo pós-kantiano desenvolve o *cogito ergo sum* [penso, logo existo] e procura determinar como a *Selbstbewusstsein* (consciência de si, liberdade, espírito) pode ser causa e efeito, princípio, motor e fim do mundo e de seu movimento. Essa ideologia acompanhou a luta, e também os compromissos, entre a burguesia e a feudalidade. Apoiado na consciência de sua autonomia interior e em seus objetivos de produção crescente e progresso, o indivíduo burguês acreditava na força própria do espírito.

É certo que Hegel inflete o idealismo transcendental na direção do idealismo objetivo. Como ponto de partida, ele toma não o eu, mas o conceito (a ideia), unidade do ser e do conhecer. Ele mostra como o eu só se põe e só toma consciência de si se superando, e em relação a outra coisa: o não-eu, o mundo, o momento prático, a ideia. Ele situa a realização da liberdade na esfera política e social. Seu idealismo tende a adquirir um caráter realista, concreto, histórico. Mas o motor do movimento permanece a *Selbstbewusstsein*, a tomada de consciência de si, concebida como uma força espiritual absoluta, da qual o conceito é uma expressão e uma etapa.

Marx usa uma palavra muito dura para caracterizar essas filosofias da consciência. Elas remetem, diz ele, ao onanismo. A dialética materialista é essencialmente uma teoria das *condições* da consciência. A consciência de si não se basta. Ela deve tomar seus próprios fundamentos. O ser precede o conhecer. A consciência é condicionada biologicamente, fisiologicamente, socialmente. O idealismo é uma curiosa pretensão da consciência de produzir-se a si mesma, mediante uma contorção insensata. Ela se mistifica, apresentando como um processo criador os tormentos que, nos homens reais e nos filósofos como homens, provêm dessa pretensão a anular o objeto, dessa ignorância das relações e das condições de sua própria existência lúcida (historicamente, esse fenômeno se explica pela situação social do intelectual e também pela tensão necessária para levar a abstração ao extremo despojamento antes de retornar ao concreto).

Depois de quase um século, assiste-se à dissolução da consciência burguesa e idealista. Kant mostrara que só pensamos porque as coisas existem, porque há objetos para pensar, mas não desvinculara o pensamento de uma atividade transcendental. A especulação pós-kantiana, para evitar fundar a consciência na natureza, conferiu-lhe uma origem *ideal* cada vez mais obscura e *inconsciente*. Mais próximo de nós, Nietzsche submeteu esse pretenso critério do ser e do verdadeiro a uma crítica de extremo rigor. O terreno fora preparado por La Rochefoucault, por Dostoiévski (em quem a consciência e as palavras se revelam a expressão deficiente de uma realidade obscura, bizarra, saturada de surpresas e de armadilhas) e também por Schopenhauer (para quem a consciência é o espaço das ilusões do desejo e do querer viver). Segundo Nietzsche, uma dialética interna fez da consciência moderna uma perpétua traição de sua verdadeira essência. A humildade é o maior orgulho. A piedade é somente ausência de generosidade. A consciência de ser forte mascara a fraqueza; e a boa consciência é o mais profundo dos vícios.

A consciência deve ser desconfiada e tensa. Ela nunca se engana tanto como quando se sente eufórica e imagina possuir sua realidade. Em arte, a parte mais limitada de uma obra é frequentemente aquela que foi a mais consciente, a mais satisfatória para seu autor. A consciência emotiva é infinitamente falseada. Tudo isso significa a irracionalidade definitiva da consciência e da vida? Justifica a crítica reacionária da consciência? A arte é necessariamente inconsciente, e o sentimento, necessariamente sublimação de desejos obscuros? Não seria a consciência o narcisismo da vontade obscura, o lugar das comédias da libido ou do ressentimento? Não. Tudo isso apenas prova que a consciência só é verdadeira na *superação* e que a superação é também um aprofundamento, uma autocrítica. É assim que, na ação prática revolucionária, a *autocrítica* é uma lei – impedi-la pode ser um erro mortal para a atividade.

Na ausência dessa crítica eficaz e dessa superação, a consciência idealista decai no irracional, no desespero, na metafísica do nada. A desconfiança *fecunda* é a própria dialética da consciência no materialismo marxista. Marx inaugurou a crítica do sujeito e da subjetividade. Ele demonstrou que a consciência pode ser falsa por razões históricas concretas. Condicionada por determinações sociais (divisão do trabalho, vocabulário, ideologia, ação de classe), ela pode refletir inadequadamente suas próprias condições e seu próprio conteúdo humano. A consciência é sempre limitada, como consciência de um indivíduo, de uma classe, de uma época. Nessa limitação reside a possibilidade da ilusão ideológica e do erro (da mistificação). A possibilidade do erro, porém, é a condição histórica e lógica da consciência *mais verdadeira*. A consciência não é verdadeira por um privilégio metafísico. Seus inícios são modestos. Seu ponto de partida é uma função biológica. Ela *se torna* verdadeira triunfando sobre o erro, avançando da ignorância ao conhecimento, alargando as espiras de seu movimento e a esfera das realidades que apreende. Ela é, assim, superação e ação. Humilhando a consciência idealista, Marx e Engels levam a realidade e a vida à consciência humana. O caráter de veracidade não mais pode ser concebido como interno ao *Selbstbewusstsein* nem sob a forma da ideia clara e distinta da apercepção, do eu ou do conceito. Ele reside no movimento de todos os elementos da consciência, tomados em suas relações com o mundo pela mediação da práxis, na tensão dialética que inclui a atividade do corpo, a sensibilidade, a inteligência, a razão. A lucidez crescente não é narcisismo nem autoexcitação interior. Ela deve se conquistar por um esforço perpétuo, atingindo seu objeto e seu conteúdo, reconhecendo suas condições objetivas e suas pressuposições.

A doutrina materialista da consciência supera o hegelianismo em muitos outros pontos.

1. Hegel julga que a lucidez (a sabedoria, a consciência) assemelha-se ao pássaro de Minerva, a coruja, que só levanta voo ao anoitecer. Essa fórmula célebre da *Fenomenologia* tem um sentido profundo. A consciência não precede, antes segue, o ser. A consciência é o ser consciente. A consciência humana (isto é, não apenas o eu, mas o conjunto de representações) está condicionada, subordinada ao ser do homem (organismo, práxis), à vida concreta do homem. Mas não é seu reflexo passivo, uma máquina registradora dos resultados de uma atividade transcendental. Hegel, subordinando o pensamento à natureza do ser, concebe este ser como pensamento. Para ele, nosso pensamento está atrasado diante do pensamento cósmico. Para o materialista, a consciência humana, ao contrário, é inteiramente real e eficiente.

Numa civilização determinada, com base em atos repetidos milhões de vezes (atos práticos, técnicos, sociais – como, entre nós, a compra e a venda), erguem-se costumes, interpretações ideológicas, culturas, estilos de vida. A análise materialista desses estilos está bem pouco avançada. Sabe-se, todavia, que, em sua formação, a consciência é ativa. Ela prospecta. Antecipa. Quando retrospectiva (consciência do ato passado, atraso, sobrevivências), prossegue como função de espera, de predição, tensão dirigida a outra coisa, pesquisa de soluções. Passado, presente, futuro, percepção e fantasia interpenetram-se intimamente e são um no outro e um pelo outro. O presente é dialético. Ele se conquista. É ato, não reflexo passivo.

A consciência, sendo o ser consciente ("sou homem, logo penso"), não é, imediata e adequadamente, consciência do ser. Hegel o compreendeu; mas o marxismo determina com mais precisão as condições da defasagem entre o ser e o pensamento: a divisão do trabalho e a separação entre a teoria e a prática.

Nossa consciência, pois, não tem privilégio metafísico. Igualmente, não padece de uma infelicidade metafísica que a torne uma retardatária absoluta, uma eflorescência tardia e crepuscular. É possível que o ser e a consciência alcancem (quando for superada a atual divisão do trabalho e conquistada uma consciência da práxis, da atividade social considerada como um todo) uma unidade e uma plenitude para além de tudo o que designamos serenidade, felicidade, alegria, tensão, lucidez, potência. Essa unidade de elementos dissociados, ainda que inseparáveis, a criação e o conhecimento, a superação e o fato, já se pressentem no marxismo e também em algumas formas de arte. Decerto, a consciência humana foi até aqui contraditória, dissociada, dispersa. Ela era, simultaneamente, inconsciência e lucidez, mas separadamente: lucidez formal, obscuridade substancial. Interiormente contraditória, só emergia diante das contradições das coisas – isto é, dos obstáculos, dos perigos, das lutas. Ela progredia pelos múltiplos rodeios das ideologias, nas quais o conteúdo concreto estava mistificado precisamente pela operação que o elevava à consciência e que era, para ela mesma, pouco lúcida. Todo passo adiante era, portanto, marcado por uma dilaceração, um atraso, um transtorno ou um sentimento de insuficiência, de inexpressão e de nada – por uma separação dela em relação a si própria, uma *alienação* (religiosa, mística, idealista).

Essa consciência estava ainda mal demarcada da vida biológica. No entanto, já no amor e na arte emergia uma consciência que, sem perder o conteúdo da vida – ao contrário, elevando-o a uma forma e a uma lucidez superiores –, libertava-se de suas condições imediatas, da contradição, da dor. Então, a consciência humana já se tornava real e se constituía não como substância metafísica, mas como ato. Não preformava seu futuro? A filosofia do irracional – segundo a qual o perigo, a dor e o inconsciente são as condições imediatas e definitivas da consciência – transfere ao absoluto o momento da consciência infeliz que, todavia, não é mais que biológico e histórico, portanto, superável. Em vez de superar a teoria racionalista da consciência substancial, ela regride a uma metafísica zoológica. As formas mais "modernas" do idealismo hipostasiam, assim, as condições *inferiores* do ato de consciência, notadamente a angústia – frequentemente considerada como momento supremo porque, na angústia, o ser humano inteiro é invadido pela subjetividade, separa-se das coisas e da ação, deixa de se superar, decai ao nível de seu corpo e suas funções autorreceptivas num estado de esquizofrenia que faz crer na substancialidade subjetiva. Como o tormento, até hoje, acompanhou toda criação, a consciência atormentada pode acreditar-se criadora (linha do idealismo irracionalista, de Kierkegaard a Heidegger).

A teoria hegeliana da consciência infeliz deve, pois, ser retomada com desconfiança. Nenhum decreto divino fixa a consciência no nível de sua origem biológica e natural, isto é, no nível da contradição objetiva e das formas mais antagônicas da negação e da superação. Em cada domínio, a contradição toma uma forma diferente e se "flexibiliza" no movimento ascendente da dialética. De grau em grau, até a consciência dialética, a unidade triunfa mediante uma série de superações; a identidade domina e contém nela a contradição superada, sob a forma de momentos profundamente modificados no curso do devir. No espírito, a contradição não é mais que diferenciação e diferença e formação de elementos complementares (exemplo: os espíritos nacionais, as tradições). É preciso a filosofia zoológica do fascismo ("a vida deve ser perigosa") para reconduzir a esfera do espírito ao nível da natureza e da contradição objetiva.

A consciência, inicialmente, elevou-se do horror biológico ao trágico especificamente humano: a luta contra o destino, vale dizer, contra as contradições. O trágico antigo é um destino superado e, no entanto, vitorioso, de modo tal que a consciência o reconhece no momento em que ela sucumbe (Prometeu). Porém, o próprio trágico é superado quando o destino pode ser compreendido e vencido.

O movimento da consciência, hesitante, tenso e frequentemente rompido pelos tormentos e derrotas – totalidade ascendente que supera a morte dos seres particulares –, está ainda em seus começos. Por longo tempo, a consciência acreditou-se criadora autônoma. Empenhou-se, na metafísica e nos esforços místicos, para provar sua substancialidade e resolver com suas próprias forças todos os problemas. Vendo-se derrotada, contemplava-se como um mal na ironia e no desespero.

Essa situação da consciência, todavia, não é definitiva. Para o dialético, a consciência estéril é tão somente um momento, um aspecto tardio da consciência infeliz. Espontaneidade e lucidez, práxis e análise permanecem separadas entre os homens de consciência estéril. Eles se movem no interior das formas últimas da alienação. Seu deserto se estende entre esses polos da vida que eles ainda conservam separados. Mas a consciência estéril, a consciência infeliz e o homem do dilaceramento já estão superados. É no momento em que a consciência compreende que não é criadora por si mesma que ela se torna criadora! Ela se conecta a suas condições e ao movimento da história; torna-se eficaz, retomando seu conteúdo real – ela se *realiza* e se liberta de suas taras: decepções, pesos, tormentos gratuitos. A juventude do espírito está por vir.

2. Hegel viu claramente que a consciência não se desenvolve mediante um progresso contínuo. Assim como não é lucidez acabada nem ato de simples cogitação, ela não pode ser aprofundamento unilateral. Ela carece de acontecimentos, de irrupções da realidade. Avança sinuosamente. Mas Hegel conecta esse caráter acidentado da tomada de consciência aos "ardis da ideia". A ideia, em sua história, é uma diplomata sutil. Ela joga com armadilhas. Teoria profunda, mas que precisa ser traduzida. Quando um Estado cresce, parece próspero e caminha para a decadência, cavando

seu próprio túmulo (o império de Alexandre, Roma, o mundo burguês) – não está aí um ardil da ideia, que prepara a superação de instituições e formas espirituais momentâneas? Não é, sobretudo, a consequência de leis econômico-sociais muito mais positivamente determináveis?

O materialismo moderno conhece as sinuosidades da consciência, mas as vincula aos incidentes da história. Ele quer acompanhar a formação, simultaneamente lenta e tumultuosa, dos estilos e das culturas e as colisões destruidoras e criadoras que produziram as superações históricas. Os homens eram arrastados nos movimentos que os ultrapassavam. Sua consciência era *limitada*. Enganavam-se pela dialética dos acontecimentos na medida em que a ignoravam. No entanto, as motivações de seus atos eram eficazes. Seus objetivos tinham um sentido. Alexandre e César não eram metafísicos ingênuos. Os grandes atores da história, os gênios e as massas não eram fantoches nas mãos de destinos misteriosos – os homens fizeram sua história. Essa realidade ativa, que nega o idealismo que pretende exaltá-la, está longe de ser contestada pelo marxismo – ao contrário, o marxismo a recupera.

3. Hegel concebe o movimento do espírito como um círculo. A noção do "todo fechado" foi aplicada à consciência pelo idealismo. O *cogito* é exatamente tal tipo de substância fechada, isolada do objeto e de suas relações, centrada sobre si mesma. O idealismo é obrigado a negar o resto do mundo para afirmar o eu (Fichte), a negar o eu para afirmar a natureza (Schelling) ou, finalmente, a realizar sua interação numa entidade mística (Hegel). A noção de totalidade aberta resolve esse velho problema. O organismo não está isolado do mundo, tampouco o cérebro se isolou da totalidade do organismo. A consciência está "imersa" no mundo (Lênin)*, inteiramente aberta à natureza e ao conteúdo da vida social. Pensa-se com o cérebro e também com as mãos e com todo o corpo e também com toda a práxis humana – enfim, com o mundo inteiro. Mesmo a ideia mais elaborada e a imagem mais sublime são, como o pensavam Feuerbach e Nietzsche, seres da natureza.

* Ver, neste volume, p. 205. (N. E.)

Posta assim no mundo, a consciência é muito mais substancial que a pálida entidade idealista. Também aqui, ela descobre sua realidade deixando de acreditar-se autônoma. Ela deixa de ser conduzida pela dialética para dela tornar-se consciente – logo, para tomar sua direção. Consciência significa potência e atividade. Decerto, em troca, ela perde sua "dignidade" de milagre numa natureza mecânica (cartesianismo), de império num império. A lógica de Hegel – como Lênin observa – relacionava a consciência ao movimento do universo, como um de seus níveis, contradizendo, assim, a própria noção do sistema hegeliano, ou seja, a de subjetividade fechada. Hegel, num sentido, abre a consciência e a reintegra na interação universal. O materialismo prolonga e torna precisa essa sugestão, reintegrando-a na prática cotidiana e na vida humana concreta.

O marxismo teve que superar dois erros, complementares a uma interpretação unilateral e vulgar – não dialética – do materialismo. Primeiro erro: a consciência é exclusivamente consciência da economia. Segundo erro: as relações reais (práticas, socioeconômicas) são independentes da consciência por completo e conduzem fatalmente os homens na direção de fins que desconhecem.

Segundo a dialética materialista, a consciência é determinada, mas determinada enquanto tal: aparece em sua especificidade, em seu lugar, em seu *nível* no conjunto das relações. A ciência das formações históricas chegará – tal como a fisiologia, mas com sua especificidade – a descobrir as condições, a forma, o conteúdo, a eficiência dos atos de consciência (ideologias, representações coletivas etc.). Já o racionalismo lhe reconhecia essa eficácia. Todavia, considerando-se autônoma, permanecendo inconsciente de suas origens na práxis *social*, a consciência racional só concebia a eficácia no domínio das ciências naturais e das artes mecânicas, como aplicação de uma lógica matemática a fins industriais pouco esclarecidos. É verdade que, nessa época, certa corrente do pensamento racionalista concebia a aplicação da razão às relações sociais e à condição humana. Mas esses teóricos, de Thomas Morus a Saint-Simon, aproximavam-se das coisas como grandes senhores e não descobriram nem o fundamento explicativo das relações nem o ponto de inserção da ação racional. Pensavam utopicamente – limitados que estavam pelo fato de colocar a consciência fora da práxis. Durante essa bela época do racionalismo, as ideias eficazes eram as ideias políticas e cínicas, que desprezavam toda concepção de mundo e toda universalidade. Maquiavel triunfava sobre Erasmo. Mais tarde, o racionalismo ligou-se ao despotismo esclarecido e, depois, ao reformismo democrático. Tudo isso sem resultados, utopicamente – até que Marx, relacionando-se com os interesses e as possibilidades do proletariado moderno, superasse essas concepções limitadas. Partindo de uma crítica da consciência racionalista, representada em seu tempo pela esquerda hegeliana, Marx e Engels descobriram: 1. a conexão ascendente que vai da prática à consciência; 2. os vínculos que ela implica com a natureza e com as relações sociais; 3. a alavanca da ação transformadora, a política proletária e a consciência reivindicativa. Unindo-se lucidamente a seu conteúdo real, a consciência humana deu um salto à frente. Ela apreendeu seu ser; é um grau situado na totalidade.

O materialismo vulgar considerava-a um epifenômeno. O racionalismo conduzia à consciência estéril ou infeliz. Para a dialética materialista, ao contrário, ela se encontra cada vez mais alta, nos níveis mais elevados da realidade humana. Como domínio específico, ela luta, a sua maneira, não para se conceber como autofecundação (onanismo da consciência estéril), mas para apreender seu conteúdo e tornar-se consciência não alienada, unidade imediata do indivíduo com o social e a natureza.

Ora, a consciência é cada vez mais necessária e eficaz. A vida é movimento e superação, e o momento da superação é também aquele em que as contradições se intensificam. Para que esse momento não se transforme em desastre, é necessário, para desencadear a ação resolutiva, que a consciência se aguce. Essa intensificação da lucidez constituiu precisamente uma das grandezas de Lênin – sua exigência é um elemento essencial de todo drama. O momento em que a contradição objetiva se exaspera é também aquele em que a consciência deve afirmar sua realidade. As coisas parecem, então, caminhar sozinhas, todas no rumo da solução. Os espíritos medíocres caem numa euforia satisfeita, em vez de alcançar o grau extremo de tensão. Todo mundo torna-se vigilante depois das derrotas – somente o grande homem permanece lúcido diante da ocasião que se oferece: com uma análise cada vez mais profunda, equaciona os problemas precisos e concretos, apesar da extrema agitação do movimento, agarra o elo, a fase essencial. A dialética, assim incorporada à consciência de um homem como Lênin, torna-se uma arte da ação – a arte de distinguir, numa situação efêmera, o elemento essencial; ela se torna inteligência, genialidade que não é mística, mas apogeu do bom senso. A teoria materialista da consciência não é impessoal e "cósmica". Trata-se sempre de uma consciência *humana*, *pessoal*, em sua mais íntima relação com a história, com a totalidade.

Como toda realidade, a consciência se constitui, nasce e se desenvolve. Seus começos biológicos e sociais são modestos. Ela é passiva, determinada por causas desconhecidas, e a emotividade se mescla à práxis. Supre sua impotência com a magia, imaginando assim estender seu poder sobre o setor não dominado do mundo. No curso de seu desenvolvimento, tenta, inutilmente, acreditar em sua liberdade – sob o nome de livre-arbítrio ou de liberdade metafísica. Mas a liberdade, também ela, se conquista e só possui sua realidade e sua verdade no desenvolvimento. Na história da consciência, houve todas as tentativas possíveis para negar, para desmentir o determinismo ou para se livrar dele: liberdade aristocrática, liberdade do estoico ou do cristão, liberdade do indivíduo na sociedade burguesa. A cada vez, a necessidade destruiu a mistificação e se fez reconhecer. Era preciso, pois, levá-la em conta e procurar uma nova unidade dos dois termos – liberdade e determinismo. Ao cabo desse gigantesco esforço do pensamento, aparecem, enfim, as fórmulas hegelianas: a liberdade é o conhecimento do determinismo, a liberdade é determinada como tal.

O marxismo confirma e prolonga a linha desse desenvolvimento. Identifica a liberdade do homem com a potência real sobre as coisas, sobre suas obras e sobre si mesmo. Mostra como a práxis e a apreensão revolucionária do homem – a potência sobre suas próprias obras sociais – conduzem a uma lúcida soberania. A liberdade é uma autodeterminação, mas dialética e histórica. O homem *torna-se* livre englobando a natureza cada vez mais amplamente nas espiras de sua ação e de seu conhecimento, concentrando em si a totalidade da natureza e da vida, convertendo-se ele mesmo numa totalidade específica, lúcida, organizada em seu próprio plano. Esse movimento, pressentido com dificuldade pela metafísica (e cristalizado por ela, figurado como concluso ou alcançado por antecipação ideal), desenvolve-se por meio desses esforços parciais de superação e realização que foram e são ainda a arte, o conhecimento, a ação. No nível inferior, o homem era natureza e totalidade "dispersa". A unidade se descobrirá e se realizará dialeticamente. A natureza, o instinto, o passado serão o conteúdo do indivíduo humano concretamente livre.

O problema da liberdade não encontra sua solução numa ciência particular. Tal posição nega previamente a liberdade. O materialismo dialético rejeita todo fatalismo, seja ele biológico, psicológico, econômico, seja ele sociológico. Denuncia a operação *metafísica* que converte em absoluto o determinismo relativo a um grau da realidade, a um método, a uma ciência particular. Sua teoria da liberdade se relaciona a sua teoria da prática e à da consciência. Ela não é exterior às ciências, posto que a liberdade supõe o determinismo. É, porém, uma teoria *filosófica* em um sentido novo – ou seja, no sentido de uma filosofia humanista, liberada da metafísica. A consciência, sendo superação ativa e fundada na ação, supera todos os determinismos precisamente ao conhecê-los – portanto, utilizando-os e dominando-os. A liberdade que se procurava opondo-se às determinações particulares ou confundindo-se com uma delas (como no "psicologismo" bergsoniano) era apenas uma consciência inquieta e abstrata. A expressão "homem total" deve ser tomada em seu sentido mais pleno: ao dominá-los, o homem se integra a todos os determinismos, e é assim que sua liberdade se determina.

A consciência política, como consciência e dominação prática do determinismo econômico-social, é um momento da liberdade tanto quanto o é a consciência científica (muito especialmente hoje). Porém, ao contrário desta, a consciência política e a atividade revolucionária participam do determinismo e condicionam um salto, uma passagem do determinismo à liberdade (Engels). A liberdade revolucionária retoma todas as determinações e as transforma em liberdade do indivíduo consciente de sua natureza humana e que se "apropriou" da natureza externa e social.

À fórmula de Nietzsche – "o homem deve ser superado" –, o marxismo responde: "O homem é aquele que supera".

A superação

Hegel, numa passagem célebre da *Lógica*[7], mostra o sentido "dessa determinação fundamental que se encontra em todas as partes". Define o caráter complexo de todo movimento: o fim de qualquer coisa, mas não o fim brutal; o novo ser prolonga aquele de onde provém e até resgata o que ele tinha de essencial.

Na fragmentação da natureza, a superação de um ser constitui outro ser, e essa constituição implica uma destruição. Na atividade humana, tais choques existiram sempre que ela permaneceu no nível da natureza, apenas recém-emersa desta última. O homem social, totalidade dispersa e fragmentada, encontrava-se em oposição a si mesmo sob a forma de classes, de grupos – de faculdades em antagonismo. Já então, o pensamento (a arte e, igualmente, o amor) oferecia o exemplo de uma forma nova de superação: um movimento interno, uma superação não violenta. Essa totalidade inalienável, que não tem necessidade de destruir de maneira brutal suas formas particulares para se superar, na qual o concreto e o universal se entrelaçam, é precisamente o ser espiritual, infinitamente precioso, do gênero humano.

Por meio da Revolução, a totalidade humana se coloca decididamente sobre seu próprio plano e supera as determinações da natureza que constituem a desordem do homem (concorrência). A interdependência e a interpenetração dialéticas não excluem, antes implicam, a ideia de *ordem*. Não existe, como pensam os metafísicos reacionários, uma Ordem única que se identifica à ordem burguesa – isto é, à desordem. Há a ordem biológica e a

7 "Aquilo que se supera não é aniquilado. O não ser *é* o *imediato*; uma coisa superada, ao contrário, é mediada; é o não-sendo, mas como resultado que surgiu de um ser; ela tem ainda, portanto, a determinação de onde provém." [Guterman e Lefebvre citam esta frase da observação sobre o termo *aufheben* incluída por Hegel no fim do primeiro capítulo da primeira seção de *Ciência da lógica: a doutrina do ser*.]

ordem humana. A ordem biológica implica o massacre (da destruição recíproca saem as leis estatísticas de população). A ordem humana exclui o massacre e realiza, especificamente, a interação dos indivíduos e dos grupos.

Existiram, historicamente, a ordem feudal e a ordem burguesa; existe a ordem revolucionária, que *tende* à ordem humana. A ordem, a cada etapa, surge de uma crise da ordem precedente; surge, pois, de uma "desordem". Reciprocamente, a ordem do nível inferior torna-se a desordem do nível superior. Assim, a ordem burguesa não é mais que desordem, e a superação revolucionária é criação de ordem.

Essa noção de superação desenvolve e enriquece a ideia racionalista de *progresso*, que não resistiu à crítica e aos acontecimentos. O progresso já não pode aparecer como uma ascensão contínua, linear, automática. Ele comporta incidentes, regressões aparentes ou reais (nas quais podem se constituir ou acumular elementos de um novo salto à frente). Ele não é homogêneo, igual e simultâneo para todos os setores da civilização. As diversas formas de consciência social (consciência política, ciência, arte etc.) não se desenvolvem igualmente. Ademais, o progresso humano não pode ser definido de uma vez por todas, no passado nem no futuro, como progresso unilateral no "bem-estar", na "instrução", na "cultura" ou na consciência. Ele é muito mais complexo, mais rico em aspectos e em sinuosidades.

A época moderna e as dificuldades do capitalismo provocaram uma verdadeira crise do progresso e da ideia de "progresso". Essa ideia só pode ser salva se for superada por uma noção menos "magra e estéril" (Lênin) do devir e do desenvolvimento. A superação (*Aufhebung*) é mais flexível e complexa que o "progresso". Ela é sempre concreta e específica, contínua e descontínua, súbita e total, lenta e parcial, conforme os momentos e as situações. É, simultaneamente, desenvolvimento de virtualidades, eliminação, criação, revolução e "involução" (ou seja, concentração das determinações precedentes externas umas em relação às outras), unidade e diferença. Não se lhe pode dar uma definição unívoca. Aquilo que não é superado se isola, permanece ou regressa "em si", e morre.

Essa ideia é essencial para compreender os objetivos da ação revolucionária.

A nova ordem que a ação revolucionária põe como objetivo não vem de um "mais além" pressuposto ou postulado. Tal pressuposição significa: mutilação do presente, unilateralidade, abstração. A exigência dessa nova ordem é posta pelo movimento do presente. O ato revolucionário se propõe conduzir o presente a sua realização, integrando "totalmente" o passado, suprimindo os choques entre classes, entre povos e entre as potências do homem. No entanto, essa superação só pode ser uma diferenciação a um nível mais alto – só pode ser um florescimento. O próprio do espírito é a diferença. ("À medida que se tem mais espírito, mais se avistam belezas originais.")

Em Hegel, a ideia da superação está subordinada à noção mística de negatividade. A superação executa o programa da ideia – constrói essa grande arquitetura rígida, essa hierarquia estática que descrevemos, na qual o inferior coexiste com o superior e não é verdadeiramente superado. O materialista enfatiza o lado ativo do devir e mostra como o homem percorreu em sua vida, como espécie e como indivíduo, todas as etapas da animalidade; mostra como o espírito atravessa todos os momentos inferiores da sensação, da afetividade, da inteligência – mas os *supera* ao penetrá-los, liberá-los e modificá-los profundamente. O conteúdo do espírito, da sociedade e do indivíduo não é uma *sobreposição* de sedimentos, de determinações acumuladas e externas. Aqui, o hegelianismo é ainda insuficientemente concreto e dinâmico – ainda é pouco dialético. Não somos um germe a que se acresce um vertebrado a que se soma um homem, tampouco um primitivo mais um civilizado etc. E não devemos ser um indivíduo mais um revolucionário, um racionalista mais um marxista. A práxis social é criadora quando é mais profundamente negadora do realizado, o que Hegel ignorou. A práxis eleva o realizado ao transformá-lo profundamente.

A ideia de superação é a única a oferecer um princípio ético aceitável para o indivíduo moderno. Esse fim ético não pode ser um ideal exterior ao indivíduo; se fosse assim, não iríamos além do ascetismo. Justamente o fascismo põe a nação e a coletividade como valores absolutos, externos e superiores, diante dos quais o indivíduo deve desaparecer. É o fascismo que uniformiza, nivela por baixo e militariza os homens. O marxismo defende os interesses verdadeiros do indivíduo concreto. O problema da superação ética se coloca para cada homem em função de sua vida prática e cotidiana. A realização de si liga-se à ação transformadora do mundo. A liberdade coincide com o movimento das *forças* sociais. As *formas* sociais – a família, a nação – devem deixar de ser impostas de fora, como normas "morais" transcendentes e comportamentos obrigatórios. Tornam-se formas de unidade do instinto e do lúcido, do individual e do social, formas e meios de superação. Em vez de negar a liberdade do indivíduo, manifestam-se como fins de suas aspirações mais livres. A superação oferece, assim, *uma ética sem moralismo*.

A superação também pode ser princípio estético. Sua fórmula seria: "Sempre mais *ser* e com mais *consciência*".

Essência e aparência

Hegel e Lênin assinalam: trata-se de um ponto particularmente obscuro. De fato, avançamos no domínio de conceitos mal elucidados ou que representam um setor não dominado da experiência e que comportam uma parte maior de sobrevivências, de simbolismos mágicos ou mistificados.

Para Hegel, a essência é a totalidade de suas manifestações* (propriedades, relações e interações). A aparência é uma manifestação. A essência está em cada manifestação e, no entanto, não se esgota nela – é razão de ser.

Lênin aceita essa noção da essência. Mas, para o materialismo,

1. não se constrói a essência – ela é extraída. A *efetividade* (*Wirklichkeit*) vem em primeiro lugar. A prática (experiência, trabalho, crítica) é uma mediação indispensável. Portanto, cada ciência (e, de uma vez por todas, não a metafísica!) determina, em seu domínio, a essência e a noção. Há o mais e o menos essencial. As propriedades podem ser mais ou menos ricas e inclusivas. Há complexos de relações, que se nos revelam somente

* Em francês, *manifestations*. Guterman e Lefebvre optam por essa tradução para o alemão *Erscheinungen* ("aparecimentos", nas traduções mais recentes para o português; "fenômenos"). Já *apparence* ("aparência") é, em alemão, *Schein*. (N. E.)

mediante a pesquisa experimental ou crítica. Hegel, que conhecia mal o trabalho *prático* dos cientistas, comete um grave erro ao especular sobre os momentos da essência. (Exemplo: a história não se constrói. Até o marxismo, ela se situou mal em seu domínio, confundindo o anedótico e o efetivo* – vale dizer, o inessencial e o essencial. Para determinar o movimento essencial de um objeto, é preciso agir sobre ele, ter um contato concreto com ele. A história só se torna ciência quando os homens decidem lucidamente dirigir sua história.) Hegel se equivoca duplamente: ao colocar o espírito como única essência de todas as aparências e ao negar a especificidade do elemento essencial nos diferentes domínios.

2. essência e manifestação são, em Hegel, dois momentos em estado de coexistência lógica. Devemos, porém, reconhecer neles *fases* sucessivas – históricas – em interação. Nem todas as manifestações são essenciais. A essência é uma totalidade de momentos, de aspectos, e revela, no curso das fases de seu desenvolvimento – ou seja, no tempo –, tal ou qual desses momentos, desses aspectos. Ora a manifestação é uma expressão total, uma explosão de todas as contradições da essência, ora a essência permanece latente e se esgota ou se reforça lentamente em suas manifestações. A *situação* relativa da essência e da aparência é sempre histórica e concreta (a essência da sociedade burguesa e de seu Estado aparece ou se dissimula, se reforça ou se enfraquece conforme os momentos etc.).
3. as relações são muito mais flexíveis do que supunha Hegel. Ele não atribui, por exemplo, nenhum fundamento objetivo ao erro (à aparência geradora do erro). Ora, Marx demonstrou como as categorias econômicas, ao se desenvolver, se dissimulam. Assim se produzem, em níveis sucessivos, os *fetiches* econômicos (mercadoria, dinheiro, capital), nos quais a base (o trabalho concreto) está simultaneamente contida e ocultada. Ao mesmo tempo aparências e realidades, os fetiches têm certa existência objetiva, em um sentido independente dos homens, geradora de erro, de

* Ver comentário de Lênin a esse respeito na p. 172. (N. E.)

impotência, de desordem (alienação). Ademais, a relação hegeliana entre a contradição e a superação é mal determinada. A essência pode *resistir* à superação que, no entanto, eleva-a a um nível superior (exemplo: a contrarrevolução). Tal resistência não pode provir da lógica pura.

A determinação hegeliana das categorias, aqui, é muito obscura e muito incompleta. Um pensamento rigoroso sobre esses pontos teria a maior importância efetiva e prática. A aparência e mesmo o erro (o fetichismo) têm certa existência objetiva. É preciso ter em conta a aparência na ação. Atuar sobre ela é atuar visando à transformação da essência. Em certos casos, pretender atuar diretamente sobre a essência é esquecer um momento da ação e torná-la impotente. Por vezes, as aparências retroagem contra a essência de que surgem e podem facilitar o progresso de sua transformação. Assim, a ideologia da liberdade democrática surgiu da própria essência do capitalismo, mas seu papel pode deixar de ser mistificador e tornar-se revolucionário em um momento determinado – quando o capital, tornado capital financeiro, tende a suprimir suas ideologias e suas formas políticas precedentes. O próprio dessas aparências é seu equívoco, sua ambivalência. É necessário, diante delas, dotar a ação de toda flexibilidade. As aparências produziram mistificações gigantescas (democracia burguesa), mas, reciprocamente, constituem uma espécie de erosão da essência pelo fato de sua manifestação – uma transição real a outra coisa. Limitar-se à repetição dos princípios explicativos (por outro lado, rigorosamente verdadeiros) do materialismo histórico corresponde a um dogmatismo abstrato e à vontade de agir sobre essa essência mediante um *diktat* místico. É possível, em certos casos, atuar concretamente por meio das próprias aparências. Assim, a história e a prática política impuseram novas atitudes (união popular contra os neofeudais fascistas)* e pesquisas originais (programas, planos) que se traduzirão filosoficamente por um aprofundamento das relações dialéticas entre a essência e a aparência.

* Este texto foi concluído em setembro de 1935, ou seja, pouco depois de o VII Congresso da Internacional Comunista (realizado entre julho e agosto do mesmo ano) formalizar a proposta das "frentes populares" contra o fascismo. (N. T.)

Imobilizada, fetichizada, a aparência se torna realidade mistificadora. Desdobrada, ela pode tornar-se o ponto de partida do grau superior. A democracia burguesa envolve, mascara e protege o capitalismo. Tratada com habilidade, concretamente levada a seu limite – tomada ao pé da letra, se assim se pode dizer, sua ilusão volta-se contra ela mesma. A liberdade democrática não é apenas um meio para conservar a legalidade das organizações marxistas. Real e historicamente, essa situação *pode* tornar-se o começo de um salto, de uma democracia orientada ao socialismo, de uma ditadura democrática contra o grande capital. O *possível* – uma sociedade nova – *aparece* no presente como sua essência nova e sua significação profunda, mediante sua expressão e sua manifestação política: a democracia. Esse devir, essa passagem delicada, supõe uma extrema consciência dialética nos homens que atuam.

Até agora, o Estado (o regime político) era simultaneamente a verdade e a aparência das sociedades civis. Sua verdade cínica: a violência de classe. Sua aparência: suas justificações, sua ideologia, que impediam a percepção do caráter contraditório das relações sociais. A ciência das sociedades implica a destruição dessas aparências, a determinação rigorosa das relações entre *Estado* e "*sociedade civil*", entre o econômico e o político – implica que se alcance sua unidade essencial. Essa determinação, iniciada – mas falseada – por Hegel, foi corrigida e desenvolvida por Marx e Lênin.

Com a política revolucionária, essa relação complexa, contraditória e mistificadora se dissolve e desaparece em três momentos: verdade sobre a política, política verdadeira, desaparição da política. Aparência e realidade desaparecerão nesse domínio por meio de uma desmistificação progressiva e, depois, da formação da totalidade social coerente, de sua representação verdadeira e acessível a todos.

A categoria de prática

Para o idealismo, e especialmente para Hegel, o homem é um reflexo.

O drama cósmico se desenvolve fora dele. O combate pelo homem e pela ideia está ganho pela eternidade.

Essa filosofia exprime, em Hegel, a passividade do indivíduo burguês que constata o automatismo do capital, acredita na espontaneidade do progresso e aceita a ordem social burguesa como uma propriedade natural das coisas e da "sociedade".

Os materialistas restituem ao homem sua realidade de ser carnal e vivo. Progressos são conquistas. O homem permanece um ser da natureza, mesmo quando se apodera dela. Por vezes, pôde crer que seus fins se opunham a ela – sua liberdade, por exemplo. Essa liberdade, porém, não tem sentido nem realidade senão na e pela natureza: conhecimento e domínio, apropriação, superação da natureza, mas sem evasão possível, concentração de todas as determinações da natureza e da vida no nível humano.

Pela primeira vez na história, o proletariado não necessita, para universalizar seus fins, mistificá-los projetando-os no absoluto, fora da natureza e do homem vivo, como se lhes fossem soprados no ouvido por um deus. Apresenta-os em sua verdade; assim, eles se expressam como fins do homem e da história humana – como universais, sendo humanos e práticos.

Lênin insiste a respeito da dignidade e da universalidade dessa categoria de práxis, a primeira e a última da dialética materialista.

É um fato prático o homem situar-se em determinada escala do universo, com determinado organismo e com determinadas relações imediatas, mecânicas, químicas, biológicas etc. Essa situação objetiva determina o ponto de partida concreto do conhecimento e da ação. A sensação mais humilde tem, assim, uma realidade *prática*. Relação real entre o homem e o mundo, ela depende do homem, de seu organismo, de sua escala, de sua atividade. Ela é objetiva porque os objetos intervêm na ação recíproca do homem e do mundo e também porque o homem está no mundo. A atividade e a relatividade, longe de comprometer a objetividade, incluem-na. Ainda assim, a objetividade da sensação não é absoluta. A sensação é somente uma relação; torna-se verdadeira na medida em que se insere na rede das relações – ela se desenvolve e se analisa (assim, a física recente mostra o que há de prático, de relativo e, *ao mesmo tempo*, de objetivo no calor como utilização humana de certo movimento molecular).

O primeiro sentido da prática é, pois, a interação do homem com a natureza: o homem, ser da natureza, age sobre ela sem, por isso, isolar-se ou evadir-se da interdependência universal.

A partir desse primeiro momento, a categoria se desenvolve, adquire um sentido mais amplo, até envolver a vontade de transformação consciente do homem por ele mesmo. O objeto que inicialmente domina a relação sujeito-objeto é, pouco a pouco, subjugado pelo sujeito ativo, o homem social. A prática é sempre unidade do sujeito e do objeto, com o primado do objeto; mas, na prática, o sujeito supera sua subjetividade e o objeto, sua objetividade; a contradição sujeito-objeto é algo mais que interpenetração conceitual – é choque, colisão, luta. A prática, luta do homem e da natureza, é determinação criadora. O homem humaniza a natureza ao humanizar-se a si mesmo. Cria as condições para a realização de seus desejos e, nesse esforço, cria desejos humanos que se dirigem à natureza para ser satisfeitos. Nesse grau, a prática envolve as complexas relações dos homens entre si e consigo mesmos.

Seu primeiro momento é, pois, o trabalho simples, que distingue o homem do animal, acompanha a formação do organismo humano (posição ereta, mãos) e engendra a inteligência – ou seja, primitivamente, a simples faculdade de intercalar intermediários (meios) entre a impulsão instintiva e sua satisfação. Pelo trabalho social, o homem afirma sua realidade própria descobrindo a objetividade. A natureza se despoja da ambiência emocional que a envolve para o homem primitivo. A necessidade – a série de operações técnicas e sociais necessárias à satisfação do desejo – torna-se conhecida. O homem ativo cria, num sentido, a necessidade, no momento em que a descobre e a sofre. "Não é a natureza como tal, mas as mudanças realizadas pelo homem que constituem o fundamento essencial e original do pensamento" (Engels, *Dialektik der Natur*, p. 164-5)*.

Surgem, assim, os momentos superiores da categoria:

* A edição brasileira da obra propõe uma tradução diferente: "Mas é precisamente a *modificação da natureza pelos homens* (e não unicamente a natureza como tal) o que constitui a base mais essencial e imediata do pensamento humano". Ver Friedrich Engels, *Dialética da natureza*, cit., p. 139. (N. T.)

1. A *técnica*. Momento que alguns economistas e pseudomarxistas isolam e absolutizam. Esse momento possui um domínio próprio, mas limitado: invenção, produção, reprodução e transmissão da técnica.
2. A *prática social*, considerada como um todo. A práxis, assim definida, envolve as relações sociais, materiais e ideológicas, a produção da consciência, a necessidade, o destino, a história etc.

A prática está na origem do conhecimento (atividade na sensação e na percepção) e também no fim (verificação, controle, aplicação, realização). Ela envolve, portanto, toda a espiral ascendente. Há primazia da prática na unidade prática-teoria, bem como há primazia do objeto na unidade sujeito-objeto. É assim que há uma verdadeira unidade – uma vez que toda primazia da teoria apresenta a prática como uma aplicação extrínseca e rompe a unidade.

A prática é sempre concreta. A teoria reencontra e desdobra a universalidade envolvida no conjunto das particularidades da prática. É assim que se desenvolve o movimento dialético do concreto ao abstrato e do retorno ao concreto enriquecido (do particular ao geral e reciprocamente), que conduz ao universal concreto, à ideia. Prática e teoria não se confundem – superam-se reciprocamente. A prática coloca os problemas e reclama a solução. A teoria elabora, antecipa, formula, unifica e completa.

O caráter relativo, aproximativo e fragmentário de nossas leis científicas se deve à origem prática do conhecimento. Os instrumentos são imperfeitos e à nossa escala; o conhecimento tateia experimentalmente por meio de manifestações fenomênicas. Mas não se pode esquecer que a própria prática é um fato da natureza, um prolongamento do organismo. A aproximação de nossas leis, relativa a nossa escala e a nossa prática, tem um sentido. Cada lei, cada teoria deve ser *superada*. E o termo complementar é justamente o mais interessante: exprime ou produz uma extensão de nossa potência, de nossa experiência, de nossa prática. Uma lei "absolutamente verdadeira" é uma ficção que seria absurdo considerar. Ela só poderia ser *a* lei total do mundo, a posse da totalidade, a ideia alcançada de um só golpe, sem esforço, sem apropriação do mundo pelo homem. Mais um sonho metafísico.

O que vem a ser, então, o critério racionalista da ideia clara e distinta?

Ele é insuficiente, estreito (formal), mas não é falso. O critério da prática, no sentido do materialismo dialético, deve ser distinguido do pragmatismo. A ideia isolada, clara e distinta (exemplo: o Sol gira em torno da Terra) pode ser falsa. No entanto, a ideia verdadeira é sempre clara e distinta, por ser uma elucidação, uma consciência da prática.

O "critério da prática" não significa uma verificação posterior, pelo "êxito", de ideias colocadas no mesmo plano a título de hipóteses ou de instrumentos. O pragmatismo não explica nem a origem nem o êxito da ideia que triunfa. Pretendendo esquivar-se do acordo com o objeto, ele continua definindo a verdade como um acordo – o da ideia com suas consequências. Mas não explica nem essas consequências nem a relação da ideia com elas. Tampouco define o êxito. Ora, o êxito num sentido pode ser o fracasso em outro. Um homem que têm "êxito nos negócios" pode ser malsucedido em outro domínio – por exemplo, como homem. A ideia verdadeira pode fracassar momentaneamente, e a ideia falsa pode triunfar. A história oferece inúmeros exemplos. O materialismo toma o critério da prática num sentido muito mais amplo. A prática não se opõe metafisicamente à teoria. Essa falsa primazia conduz ao mistério da ideia, de sua invenção, de seu triunfo – ou seja, ao idealismo pluralista e místico. A prática, no sentido dialético, não menospreza a teoria. O conceito pode ser uma hipótese, um instrumento. Nenhum instrumento, porém, é um mediato inerte, exterior aos termos que vincula. O meio (a ferramenta, o instrumento) não é uma forma morta, que separa e deforma, mas um vínculo vivo que surge, a seu tempo e em seu lugar, na rede de relações do sujeito e do objeto, da prática e da teoria.

A ideia que "triunfa" é, em definitivo, aquela que envolve mais relações e conexões. O conhecimento, tomado em sua totalidade, pode ser considerado um instrumento da atividade humana. Seu valor – seu triunfo – decorre de sua coerência racional. Uma teoria tem valor próprio como teoria na medida em que é, num momento determinado, *mais* ampla e *mais* coerente que as outras. O critério racionalista e o critério pragmático estão unidos na concepção dialética.

Finalmente, é preciso observar que a ideia dialética de *solução* é mais compreensiva que a noção pragmática de hipótese, de instrumento ou de êxito. O *problema* é uma contradição nas coisas – e essa contradição ou é insolúvel, ou põe as premissas de sua solução. Como disse Marx, a humanidade só se torna consciente de um problema *quando os elementos de sua solução já estão postos**. E isso não se deve ao fato de que a consciência esteja atrasada, mas ao de que a contradição experimenta, então, um máximo de tensão e *tende* precisamente a sua solução. Essa solução, objetivamente exigida pela vida, manifesta-se na consciência sob a forma de valores, objetivos, finalidades, hipóteses e ideias que se tornam planos de ação e instrumentos. Na sequência, a ação suprime a contradição nas coisas transformando-as, indo até o fim de seu movimento. Podem-se confrontar as propostas de solução, comprová-las racionalmente, sem necessariamente experimentar ao acaso, "pragmaticamente", para selecionar a ideia que triunfa. A prática é criadora, mas a linha geral das soluções se determina teoricamente pela análise dialética. O pragmatismo isola um instante *psicológico*, aquele em que a ideia começa ser considerada *plano*, e o situa como absoluto.

De acordo com a dialética materialista, todo problema é um momento do desenvolvimento de uma realidade que se supera; para o pragmatismo, ele cai do céu. Essa doutrina da prática é uma tentativa de salvar o idealismo subjetivo – Kant também considerava o conhecimento um instrumento que separa o sujeito do objeto, em vez de reuni-los (ver Hegel, *Phénoménologie*, 3. ed., Lasson, p. 63-5**). O pragmatismo leva em conta um elemento de importância primordial: o instrumento, a técnica, a prática. Isola-o, entretanto, da natureza e do homem. Considera a prática em um sentido mesquinho. A atividade consciente é posta diante de um objeto que é um simples obstáculo. Simples consciência dos fins (como estes aparecem?), não é verdadeira nem falsa. Pode-se, pois, aplicar a essa doutrina uma parte das críticas de Hegel (e

* "A humanidade não se propõe nunca senão os problemas que ela pode resolver, pois, aprofundando a análise, ver-se-á sempre que o próprio problema só se apresenta quando as condições materiais para resolvê-lo existem ou estão em vias de existir." Karl Marx, *Contribuição à crítica da economia política* (trad. Florestan Fernandes, São Paulo, Expressão Popular, 2008), p. 48. (N. T.)

** Ed. bras.: G. W. F. Hegel, *Fenomenologia do espírito*, cit., p. 63-6. (N. E.)

Lênin) contra Kant. Para o idealismo crítico, bem como para o pragmatismo, a natureza é o objeto indiferente, a existência inerte sobre a qual o instrumento intervém com violência. Superando esse formalismo, a dialética materialista revela entre o homem e a natureza uma relação muito mais ampla, viva, aberta. O objeto não é inerte, e o sujeito é rico em determinações complexas. A indispensável mediação do instrumento entre a natureza e o homem não interditou, aos estilos e às culturas, que eles comportassem um sentimento cósmico, talvez mistificado, mas que, no entanto, implicava um conteúdo vivo. A relação do homem com a natureza é de apropriação progressiva. A natureza (objetiva, biológica, instintiva) torna-se, no sentido mais profundo, o *bem* prático e coletivo do homem. A ideia envolve o momento prático e a determinação do bem – isto é, para Lênin, a transformação do mundo. Ela comporta a unidade da verdade, da alegria de viver e da essência humana.

A ideia do bem foi a forma não revolucionária, paralela ao utopismo, de aspirações e reivindicações. Estas tomaram necessariamente tal forma durante os longos períodos em que reinou o *impossível* – o destino. A aspiração humana torna-se ideal quando colide com os limites da realidade, assim como a razão se torna especulativa quando pretende representar o que ainda não domina. Então, a aspiração se transpõe, se sublima, se *aliena* em formas mistificadoras (religião, magia, misticismo). A superação se esboça, fracassa, rebate em hipóstases ou entidades ou se petrifica numa contemplação narcísica. A inquietude humana, que assim *se aliena*, provém do sentimento profundo de que outra coisa – não o existente – poderia existir. O sentimento não prático do *possível* se extravia nas ideologias "reacionárias" das épocas feudais, mercantis etc. Nem por isso é menos profundo: em sua base, encontram-se a potência do homem e o movimento de sua realização. O homem acredita no possível. Essa inquietude do possível encontra-se tanto na tragédia grega quanto no messianismo, no *Dom Quixote* e no *Hamlet*. Consciente do destino, a tragédia grega o supera, mas não sabe que o supera. Proclama que existe e que tem que ser vencido, pelo povo ou pelo herói; porém, em seguida, recai na obsessão trágica e na catástrofe. A metafísica fixa o possível no realizado – um "outro" mundo de ideias, ou de beleza, ou de verdade (Platão). Por vezes, um homem acredita, ao contrário, que bastaria uma palavra, um gesto, para abrir infinitamente o possível. Essa estranha loucura chama-se fé. Kierkegaard, homem de fé, está obcecado pelo possível - concebe, contra a razão hegeliana, uma fé semelhante a uma magia, tornando possível o racionalmente impossível, o absurdo (por exemplo, a repetição do passado). Hegel e, mais ainda, o marxismo salvam os homens dessa vertigem mental, propiciando-lhes o sentido da necessidade, mas também da vitória *prática* sobre ela. A liberdade compreende, utiliza, *domina* o determinismo. O possível verdadeiro e verdadeiramente aberto é prático e concreto.

A dialética materialista, portanto, integra, numa unidade viva, o que nas filosofias clássicas está subsumido na categoria de bem: a unidade do real e do possível. É preciosa a indicação de Lênin*. O surgimento dessa categoria determina a noção da "inversão": o momento prático da ideia, a unidade hegeliana, dinâmica, do possível e do real, é concebida como a que tem primazia. Logo, toda a lógica dialética se integra, naturalmente, à teoria da primazia da prática.

A noção de bem, abandonada desde então pelos filósofos que Nietzsche aterrorizou - ademais, tornada suspeita pela hipocrisia e pela inutilidade das morais - é assim retomada em sua praticidade. Ela passa do plano moralizador ou estético ao plano revolucionário. A praticidade adquire um sentido mais elevado. O marxismo sistematiza e funda todas as aspirações e as *reivindicações* humanas, das mais simples às exigências mais amplas, concernentes ao homem, à natureza e ao bem. A *revolta* é cega, desesperada. A *reivindicação*, ao contrário, significa que os oprimidos compreendem que dada situação *pode* e deve ser superada. O movimento profundo que atualmente agita o mundo, ainda que de forma contraditória e caótica, significa que os homens pressentem que a utopia de ontem é a possibilidade de hoje, em função do crescimento do poderio humano. Essa reivindicação imensa toma ainda, frequentemente, formas ideais, utópicas, reformistas; até mesmo se propõem pseudossoluções (por exemplo, o fascismo) que operam contra a própria reivindicação. O marxismo, porém, põe cada coisa em seu lugar. As ideias e os

* Ver, neste volume, p. 227. (N. E.)

fins são expurgados dos conteúdos que correspondem às etapas superadas (misticismo, irracionalidade). A reivindicação é considerada como tal. Ela é alçada ao nível da reivindicação *total* – a reivindicação do *homem total*. Não se põe mais como uma expressão do ressentimento, como uma forma do espírito que diz "não". Ao contrário, aparece como a premonição do futuro, a exigência e o nascimento do bem.

A teoria marxista-leninista envolve um imperativo de ação. Não se trata da ação pela ação, que é um "valor" mistificador e fascista. Marx e Lênin mostraram a profunda praticidade de toda teoria, pela qual a teoria se insere no movimento total do mundo, da sociedade, do pensamento. Eles negam validade a um conhecimento sem relação mediata nem imediata com uma ação presente ou possível – ou seja, rejeitam o pensamento isolado. Tomado em sua totalidade, o pensamento sempre foi ativo. Cada homem sempre foi ativo, ainda que sua eficiência, até agora, tenha sido "ambivalente": de um lado, ação sobre a natureza; de outro, ação de classe sobre os homens.

A dialética materialista não diz aos homens: "É preciso agir". Ela eleva à consciência o fato de que eles sempre agiram. Os homens não conheciam sua própria ação porque o pensamento era uma totalidade dispersa, alienada, separada de seu objeto e de sua própria essência e seu conteúdo, de modo que seus fragmentos se atribuíam uma autonomia fictícia e uma totalidade falsa, unilateral (metafísicas, místicas, ideologias de classe).

A praticidade da dialética, ademais, exclui toda atribuição de um poder ideal ao objetivo da ação. O progresso rumo a esse objetivo não se efetiva mediante qualquer espontaneidade exterior à eficiência prática. A dialética prescreve a paciência e a habilidade, a ação modesta, parcial, contínua. Exige que sempre se definam claramente as fases, os estágios, as transições, as situações, os meios e os elos essenciais. Sem nunca perder de vista a totalidade do processo, que é a única que importa.

Os graus do real

A unidade do mundo não é lógica e dedutiva. Ela envolve a multiplicidade das determinações, a existência de graus, esferas ou níveis do real, cuja especificidade se integra na totalidade do universo. Implica também, no tempo, o movimento, a produção e a reprodução desses graus. Essas determinações são mais amplas que a dos seres individuais; no entanto, não se distinguem delas por sua natureza, uma vez que tais seres são também totalidades de momentos, cada um dos quais com certa existência própria.

Hegel pretende construir esses graus na dialética ascendente do conceito e da objetividade. Para ele, tais graus são, ao mesmo tempo, etapas sucessivas da alienação da ideia (movimento descendente) e constituem, pois, uma hierarquia de determinações em que as mais altas contêm, superando, as mais baixas.

Embora Hegel procure *construir* os graus do ser conforme seu idealismo metafísico, ele designa como tais o mecanismo, o quimismo, a vida etc. Não se pode dizer, pois, que tenha deixado de lado as ciências. Sem dúvida, as deforma, as enrijece; mas determina os graus da natureza segundo as ciências e procura articular essas ciências e seu ordenamento aos conceitos lógicos, o que constitui um notável esforço metodológico. Pode-se dizer, portanto, que Hegel, como metafísico, viu mal o movimento, o espírito experimental das ciências, a passagem do desconhecido ao conhecido (o processo do conhecimento) em cada ciência e em seu conjunto. No entanto, é preciso admirar seu esforço para estabelecer, entre a ciência e a filosofia, uma unidade dialética (e não se pode esquecer que as ciências sociais não existiam em seu tempo e que, nesse domínio, ele pode ser considerado um criador).

No momento em que Hegel acredita construir os graus, ele os *constata*: mecanismo, quimismo, vida, sociedade civil... Porém, como sua concepção dialética é inconsequente, ao constatar os graus, ele os separa e os fixa numa escala ascendente. Não examina a ação recíproca contínua de uma esfera sobre a outra. A conexão, por outra parte puramente lógica, só está na origem de cada grau, que continua sendo um grau eterno dessa escala mística, simultaneamente queda e ascensão do espírito. A vida, para Hegel, nunca modifica profundamente, nela e ao redor, o mecanismo e o quimismo. A totalidade é uma série de reinos concêntricos, de esferas imóveis. Os graus são justapostos e coexistentes, e cada um deles é uma totalidade quebrada – mas posta de uma vez por todas. E, como a mônada leibniziana, cada grau concentra idealmente "todas" as determinações do grau inferior sem modificação profunda, ou seja, sem movimento real. Cada parcela de vida (perdendo, assim, a individualidade, o ato, o movimento) contém "todo" o mecanismo, o quimismo – e isso suprime as transições concretas, os incidentes criadores, o devir, tornando inútil o estudo experimental dos processos da passagem à vida. Hegel, assim, nega a evolução real ao defini-la, de uma vez por todas, no eterno.

Neste ponto, a dialética materialista é ainda mais hegeliana que Hegel. Ela aceita a noção da superação interna que vai de grau em grau no movimento total. A natureza material, que não é inerte nem viva, se supera na vida mediante um movimento que é, ao mesmo tempo, evolução e involução. O ser vivo é um todo no seio da totalidade. Ele não suprime as determinações da natureza material, mas as incorpora ao mesmo tempo que as modifica profundamente, elevando-as a seu nível. A vida, como grau, é ela mesma uma totalidade dispersa e contraditória, mas cujos elementos (espécies, indivíduos) estão inseparavelmente ligados em sua própria luta. A finalidade, para o ser vivo e para a vida toda, reside no fato de que as interações, os determinismos, formam uma totalidade (assim, não há finalidade teleológica nem finalidade sem fins, mas há fins sem finalidade).

Ao cabo desse desenvolvimento, o homem total será realmente o que exprimem estas palavras. O humano é uma totalidade que superou e nela manteve as contradições. Ele mergulha até o fundo da natureza, externa e interna, de que se apropria, que é seu bem, que supera e eleva em si no nível do espírito. O instinto e a vida biológica são, assim, plenamente humanizados no homem que "compreende", "conhece" e, mais profundamente ainda, é o mundo total. Mas há um movimento real na evolução e na história que chegam a este termo. A negatividade não é conceitual e metafísica – ela é colisão, acidente, eliminação, destruição de uma parte das determinações no curso do processo antagônico que conduz ao grau superior. O movimento é concreto, e a superação, efetiva. Os saltos são reais, embora tudo seja determinado em cada um deles. Os graus têm, portanto, uma especificidade exterior ao pensamento; se decorrem da lógica, isso ocorre na medida em que a lógica dialética tem um conteúdo concreto e experimental e se torna uma metodologia. Os graus devem ser determinados pelo estudo científico: qualquer construção especulativa está cancelada. A ação recíproca deve ser tomada em toda sua extensão. Cada grau reage sobre o precedente, modifica-o e não é mero resumo metafísico dele, com a adição de um conceito novo.

Lênin indica esses desenvolvimentos do hegelianismo*. Extraindo o sentido materialista da construção hegeliana, lança as bases de uma metodologia geral, da qual, aqui, só podemos esboçar as aproximações. A dialética materialista afirma a especificidade concreta de cada grau, afirmando incessantemente a interdependência universal. Nisso, distingue-se do pluralismo, que dissocia a multiplicidade da unidade, que negligencia a unidade e se orienta para um antirracionalismo. Sob o pretexto da especificidade, o pluralismo admite toda sorte de "experiências" e de "domínios" autônomos – a verdade, por exemplo.

O pluralismo corresponde à consciência do indivíduo fragmentado que se decompõe, que se dirige ao irracional, que deixa de verificar suas "experiências" e suas conexões e que se sente "muitos". Trata-se de um estado bastante preciso e avançado de "alienação", um misticismo equívoco disfarçado de liberalismo.

A especificidade dialética é relativa e movente. Cada objeto, cada ser é um todo "específico" como cada grau, com sua forma própria de negação e de contradição na totalidade do universo.

Contudo, essa multiplicidade não é distinção nem pluralidade. As determinações dos domínios estão em relações precisas, que se exprimem nas relações das ciências, pesquisadas pelo conhecimento e pela metodologia.

A dialética materialista *tende* sempre a uma explicação das coisas e das leis – explicação que a teoria está ainda por realizar. Digamos, apenas, que não se pode tratar de uma simples descrição nem de uma explicitação fenomenológica do conteúdo das representações – menos ainda, de uma redução. Os graus superiores não são redutíveis aos inferiores. A consciência, por

* Ver, neste volume, "Plano da dialética (lógica) de Hegel", p. 323-9.

exemplo, é o grau mais elevado. Ela não é um epifenômeno do biológico ou do econômico. É uma realidade, a realidade humana essencial. Condicionada, explicável geneticamente – mas sem redução, que a negaria e, ao mesmo tempo, negaria todo seu devir.

A universalidade das categorias, "reflexos das ligações [...] de tudo com tudo", garante que nada existe de absoluto e incognoscível, mas somente de desconhecido, na passagem de um grau a outro. As leis dialéticas, leis gerais do movimento, aplicam-se a todos os graus. Categorias e graus são extraídos, pouco a pouco, da prática e de milhões de experiências. No entanto, certa exigência de totalidade (reflexão no homem pensante da totalidade do mundo e da práxis, expressão de sua potência crescente) as arranca do empirismo das determinações isoladas do entendimento e as eleva, por meio dos sistemas especulativos, à razão dialética. As categorias, assim concebidas, e a própria razão têm sua origem na prática social. São moventes, progridem. O entendimento e a razão, na qual aquele se nega e se supera, não são imutáveis: eles se desenvolvem. A generalidade dos conceitos racionais não é rígida; ela não exclui nem seu desenvolvimento nem suas aplicações específicas. A categoria de qualidade implica a originalidade dos seres, dos graus e de suas relações na interação universal. A quantidade é uma categoria universal, mas específica em cada caso, com uma forma específica de medida.

Lênin censura Hegel por ter substituído, contra sua própria inspiração, todos os métodos pela lógica dialética. Assim, ele deu continuidade ao idealismo formalista de Descartes e de Kant (redução do processo do conhecimento a sua forma). Isolou as leis dialéticas como um "em si", como um objeto do qual pretendeu deduzir todos os outros objetos, ao passo que, segundo o "espírito" de sua dialética, as leis devem encontrar-se, sob formas moventes e concretas, nos objetos e nos domínios reais. Tomadas em si mesmas, as leis só podem ser o mais geral e o mais pobre.

Os lógicos, pouco a pouco, compreenderam a insuficiência da lógica formal. Descobriram que o critério da verdade não poderia ser buscado na tautologia da identidade pura. Porém, detiveram-se nesse ponto. Definindo – apesar de sua crítica da lógica – o pensamento pela *pesquisa das identidades* (constâncias e permanências) e não das leis do movimento, deixaram um hiato entre a lógica e o conhecimento que serviu para a introdução da metafísica.

A questão do começo já foi examinada. Tanto para o conhecimento em geral quanto para cada ciência, os pontos de partida foram confusos, pobres, tateantes. Isso não impediu ao conhecimento constituir um todo (relativo a cada época, ao nível cultural e de potência prática) e seu movimento de *tender* às coisas. O conhecimento vai do imediato e do particular ao mediato e ao universal. Como o particular é primeiro uma sensação, uma impressão, uma interpretação, um fato ou uma lei tomada à parte, ele é justamente o que há de menos concreto. O *conhecimento, portanto, vai do particular abstrato ao universal concreto*. Em cada domínio e no conjunto, ele avança e penetra no mundo por espirais cada vez mais amplas. Determinações imediatas, aparentemente concretas, se desdobram e se transformam em um verdadeiro concreto que tem a aparência (mas somente a aparência!) da abstração (exemplos: o concreto matemático, a categoria econômica do valor etc.). Hegel mostra tudo o que há de profundidade concreta na abstração crescente da ciência. O fato e a lei isolados – esclarece ele – roçam a subjetividade. Regressa-se à objetividade superando a lei na teoria. São pontos de vista muito modernos, que Lênin complementa, indicando que Hegel não chegou a definir claramente o trabalho da razão, a transferência do em-si (do desconhecido) para um nível cada vez mais distante dos aparecimentos (do imediato)*.

Cada ciência *tende* a envolver a totalidade de seu domínio, vinculando-o aos outros graus do ser e do saber. O começo ideal é aquele que efetiva essa conexão dos graus. Assim, o conjunto do conhecimento *tende* a reencontrar o movimento de conjunto do mundo – tende para a ideia. A unidade acabada das ciências não seria mais que o saber acabado, abarcando a totalidade do mundo, a *Selbstbewegung* – isto é, a ideia.

No que se refere ao objeto geral das ciências – o "mundo", a "natureza" –, a dialética materialista não implica nenhuma definição. Difere, assim, do

* Ver, por exemplo, neste volume, p. 122. (N. E.)

materialismo mecanista e se limita a constatar a anterioridade da natureza em relação ao pensamento (do ser em relação à consciência). Nesse ponto, seu papel é o de aceitar como verdades *relativas* os resultados das ciências da natureza, interditando aos próprios cientistas erigi-las em absolutos (assim, Engels, em 1873, pôde criticar o conceito de matéria aceito pelos cientistas materialistas da época)*. A matéria é o movimento e não pode ser definida de uma vez por todas; sua "profundidade" é ilimitada. Aqui, não pode haver polêmica entre os cientistas e os dialéticos materialistas, mas somente entre estes e alguns *intérpretes* da ciência (aqueles que, por exemplo, consideram que a realidade do objeto e da natureza não é uma pressuposição da ciência ou aqueles que pretendem definir a verdade dos enunciados unicamente pela probabilidade etc.).

O dialético materialista afirma que cada ciência é já uma dialética. Não pretende invadi-la desde o exterior, mas apenas criticar alguns postulados admitidos, na maioria das vezes implicitamente, pelos especialistas e que têm uma origem social. A dialética materialista não pretende legislar sobre a ciência e os cientistas, tampouco se contenta em segui-los e, em sua retaguarda, explicar pedantemente o que produziram. Sem tentar, desde o exterior, enquadrar as ciências num sistema enciclopédico, ela espera oferecer-lhes algum contributo – notadamente a crítica social das categorias e dos postulados.

O *mecanismo* não é uma abstração operada por nossa vida prática (Bergson). Essa hipótese só teria sentido se o mecanismo estivesse em nós, em nossa mão, em nosso organismo – mas, então, não seria uma abstração! Tampouco é a própria causalidade natural, como pensam os mecanistas. A crítica hegeliana dessa causalidade (a teoria da reciprocidade e do *Zusammenhang*) envolve e supera as críticas bergsonianas do mecanismo. Este último é a primeira determinação, o primeiro grau, aquele que, nos conhecimentos elaborados, aparece como o mais baixo.

* Os autores referem-se, certamente, a páginas de *Dialética da natureza*, conjunto de manuscritos que, embora publicados pela primeira vez em 1927, parecem ter sido elaborados entre 1872 e 1882; ver o prólogo do cientista J. B. S. Haldane à edição brasileira citada, p. 7-13. (N. T.)

Considerado em seu nível, o mecanismo é concreto e existente, e até contém um desconhecido ilimitado. Contudo, em relação às determinações superiores, não é mais que uma abstração. Os graus superiores o contêm como *momento*. Seu conhecimento cabe aos matemáticos. No entanto, o mecanismo não se reduz ao espaço geométrico nem à colisão ou à necessidade brutal da atomística. Não é, portanto, uma abstração, nem um princípio exaustivo ou explicativo. Praticamente, em nossa escala, nossa ação se apoia sobretudo no mecanismo. Mas as relações de nossas fórmulas elaboradas (matemáticas) com a realidade – como a relação do mecanismo com o grau superior (quimismo) – permanecem questões "abertas".

Entre os ataques hegelianos contra o evolucionismo, é preciso fazer uma discriminação. Quando critica a ideia de gradualidade, de variação imperceptível ou de pré-formação; quando censura os evolucionistas por não terem jamais mostrado plenamente a passagem de uma espécie a outra e de enterrarem no passado a explicação do presente (ver as *Lições sobre a história da filosofia** e a *Enciclopédia das ciências filosóficas*, § 249), Hegel não pensa no vazio. Ele aponta dificuldades que o evolucionismo, mesmo atualmente, não resolveu por completo. Por outro lado, quando parece dizer que não houve tempo nem história (física, biológica) anteriores ao homem e ao espírito, revela o absurdo mais profundo do idealismo.

Hegel rejeitou o evolucionismo. No entanto, somente a dialética conduz a uma teoria coerente da evolução. *A verdade está na totalidade*. A verdade do movimento da vida está na totalidade dos elementos em interação – meio externo e interno. Ora, Lamarck, Darwin etc. isolavam um dos elementos dessa complexa interação. Utilizando as críticas hegelianas e as indicações de Engels, podem-se oferecer aos biólogos uma crítica de seus postulados, um método e, talvez, os quadros de uma teoria.

Essa teoria da evolução seria muito mais dramática e viva que a ficção hegeliana do desenvolvimento da ideia, que se desenrola sem riscos, fora do tempo. Para o materialista, o tempo existe (ainda que seu conhecimento,

* Ver, neste volume, comentário de Lênin a esse respeito, p. 271. (N. E.)

como todo conhecimento, seja relativo e progressivo); ele não é exterior a outras determinações. É espaço-tempo, ação, destruição e criação, irreparabilidade (irreversibilidade) – porque é choque e luta. A ideia de providência, incluída no absoluto hegeliano, desaparece.

Lentamente, com muitas incertezas e regressões, a psicologia entra na via materialista. Ela não leva em conta a prática senão indiretamente, envergonhadamente, com um vocabulário de compromisso (meio, situação, estímulos, conduta). Não consegue, pois, superar o hiato entre o externo e o interno, o subjetivo e o objetivo. Esse atraso de uma ciência cujo objeto está tão próximo explica-se em razão de: a) ausência de método dialético; b) categorias acríticas e contaminadas pelo individualismo formal (burguês), que separa o indivíduo e o social, a consciência e o ser.

O estado da psicologia mostra quão pouco nós nos construímos a nós mesmos numa sociedade burguesa. E é a melhor crítica factual a um individualismo que põe a simples *forma* do indivíduo.

Mesmo numa série de indicações tão breves como estas sobre os graus, não se pode deixar de lado a questão do *político*.

Neste ponto, Hegel e os marxistas se esclarecem ao se oporem. O político não se reduz ao econômico, mesmo que o suponha. É um domínio, um grau, uma determinação superior. Ele reage sobre as determinações inferiores, sobre a "sociedade civil". No entanto, conforme Hegel, o Estado acaba por transformar o atomismo dos indivíduos na sociedade civil em uma totalidade espiritual definitiva. O Estado prussiano do tempo de Hegel, segundo ele, desempenhava essa função de modo muito satisfatório. Os marxistas veem no Estado um fato histórico e transitório, concretamente embasado em determinações econômicas.

1. O Estado é poder, violência, coerção. Ademais, essa violência não é um elemento "em si" e não pode existir à parte de suas condições econômicas. O Estado é o Estado da classe economicamente dominante. A vida política não pode ser definida em termos de moralidade e espiritualidade, como ingenuamente pensava Hegel.
2. O Estado é potência ideológica, representação coletiva. Mas essa consciência da sociedade não é verdadeira por toda a eternidade. A imagem

da sociedade em seu conjunto foi mistificada pelas classes dominantes. O Estado não é substancialmente razão e verdade. Contém, em proporções variáveis, aparência e realidade.

3. O Estado, enfim, é, em certa medida, ação sobre o curso da economia e da história. Por isso, é preciso apoderar-se do Estado para transformar a economia, tal como fizeram os revolucionários democratas burgueses de 1789. A consciência política – sob a forma de teoria, de opinião ou de simples cinismo – foi sempre um conhecimento muito elevado das coisas humanas.

O Estado, portanto, é uma *categoria*, uma *determinação* (o que não lhe confere nenhum título à eternidade!) que opera, em certa medida, sobre a sociedade e a economia, ao mesmo tempo que está determinado e mesmo dominado por ela até os dias atuais. Na política revolucionária, o Estado torna-se plenamente consciente de sua natureza e de seu papel, que se vê elevado a um nível superior. Na época da transição ao socialismo, o Estado deixa de ser um órgão de coerção mascarado – a coerção estatal se torna consciente e assumida (planificação, combate à contrarrevolução). Converte-se, assim, em órgão da dominação humana sobre as forças econômicas, a alavanca da transformação. Converte-se, ao mesmo tempo, em representação *verdadeira* da sociedade. Depois, alcançando o máximo de realidade como Estado, desaparece na própria sociedade, que ele elevou a um nível superior de consciência e de organização. A coerção sobre os homens é substituída pela administração técnica das coisas, pela gestão dos assuntos sociais pela sociedade inteira. Essa democracia total não é mais um regime político; é a desaparição do político como tal, ou seja, da existência de várias possibilidades na gestão dos assuntos sociais, correspondentes a classes e a seus interesses divergentes ou incompatíveis, de modo que é preciso um poder coercitivo para escolher e impor uma daquelas possibilidades.

Esse grau oferece um bom exemplo de determinação movente, essencial e, no entanto, destinada ao desaparecimento ao ser integrada e superada.

A prática social constitui a origem e o fim do conhecimento. O critério da prática significa que nós conhecemos as coisas na medida em que agimos sobre elas – o reflexo das coisas em nós supõe que tenhamos percebido um reflexo de nós mesmos nas coisas. Ora, o social é justamente o que fazemos. Então, como é possível a existência de tantas assimetrias no desenvolvimento dos diferentes setores da consciência (política, científica, estética) e, especialmente, que as ciências do social sejam, ao mesmo tempo, as mais recentes e as menos avançadas?

Para responder a essa objeção – que toca nas raízes do idealismo –, é preciso esboçar a história *social* do conhecimento.

Três etapas:

1. A natureza domina o homem. Religiosidade e magia são, ao *mesmo tempo*, a expressão da fraqueza dos homens e de seu emergente poderio, que lhes torna perceptível sua impotência e os impulsiona a representar as forças da natureza como "poderes" antropomórficos e hostis. A magia tenta (ilusoriamente) estender o controle ao setor não dominado do mundo. Nesta etapa, a sociedade é ainda muito pouco diferenciada; as relações são naturais, de homem a homem, sem mediação por conceitos, coisas ou instituições. O social não apresenta, assim, nenhum mistério.
2. O homem, pouco a pouco, domina o mundo – desmistifica-o. A ação e as técnicas eliminam da natureza a magia e o mistério. Mas o produtor que domina a natureza é dominado por seu produto. A mercadoria e, depois, o dinheiro e o capital funcionam como *fetiches*, que envolvem e mascaram sua origem real: o trabalho vivo, a práxis. A dominação dos homens pelos produtos permite e mascara sua apropriação pelas classes dominantes. Reciprocamente, a dominação de classe utiliza, mantém e desenvolve o fetichismo. A sociedade se diferencia, se torna complexa. Ela demanda um conhecimento científico no momento em que o fetichismo obscurece as representações, separando-as das relações sociais que elas contêm, e em que a ação das classes dominantes, que fazem sua própria apologia e apresentam seus fins como misticamente verdadeiros, exponencia o "mistério" social.

   As categorias das ciências da natureza são obtidas mediante uma análise, demorada e tateante, da práxis no curso do desenvolvimento da civilização (exemplo clássico: a noção de causa). No curso desse desenvolvimento, todavia, enquanto as ciências se separam, se especializam e lentamente se tornam conscientes da ordem ascendente das especificidades, o mistério é transferido ao social. Essa situação influencia as ciências, obscurece seus fundamentos; as ciências do social se atrasam, não tanto porque necessitam das outras ciências, mas porque o social se torna o lugar dos mitos e das magias. O homem está fragmentado, disperso (divisão do trabalho, religião e ciência etc.). As superstições mais espantosas podem surgir ou ressurgir nessa fissura entre o homem e ele mesmo, entre sua ação e seu pensamento, seu conhecimento das coisas e sua ignorância de si; entre a abstração e a vida; entre o automatismo das coisas sociais e a inconsistência do homem social.

Esta etapa perdurou até nossos dias e perdura ainda. Ela conduziu a estas sociedades "modernas", nas quais os indivíduos humanos só estabelecem relações entre si por meio do dinheiro, das coisas e dos mitos. As classes mercantis e capitalistas liquidaram as sociedades precedentes, os poderes patriarcais e feudais, as relações imediatas de homem a homem, substituindo-os por poderes fundados nas entidades mais fetichistas, mais geradoras de mitos e abstrações.

3. A época precedente não é mais que uma pré-história da consciência humana – ela se debate na "alienação" (termo de Hegel, que Marx retomou) que a torna um mito para si mesma. O mistério do pensamento totêmico transferiu-se para o homem.

   Contudo, no momento em que o capitalismo, ao abrigo do fetichismo econômico, se apodera da sociedade, surge o proletariado. O proletariado afirma lucidamente seu papel de massa e de classe, desmascara os fetiches, cria uma sociedade nova em que o homem controla e domina seu ser social, suas relações, seus produtos. A obra teórica da época revolucionária proletária foi preparada por tentativas de compreender e dominar o social (utopistas, sociólogos burgueses). Mas somente a expressão teórica do proletariado e de sua revolução alcança o conhecimento das leis essenciais das sociedades, operando sobre a essência mesma de todas as sociedades precedentes: a exploração do homem pelo homem, as contradições de classe.

Somente assim o homem estende a ele mesmo sua prática consciente e sua potência – e se conhece. O mistério social é superado. O homem, como homem ativo, criador e vivo, coloca-se no centro do pensamento. Eis o reino da liberdade, enquanto determinismo (natureza e sociedade) compreendido e dominado.

Caso se adote – o que é legítimo – o termo "ideia" para designar a consciência do homem, trata-se da ideia que se conhece a si mesma por meio de todo o conhecimento. É preciso, porém, acrescentar que ela só se conhece quando reconhece que é condicionada pela natureza, pela práxis e pela história.

A alienação

Segundo Hegel, o fundamento absoluto do mundo e do processo dialético é a alienação da ideia. Esta sai de si mesma, torna-se o outro (que ainda é ela, mas numa existência dispersa, incapaz de se apreender sem se opor a si mesma). Todos os graus ascendentes do ser (natureza, vida, sociedade, arte, religião, filosofia), em sua unidade em cada época e na sucessão das épocas, são recuperações da ideia por si mesma. Nenhuma delas, no entanto, chega a ser sua própria verdade em si e por si – permanecem sempre na alienação.

Para Hegel, pois, a contradição dialética é uma consequência da alienação. A ideia (o espírito) é o motor e o fim da contradição; ela é o que se opõe a si mesma e, na contradição, procura reencontrar sua identidade consigo mesma. O movimento ascendente da lógica *parece* reconstruir *a priori* o mundo. Em verdade, ele apenas reencontra, na ordem do conhecimento inverso do ser, as emanações da ideia. O ser puro que *parece* o começo – e o é para a lógica – não é, no fundo, mais que o limite inferior da alienação. E a lógica, que se poderia acreditar a produtora do mundo (eis o pretenso panlogicismo de Hegel), é apenas o método humano para chegar à ideia.

Nessa teoria, mais que em qualquer outra parte, é que se localiza o equívoco do pensamento hegeliano. A lógica mais rigorosa e mais concreta se encontra, de um só golpe, negada, imersa no psicológico e no antropomorfismo, vinculada a uma nebulosa operação mística. Outros designam por amor, vontade, deus, vida, nada aquilo que Hegel chamava de ideia. Valeu a pena perseguir tal rigor sistemático para entregar a filosofia àquilo que ele mais odiava – a fantasia subjetiva?

O impulso da ideia hegeliana, que a leva a tomar consciência de si mesma mediante um processo interno, nos aparece como uma projeção megalomaníaca da condição real do indivíduo isolado. Mas o materialista não pode, pura e simplesmente, rejeitar essa teoria. Hegel transpôs e mistificou experiências e tormentos reais. Seus intérpretes místicos abandonam a análise concreta desse fato real: a dilaceração da consciência, seu tormento. Fazem dele um drama absoluto. Excelente pretexto para não procurar os fundamentos reais desse drama humano e, sobretudo, para não transformar nada no que diz respeito a ele. Marx e Engels, ao contrário, revelaram, em *A ideologia alemã*, o fundamento histórico e prático da alienação: a divisão do trabalho e a separação entre trabalho manual e trabalho intelectual*. A totalidade social é e aparece dispersa. O indivíduo só a reflete parcialmente, abstratamente. Social e individual se duplicam, se opõem; a dissociação e o tormento se introduzem no homem até o dia em que essa "inumana" situação for superada.

O misticismo pós-hegeliano parte da ideia de que Hegel tentou, sem conseguir, racionalizar o irracional (de modo que, agora, para desenvolvê-lo, seria necessário partir do resíduo irredutível assim manifestado). É preciso levar em conta essa sugestão. Sim, Hegel racionalizou, ou tentou racionalizar, o que, antes dele, em certo estágio da cultura, permanecia irracional: a natureza, a história. Ele fez um enorme esforço para abarcar tudo em nome do indivíduo lúcido – e esse esforço se acompanhou de uma apologia do conceito.

É verdade que Hegel não concluiu sua obra. Deixou fora da razão a maior parte da realidade: a natureza e, especialmente, a ação, a história. E pode-se acrescentar que não chegou a racionalizar a própria razão, uma vez que a abandonou "no ar", sem base na vida, na ação e nas massas humanas.

* Ainda que Engels tenha publicado as "Teses sobre Feuerbach", de Marx, em 1888, cabe notar que *A ideologia alemã* veio a público apenas em 1932 – portanto, depois da morte de Lênin, em 1924, e poucos anos antes da redação deste texto. (N. E.)

Hegel não mostrou nem o fundamento vivo da relatividade dos conceitos nem como o pensamento não dialético e não plenamente racional (o *Verstand*, o entendimento) é o pensamento de uma época, de uma classe, de uma etapa histórica em vias de superação. Marx levou a termo o esforço ordenador de Hegel, demonstrando como uma razão mais ampla e mais eficaz surge precisamente do pretenso irracional e dá cabo desse resíduo que algumas vezes é apresentado como "irredutível". A interpretação mística pós-hegeliana se aproveita do irracional abandonado em pleno coração da razão para negar a superação racional do entendimento e para reduzir a este todo pensamento claro, ou seja, para reduzir tal pensamento ao discurso, ao vocabulário da burguesia – e reduzir todo pensamento "profundo" aos sentimentos e às ansiedades da burguesia. Substituindo a necessidade de superar determinado estágio da razão – o estágio hegeliano e idealista – por uma crítica do inteligível e do racional, essa crítica reacionária confia o conhecimento a obscuras faculdades extrarracionais, incontroláveis, inumanas (intuição bergsoniana, sentido trágico do destino em Spengler, angústia em Heidegger etc.).

O resíduo *idealisticamente* irredutível, o ponto de união da irracionalidade em Hegel – a teoria da alienação – foi completamente integrado ao materialismo dialético e transladado a um nível compreensível e prático. Feuerbach deu início a essa transformação, demonstrando que a metafísica, a teologia, a religião não constituem alienações da ideia, mas do homem vivo. Feuerbach, porém, recusa a dialética ao mesmo tempo que rechaça o idealismo hegeliano e define o homem como entidade biológica e individual. Sua teoria da alienação permanece, portanto, hipotecada aos postulados de um materialismo sumário. Não pode explicar as formas concretas da alienação. Marx, mais flexivelmente, retoma essa crítica da alienação idealista sem abandonar a dialética. Recusa a noção feuerbachiana do homem como fragmento passivo da natureza. Tampouco aceita a noção idealista do homem, segundo a qual, pelo simples fato de pensar, ele se ergue acima da natureza. Não há pensamento sem vida, sem matéria, sem objeto – sem a natureza inteira. O homem é um ser da natureza, mas em processo de superação. Sua essência humana só se põe num plano próprio no desenvolvimento social; ela se realiza na sociedade comunista, a única que se pode considerar especificamente humana e distinta do biológico. "[...] o ser humano [...] abandonará as condições animais de existência e ingressará em condições realmente humanas" (Engels)*.

Até hoje – nesta pré-história do homem, a qual ainda perdura –, o homem permaneceu um ser da natureza. O ser-outro era um ser inimigo. O movimento, como na natureza biológica, foi exterioridade e dispersão, fragmentação, exclusão e destruição recíproca. As leis da história, distintas das leis da natureza, foram, no entanto, seu prolongamento: a luta, a guerra, a destruição, a concorrência. A história humana nos mostra um fato espantoso: as instituições, as ideias, eram exteriores aos homens e "outras" em relação a eles – opressivas, exclusivas, antagonistas. Esses *fetiches* se combateram e se aniquilaram uns aos outros – era necessário destruí-los para superá-los. Contudo, essas instituições, essas culturas, esses *produtos* do homem eram expressões indispensáveis de sua realidade, conquistas de sua atividade, de sua potência crescente, de sua consciência. Era necessário passar por eles.

Esse dilaceramento interno da essência humana em formação demonstra que, em sua nascente intervenção sobre a natureza, o homem também sofria, reciprocamente, uma ação da natureza. O homem se constituía por meio do que o negava. Seus próprios produtos operavam como seres da natureza (ao mesmo tempo, seres da natureza aparecem como humanos nas religiões e nas metafísicas).

O homem dilacerou-se antes de se constituir e se constituiu na dilaceração. No curso de sua longa constituição, esteve, inicialmente, mesclado à natureza, que, todavia, tende a superar. Ele não existirá verdadeiramente, essencialmente, enquanto a contradição dialética sob sua forma natural (objetiva) não for superada, e só poderá se manter na morte, contra a qual se dirigirão todas as forças humanas.

Quando o homem deixou de ser uma criatura animal, entrou em contradições históricas que reproduziam (num grau específico) as contradições da

* Friedrich Engels, *Anti-Dühring*, cit., p. 318-9. (N. E.)

ordem inferior. Ele só pôde se humanizar dividindo-se e fragmentando-se: atividade e produto, inconsciência e consciência, trabalho vivo e fetiches, vida e pensamento, senhor e escravo etc. Nenhum desses acidentes do devir é verdadeiramente humano, e sim apenas o movimento que os atravessa e sempre os vai superando. Os produtos do homem foram, assim, simultaneamente, exteriores e internos a sua essência em devir: obstáculos e pontos de apoio, momentos e paragens do progresso. A alienação do homem foi sua realização – ou seja, a forma humana do devir dialético. Hegel explica a dialética pela alienação da ideia. O materialismo explica a alienação do homem pelas leis dialéticas do devir e da natureza.

A exterioridade (e, no entanto, a implicação) do indivíduo e do social é talvez a forma mais obscura e profunda desse movimento. A unidade desses termos é o próprio fundamento de toda sociedade – mas é a unidade de dois termos dissociados, contraditórios, em luta. Ela jamais pôde ser apreendida e expressa a não ser sob formas mutiladas e fragmentárias. O social se encarna em particularidades exteriores, alienadas – logo, falsas –, limitadoras: cerimônias, atos públicos. Entretanto, é o conteúdo do indivíduo, de sua vida e de sua consciência. O indivíduo é inapreensível. Por um lado, somente ele é concreto, posto que exista só e o social não seja mais que a interação dos indivíduos. Por outro lado, ele é abstrato, porque sua realidade está fora dele e porque, para ele, o social é fatalidade, inibição, opressão.

As formas ideológicas passadas foram, em certo sentido, tentativas para resolver essa contradição, promessas de libertar o homem da alienação. Mas elas faziam-na renascer sob figuras obsedantes e trágicas (o mal, o pecado, a expiação etc.) até que um conteúdo social novo viesse a suprimi-las. As religiões, assim, foram tentativas ideológicas para unir, numa representação e numa prática lúcidas, o homem, a natureza e a sociedade. No entanto, perpetuavam e agravavam a cisão interior do homem; elas mantinham uma unidade espiritual na alma humana e na consciência social apenas sob a forma da dilaceração. Serviam aos opressores. O êxtase das comunhões místicas com a natureza ou a divindade mascarava a ausência de força e de potência criadora. As religiões não foram mais que uma forma de alienação. Assim se determina, no plano especificamente "espiritual", o caráter "reacionário" das religiões e dos misticismos. São pseudossoluções ideológicas para o problema do homem e para suas contradições.

Atualmente, no momento em que se constitui uma nova unidade, consciente, entre o indivíduo e o social, a alienação toma a forma de uma extrema oposição entre esses termos (individualismo formal, anarquismo) e do sacrifício de um ao outro (fascismo, pseudocomunismo: holocausto do indivíduo à comunidade nacional ou social).

Tudo o que proclama a superioridade de uma parte sobre a totalidade (a máquina pela máquina, a arte pela arte, a ciência pela ciência, a sensibilidade por ela mesma etc.) provém da alienação e de suas formas "modernas".

A unidade do indivíduo e do social, *a apropriação, pelo homem, da natureza e de sua própria natureza*, define o homem total.

Já insistimos, a respeito dessa fórmula, *que não é uma metáfora*. O homem total é aquele que constitui um "todo", que possui, apreende e faz seu bem a partir da natureza inteira, do "dado" biológico que está nele (corpo, instinto), que constitui sua natureza, elevando-a ao nível do espírito, isto é, da essência humana, da lucidez, da liberdade. A totalidade humana continuava dispersão, contradição, alienação. Ela alcançará sua unidade, ou seja, a verdade do homem, sua essência realizada.

A teoria do homem total é inseparável do materialismo dialético. As teorias idealistas do homem (Moeller van der Bruck, *O Terceiro Reich* e sua crítica ao marxismo, p. 76* etc.) dissimulam mal a renúncia ao homem total, a aceitação de uma essência humana mutilada e dolorosa. Sob essa renúncia, ocultam-se interesses sórdidos. Por um assombroso paradoxo histórico, é o materialismo que contém o espírito, o florescimento, a ideia superior da felicidade, a ideia. Ou se abre mão de uma teoria "total" e se proclama aquela renúncia (sob a forma do pluralismo ou do pessimismo heróico), ou se estabelece um sistema de categorias capazes de apreender, simultaneamente, a natureza, o social, o homem**.

* Arthur Moeller van der Bruck (1876-1925), pensador reacionário e precursor do nazismo, publicou, já em 1923, o livro *Das Dritte Reich* [*O Terceiro Reich*]. (N. T.)

** Este parágrafo foi suprimido na edição de 1967. (N. E.)

Antes da dialética materialista, todo sistema "total" não era mais que a apreensão do universo mediante categorias sociais não elucidadas, expressões unilaterais de relações contraditórias não reconhecidas como tais e que eram elevadas dogmaticamente ao absoluto. A sociedade era um "dado", ingenuamente aceito tal qual era ou em suas pressuposições (assim, para Platão, a escravatura e, para Hegel, o indivíduo burguês). Paralogismos ou êxtases mascaravam a unilateralidade de classe dessas doutrinas.

Uma teoria única só pode constituir-se numa época em que o homem social compreende lucidamente sua atividade e seu pensamento e apreende *criticamente* as categorias desse pensamento, com a consciência de sua gênese.

Então, é possível um quadro total do mundo, no qual o social, o individual e o cósmico não se oponham, mas se integrem todos, sem prejuízo de seu caráter específico.

A elaboração dessa teoria total supõe uma *crítica social* dos conceitos, em todos os domínios (arte, ciência etc.). Tal empreendimento começou com Marx, que demonstrou o vínculo essencial entre esse trabalho ideológico e os problemas histórico-políticos. Sua crítica da economia política é modelar. Mas, para tão imenso empreendimento, sua obra é apenas um início e um programa...

A distinção hegeliana entre o entendimento e a razão adquire, então, um sentido novo. O entendimento é uma etapa determinada e momentânea da consciência; é uma etapa em vias de superação, com a dispersão e a exterioridade de suas determinações coladas a uma cultura dada, a uma sociedade de classes, a uma forma de alienação (o mecanismo, por exemplo, corresponde ao indivíduo isolado da sociedade mercantil e burguesa).

A razão é a função do universal e da totalidade: a superação do entendimento, relativa, pois, a esse entendimento; o manejo crítico das categorias, sua "relativização" e seu aprofundamento em correlação com o desenvolvimento da sociedade.

A razão dialética, forma superior da razão, não tem uma expressão absoluta e definitiva; primeiro, foi uma teoria; depois, passará à consciência, à cultura e à língua, na unidade do mediato e do imediato.

Aqui, dominamos o conjunto da lógica hegeliana e podemos responder às questões: o que significa a ideia hegeliana? Qual é seu sentido materialista?

A ideia expressa:

1. o movimento total do mundo (*Selbstbewegung*, da natureza);
2. a unidade do infinito e do finito, a totalidade das determinações;
3. a unidade da natureza e do homem, do sujeito e do objeto, do ser e do pensamento, do efetivo e do racional, do existente e do possível, do devir e da realização etc.;
4. o conhecimento concluso (limite do conhecimento para cada objeto e cada domínio e para o conjunto do mundo);
5. o homem total, que supera e concentra todas as determinações, que é plenamente "para si";
6. o "momento eterno", o espírito concreto, alienado até aqui, lançado ao nada no êxtase (o mau infinito), na religião e na metafísica. O Espírito, *hic et nunc**, num lugar e num momento, numa situação concreta, "numa alma e num corpo" (Rimbaud), que se apropria do tempo e do espaço "elevando" a própria profundidade da natureza: corpo, instinto, sensação, instante, lugar.

* Aqui e agora. (N. T.)

SUMÁRIO DO LIVRO DE HEGEL *CIÊNCIA DA LÓGICA*[1]

Berna: Log. I. 175

Hegels Werke*

Bd. I. *Philosophische abhandlungen***

II. *Fenomenologia do espírito*

III-V. *Ciência da lógica*

VI-VII. (1 e 2) *Enciclopédia*

VIII. *Filosofia do direito*

IX. *Filosofia da história*

X. (3 partes) *Estética*

XI-XII. *História da religião*

XIII-XV. *História da filosofia*

XVI-XVII. Obras variadas

XVIII. *Propedêutica filosófica*

XIX. (1 e 2) Cartas de Hegel e para Hegel

* Obras de Hegel.

** V. 1: Estudos filosóficos.

Título completo das *Obras* de G. W. Fr. Hegel[2].

Obras de G. W. Fr. Hegel, Volume 3 (Berlim, 1833) (468 p.)

CIÊNCIA DA LÓGICA[3]

"Edição completa feita por um círculo de amigos do falecido: Marheineke, Schulze, Gans, Henning, Hotho, Michelet, Förster."

Primeira parte. A lógica objetiva.
Primeira seção. A doutrina do ser.
(Berna: Log. I. 175)

Prefácio à 1ª edição

Volume 3, p. 5 – fazendo graça sobre a lógica: seria um "preconceito" que ela "ensine a pensar" (como a fisiologia "ensina a digerir"??).
... "a ciência lógica, que constitui a metafísica propriamente dita ou filosofia especulativa pura" ... (6).
... "A filosofia ... não pode ... tomar seu método de uma ciência subordinada, como a matemática é" ... (6-7).
"Mas tal método só pode ser a natureza do conteúdo que se move no conhecer científico, uma vez que, ao mesmo tempo, é esta reflexão própria do conteúdo que põe e engendra primeiro sua própria determinação."
(***Movimento*** do conhecimento científico – eis o essencial.)
"O entendimento (*Verstand*) determina" (*bestimmt*), a razão (*Vernunft*) nega, ela é dialética, porque dissolve em nada (*in Nichts auflost*) as determinações do entendimento. A união de um com o outro – "razão que entende ou entendimento racional" = positivo.

A negação do "simples" ... "movimento espiritual" ... (7). "Somente por este caminho que se constrói a si próprio... é a filosofia capaz de ser ciência objetiva, demonstrada" (7-8).
("Caminho que se constrói a si próprio" = **caminho** (eis o fulcro, para mim) do conhecimento real, do conhecer, do movimento do não saber para o saber*.)

O movimento da consciência, "tal como o desenvolvimento de toda a vida natural e espiritual", assenta na "natureza das entidades puras, que constituem o conteúdo da lógica" (*Natur der reinen Wesenheiten***).

Característico!

Inverter: a lógica e a teoria do conhecimento devem ser deduzidas do "desenvolvimento de toda a vida natural e espiritual".

Até aqui: prefácio à 1ª edição.

* No manuscrito, as palavras "do não saber para o saber" estão riscadas com um traço, aparentemente com o propósito de destacá-las.

** Natureza das entidades puras.

Prefácio à 2ª edição

notável!

"Expor o reino do pensamento filosoficamente, isto é, em sua atividade imanente própria (NB) ou, o que é o mesmo, em seu desenvolvimento necessário (NB)" ... (10).

"As formas de pensamento conhecidas" – um importante começo, "*die leblosen Knochen eines Skeletts*"* (11).

> Não é da *leblose Knochen* que precisamos, mas da vida viva[4].

história do pensamento = história da linguagem?

Ligação do pensar com a língua (a língua chinesa, entre outras, e seu não desenvolvimento: 11), formação dos substantivos e dos verbos (11). Na língua alemã, por vezes, as palavras têm "significado oposto" (12) (não apenas "diversos", mas mesmo *opostos*) – "uma alegria para o pensar"... O conceito de *força* na física – e de *polaridade* ("os opostos ligados *indissoluvelmente* (destaque de Hegel)"). Passagem da força à polaridade – passagem a "mais elevadas *Denkverhältnisse***"(12).

A natureza e "*das Geistige*"***

<NB ainda p. 11... "Caso se contraponha, porém, a natureza em geral, como o físico, ao espiritual, seria preciso dizer que o lógico é, antes, o sobrenatural" ...>

* "Os ossos sem vida de um esqueleto."

** "Relações de pensamento."

*** "O espiritual."

As formas lógicas *Allbekanntes sind**, mas...
"*was* bekannt *ist, darum noch nicht* erkannt"** (13).
"Progresso infinito" – "libertação" das "formas de pensar" do material (*von dem Stoffe*), das representações, dos desejos etc., elaboração do geral (Platão, Aristóteles): começo do conhecimento...
"Só depois de todo o necessário ter estado disponível ... os homens começaram a filosofar" – diz *Aristóteles* (13-14); e também ele: o ócio dos sacerdotes egípcios, começo das ciências matemáticas (14)[5].
A ocupação com os "pensamentos puros" pressupõe "um longo caminho que o espírito humano deve ter antes percorrido". Em tal pensamento "calam-se os interesses que movem a vida dos povos e dos indivíduos" (14).

os interesses "movem a vida dos povos"

As categorias da lógica são *Abbreviaturen**** ("*epitomiert*"**** em outra passagem) da "massa infinita" das "singularidades da existência exterior e da atividade". Por sua vez, essas categorias ***dienen******** aos homens na prática ("para a exploração espiritual de conteúdo vivo, na criação do pensamento e em seu intercâmbio").
"De nossas sensações, nossos impulsos, nossos interesses, não dizemos bem que eles nos servem, mas eles valem como forças e poderes autônomos, de tal modo que nós somos isso mesmo" (15).

a relação do pensamento com os interesses e os impulsos...

* São algo conhecido de todos.

** "O que é *familiar* não é, por esse fato, ainda *conhecido*."

*** *Abreviaturas.*

**** "Resumidas."

***** ***Servem.***

Sobre as formas de pensamento (*Denkformen*), é impossível dizer que elas nos servem, uma vez que transpassam "todas as nossas representações" (16), elas são "o universal como tal".

<Objetivismo: as categorias do pensamento não são um subsídio para o ser humano, mas uma expressão dos princípios tanto da natureza quanto do ser humano – ver adiante a oposição>
"do pensamento subjetivo" e "do conceito objetivo da própria coisa". Nós não podemos "estar fora da natureza das coisas" (16).

contra o kantismo

E uma observação contra a "filosofia crítica" (17). Ela representa a relação entre os "três termos" (nós, o pensamento, as coisas) como se colocássemos o pensamento "no meio" das coisas e de nosso pensamento, como se esse meio nos "dividisse" (*abschließt*) "em vez de nos juntar" (*zusammenschließen*). A isso, diz Hegel, é preciso responder com a "simples observação" de que "precisamente essas coisas, que devem estar para além (*jenseits*) de nossos pensamentos, são elas próprias (*Gedankendinge*) coisas do pensamento" ... e "a chamada coisa em si apenas *ein Gedankending der leeren Abstraktion*"*.

* Uma coisa de pensamento de abstração vazia.

Para mim, a essência do argumento: (1) em Kant, o conhecimento separa (divide) a natureza e o ser humano; de fato, ele os junta; (2) em Kant, a "***abstração vazia***" da coisa em si está no lugar do *Gang** vivo, do *Bewegung*** do conhecimento cada vez mais profundo das coisas.

A *Ding an sich**** em Kant é uma abstração *vazia*, mas Hegel exige abstrações que correspondam a *der Sache*****: "o conceito objetivo das coisas [*Dinge*] constitui o fundamento mesmo da coisa [*Sache*]", que correspondam – falando de modo materialista – ao aprofundamento verdadeiro de nossa cognição do mundo.

Não é verdade que as *Denkformen* sejam apenas um "*Mittel*" "*zum Gebrauch*"****** (17).
Também não é verdade que sejam "*außere Formen*"*******, "*Formen, die nur* an dem *Gehalt, nicht der Gehalt selbst seien*" (formas que são apenas a forma atrelada ao conteúdo, não o próprio conteúdo) (17)... ‖ NB

* Curso.

** Movimento.

*** Coisa em si.

**** A coisa. Resumidamente, para Hegel, a *Ding* é a coisa da certeza sensível e da percepção, enquanto a coisa como *Sache* envolve todo o processo de expressão de uma "*geistige Wesenheit*", ou seja, de uma essencialidade espiritual. Ver Hegel, *Phänomenologie des Geistes*, em *Theorie Werkausgabe*, v. 3 (Frankfurt, Suhrkamp, 1969), p. 304.

***** "Meio [...] para uso."

****** "Formas exteriores."

Hegel exige uma lógica em que as formas seriam *gehaltvolle Formen**, formas de um conteúdo vivo, real, inseparavelmente ligadas ao conteúdo.

E Hegel chama atenção para os "pensamentos de todas as coisas naturais e espirituais", para o "conteúdo substancial"...
– "A tarefa consiste em tornar consciente essa natureza lógica, que anima o espírito, o impele e nele age." (18).

A lógica é a doutrina não das formas exteriores do pensamento, mas das leis do desenvolvimento "de todas as coisas materiais, naturais e espirituais", isto é, do desenvolvimento de todo o conteúdo concreto do mundo e de sua cognição, ou seja, o resumo, a soma, a conclusão da *história* da cognição do mundo.

A "ação instintiva" (*instinktartiges Tun*) "está fragmentada numa matéria infinitamente múltipla". Pelo contrário, a "ação inteligente e consciente"** separa o "conteúdo daquele que move" (*den Inhalt des Treibenden*) "da unidade imediata com o sujeito para a objetividade perante ele" (perante o sujeito). "Nesta rede, formam-se aqui e ali nós mais firmes, que são os pontos de apoio e de orientação de sua vida e sua consciência" <do espírito ou do sujeito> ... (18).

* Formas plenas de conteúdo.

** No original, o adjetivo que Hegel usa é *frei*, isto é, "livre". No entanto, acrescenta logo que o que caracteriza esse fazer é o fato de ele ocorrer *mit Bewusstsein*, "com consciência".

Como entender isso?
Diante do ser humano, há uma *rede* de fenômenos da natureza. O homem instintivo, selvagem, não distingue a natureza de si.
O homem consciente distingue, as categorias são degraus da distinção, isto é, da cognição do mundo, pontos de junção na rede que ajudam a conhecê-la e a apreendê-la.

"A verdade é infinita" – sua finitude é sua negação, "seu fim". As formas (*Denkformen**), se as encaramos como formas, "que sejam diversas da matéria e apenas estejam sobre ela", são incapazes de apreender a verdade. O vazio dessas formas <da lógica formal> as torna dignas de "desprezo" (19) e de "troça" (20). A lei da identidade, **A** = **A**, é o vazio, "*unerträglich*"** (19).
É injusto esquecer que essas categorias "têm seu campo no conhecimento, onde elas devem ter validade". Mas, como "formas indiferentes", podem ser "instrumento de erro e de sofismo", não da verdade.
"Para a consideração pensante" devem estar envolvidos não só "a forma exterior", mas também "*der Inhalt*"*** (20).

* Formas de pensamento.

** "Insuportável."

*** "O conteúdo."

NB

"Com essa introdução do conteúdo na consideração lógica", seu objeto torna-se não *as Dinge*, mas *die Sache, der Begriff der Dinge** <não as coisas, mas as leis de seu movimento, de modo materialista>
↕
..."o *logos*, a razão do ente" (21).

"desenvolvimento" do pensamento em sua necessidade

E na p. (22), no começo, o objeto da lógica é expresso com as palavras: <"*Entwicklung des Denkens in seiner Notwendigkeit*">.

É preciso *deduzir* as categorias (e não as tomar arbitrária e mecanicamente) (não "contando", não "afirmando", mas ***demonstrando***) (24), partindo das mais simples e básicas (o ser, o nada, o devir (*das Werden*)) (para ficar em algumas) – aqui, nelas está "todo o desenvolvimento neste germe" (23).

* A coisa, o conceito das coisas.

Introdução: O conceito geral da lógica

Entende-se comumente por lógica a "ciência do pensamento", "a mera forma de um conhecimento" (27). Hegel refuta essa visão. Contra a *Ding an sich* – "pura e simplesmente um além do pensamento" (29). As formas do pensamento "não têm aplicação sobre as coisas em si". *Ungereimt um wahre Erkenntnis** que não conhece a coisa em si. No entanto, não seria o *Verstand* também uma coisa em si? (31).
"O idealismo transcendental conduzido de modo consequente reconheceu a nulidade do espectro da *coisa em si* – deixado como resquício pela filosofia crítica, essa sombra abstrata apartada de todo conteúdo – e teve como finalidade destruí-lo completamente. Essa filosofia" (Fichte?) "começou por permitir à razão expor suas determinações a partir de si mesma. Porém, a posição subjetiva dessa tentativa não permitiu que chegasse a uma consumação"(32).
As formas lógicas são *tote Formen*** uma vez que não são encaradas como "unidade orgânica" (33), "sua unidade concreta e viva" (ibidem).
Em *Fenomenologia do espírito*, examinei "a consciência em seu movimento progressivo desde a primeira oposição (*Gegensatz*) imediata dela e do objeto até o saber absoluto (34). Esse caminho percorre todas as formas da relação da consciência com o objeto"... "Como ciência, a verdade é a pura consciência de si que se desenvolve" ... "O pensamento objetivo" ... "O conceito como tal é o ente em si e para si" (35). (36: clericalismo. Deus, reino da verdade etc. etc.)

* Absurdo um conhecimento verdadeiro.

** Formas mortas.

37: Kant atribuiu "uma significação essencialmente subjetiva" "às determinações lógicas". Contudo, as "determinações do pensamento" têm "valor e existência objetivos".
A velha lógica caiu em *Verachtung** (38).
Exige uma reelaboração...
39 – A velha lógica formal é exatamente como a atividade infantil em que se recompõem quadros a partir de recortezinhos de papel (*in Verachtung gekommen***: (38)).
40: O método da filosofia deve ser seu próprio (*não* o da matemática, *contra* Espinosa, Wolff *und Andere****).

NB || 40-41: "pois o método é a consciência sobre da forma do movimento interno de si de seu conteúdo" e mais adiante, em toda a p. 41, uma boa explicação da dialética
"*es ist der Inhalt in sich, die Dialektik, die er an ihm selbst hat, welche ihn fortbewegt*"**** (42).
"O dado domínio dos aparecimentos é movido adiante pelo conteúdo desse próprio domínio, a dialética, que ele (este conteúdo) tem ***em*** (*an*) si próprio" (isto é, a dialética de seu movimento próprio).

|| "O negativo é igualmente positivo" (41) – a negação é algo determinado, tem um conteúdo determinado, as contradições internas conduzem à substituição do velho conteúdo por um novo, superior.

* Desprezo.

** Caiu em desprezo.

*** E outros (no original, Lênin grafa Wolf com um "f" – N. E.).

**** "É o conteúdo em si, a dialética que ele tem em si mesmo, que o move adiante."

Na velha lógica, não há transição, desenvolvimento (dos conceitos e do pensamento), não há "***uma conexão interior necessária***" (43) de todas as partes nem "*Übergang*"* de umas às outras. E Hegel apresenta duas exigências fundamentais:

NB

1) "a necessidade da conexão"
e
2) "o engendramento imanente das diferenças".

Muito importante!! Eis, para mim, o que isso significa:
1) Conexão ***necessária***, conexão objetiva de todos os aspectos, forças, tendências etc., de dado domínio dos aparecimentos;
2) "*engendramento* imanente das diferenças" – a lógica interna objetiva da evolução e da luta das diferenças, da polaridade.

Defeitos da dialética platônica no "Parmênides"[6].
"Geralmente, vê-se a dialética como um procedimento exterior e negativo, que não pertence à questão em si, que tem seu fundamento na mera vaidade como um desejo subjetivo de abalar e dissolver o firme e verdadeiro ou que, pelo menos, não conduz senão à vanidade do objeto tratado dialeticamente" (43). (44) – O grande mérito de *Kant* foi ter tirado da dialética "*den Schein von Willkür*"**.

* "Transição."

** "A aparência de arbitrariedade."

Duas coisas importantes:

#

<**NB**: confuso, voltar!!!!>

(1) *Die Objektivitat des Scheins**

(2) *die Notwendigkeit des Widerspruchs***

*selbstbewegende Seele****, ... ("negatividade interna") ... "o princípio de toda a vitalidade natural e espiritual" (44).

#

Não se trataria da ideia de que também a aparência é objetiva, uma vez que nela está *um dos lados* do mundo ***objetivo***? Não só a *Wesen*, mas também a *Schein* é objetiva.
A diferença entre o subjetivo e o objetivo existe, **MAS ELA TAMBÉM TEM SEUS LIMITES**.

O dialético =
= "apreender o oposto em sua unidade"...

sutil e profundo!

45 A lógica é parecida com a gramática no sentido de que para um iniciante ela é uma coisa, enquanto para quem conhece uma língua (ou algumas línguas) e o espírito de uma língua, é outra. "Ela é uma para quem se defronta pela primeira vez com ela e com as ciências em geral e outra para quem retorna das ciências para ela."

Então, a lógica dá "a essência desta riqueza" (*des Reichtums der Weltvorstellung*****), "a natureza interior do espírito e do mundo" ... (46).

* A objetividade da aparência.

** A necessidade da contradição.

*** Alma que move a si mesma.

**** Da riqueza da representação do mundo.

"Não apenas universal em abstrato, mas como universal que apreende em si a riqueza do particular" (47).

ver *O capital*

> Uma fórmula maravilhosa: "Um universal não apenas em abstrato, mas um universal que apreende em si a riqueza do particular, do individual, do singular" (toda a riqueza do particular e do singular!)!! *Très bien!*

"Tal como a mesma sentença moral na boca de um jovem que a entende por completo não tem o significado e o alcance que tem no espírito de alguém experimentado pela vida, em quem se exprime toda a força do conteúdo que nela se encontra,

boa comparação (materialista)

do mesmo modo, o elemento lógico só recebe a devida apreciação de seu valor quando se tornou resultado da experiência das ciências; ele se apresenta ao espírito a partir delas como a verdade universal, não como um conhecimento *particular ao lado de* outras matérias e realidades, mas como a essência de todo esse outro conteúdo" ... (47).

"balanço da experiência das ciências" **NB**

("A essência") "o conteúdo essencial de todos os outros conhecimentos"

"O sistema da lógica é o reino das sombras" (47) livre de "toda a concreção sensível"...
(50) – .... "não abstrata, morta, imóvel, mas concreta" ...
<característico! O espírito e a essência da dialética!>
(52) Nota... resultados da filosofia de Kant...:
"Que a razão não pode conhecer nenhum conteúdo verdadeiro e que no que diz respeito à verdade absoluta é preciso remeter à fé" ...

<**Kant:** limitar a "razão" e reforçar a fé[7]>

> Mais uma vez em que a *Ding an sich* = abstração, produto de um pensamento que abstrai.

A doutrina do ser
Com que se deve começar a ciência?

(Tema da lógica. Comparar com a "gnosiologia" atual.)

(59)* ... (*en passant***) "a natureza do conhecer" (idem, p. **61**)

NB

(60) ... "Não *existe*" (destaque de Hegel) "nada, nem no céu nem na natureza nem no espírito, nem onde quer que seja, que não contenha juntas tanto a imediatidade quanto a mediação"...

> 1) Céu – natureza – espírito. Fora do céu: materialismo.
> 2) Tudo está *vermittelt* = mediado, interligado num todo, ligado por meio de transições. Fora do céu é a conexão legítima de *todo o* (***processo*** do) mundo.

(62) "*A lógica é a ciência pura*, ou seja, o saber puro em **TODA** a amplitude de seu **DESENVOLVIMENTO**" ...

> 1ª linha é um disparate.
> 2ª é genial.

Começar com o quê? "O ser puro" (*Sein*) (63) – "nada a pressupor", o começo. "Não conter nenhum conteúdo" ... "ser mediado por nada"...

* Hegel, *Werke* (Berlim, Duncker und Humblot, 1833), v. 3.

** De passagem.

(66) ..."O desenvolvimento" (*des Erkennens**)... "deve ser determinado pela natureza das coisas e do próprio conteúdo"... NB

(68) O começo contém em si tanto o "*Nichts*"** quanto o "*Sein*", ele é a unidade deles: ... "o que começa ainda *não* é; ele apenas acede ao ser"... (do ***não ser ao ser***: "não ser, que simultaneamente é ser").

Asneiras sobre o absoluto (68-69). Procuro em geral ler Hegel de modo materialista: Hegel é o materialismo de cabeça para baixo (segundo Engels[8]) – ou seja, excluo em grande parte o bom deus, o absoluto, a ideia pura etc.

(70-71) Não se pode começar a filosofia pelo "Eu". Não há "movimento objetivo".

* Do conhecer.

** "Nada".

Primeira seção: Determinidade (qualidade)

(77) Puro ser – "sem qualquer determinação ulterior".
(*Bestimmung** é já *Qualität***.)

(ser existente >> finito?)

Transição de *Sein* a *Dasein*
e deste a *Fürsichsein* (ser para si?)
*Sein – Nichts – Werden****
"O puro ser e o puro nada são ... o mesmo" (78).
(81: Isso parece um "paradoxo".) Sua união é o *Werden*.
"Este movimento do desaparecer imediato de um no outro" ...
Nichts opõe-se a *dem Etwas*****. O *Etwas* é já um ser *determinado*, diferente de outro *Etwas*, e aqui se trata do simples *Nichts* (79).
(Os *eleatas* e *Parmênides*, em especial o último, foram os primeiros a chegar a essa abstração do *ser*.[9])
Em *Heráclito* "tudo flui" (80) ...
ou seja, "tudo é devir".
*Ex nihilo nihil fit?****** De *Nichts* sai o *Sein* (*Werden*)...
(81): "Não seria difícil mostrar esta unidade entre o ser e o nada ... em *cada* (destaque de Hegel) coisa efetiva ou pensamento" ... "*não existe em lugar nenhum, nem no céu nem na Terra, algo que não contenha ambos em si mesmo, o ser e o nada*". As objeções supõem um ***bestimmtes*** *Sein******* (tenho 100 táleres ou não tenho) 82 i. f., – mas não é disso que se trata...

* Determinação.

** Qualidade.

*** Ser-nada-devir.

**** Ao *algo*.

***** De nada faz-se nada?

****** Ser *determinado*.

"Um ser determinado, finito, é um ser que se refere a outro; é um conteúdo que está em relação de necessidade com outro conteúdo, com o mundo todo. A respeito da conexão de determinação recíproca do todo, a metafisica pôde fazer a afirmação – no fundo, tautológica – de que, se uma partícula de pó fosse destruída, o universo todo desmoronaria" (83).

"Conexão necessária do mundo todo"... "conexão reciprocamente determinante do todo"

(86): "O que é primeiro na ciência teve de ser mostrado historicamente como primeiro." (Soa muito materialista!)

NB

91: "O devir é o subsistir do ser tanto quanto do não ser" .... "A transição é o mesmo que o devir"... (92 i. f.).

94: "Em Parmênides, como em Espinosa, não se deve avançar do ser ou da substância absoluta para o negativo, para o finito."

Em Hegel, porém, a *unidade* ou a *indivisibilidade* (p. 90, esta expressão é por vezes melhor que "unidade") do "ser" e o "nada" dão a *transição*, o *Werden*.

O absoluto e o relativo, o finito e o infinito = partes, graus de um único e mesmo mundo. *So etwa?**

(92: Para o "*ser mediado* guardaremos a expressão: *existência* [*Existenz*]".)

102: Em Platão, no *Parmênides*, a transição do *ser* e do *uno* = "*äußere Reflexion*"**.

* Não é assim?

** "Reflexão exterior."

104: Diz-se, as trevas são a *ausência* de luz. Mas "na luz pura vê-se tão pouco quanto na obscuridade pura" ...
107 – Referência às grandezas infinitamente pequenas, que são tomadas no processo de seu desaparecimento...

NB

"Não há nada que não seja um estado intermédio entre o ser e o nada". "Inconcebibilidade do começo" – se nada e ser excluem-se um ao outro, mas isso não é dialética, e sim *Sophisterei**.

Sofistaria e dialética

"Pois a sofistaria é um raciocínio a partir de um falso pressuposto que irrefletida e acriticamente se faz valer; nós denominamos dialética, porém, o movimento racional mais elevado, no qual tais [termos: ser e não ser], que parecem pura e simplesmente separados, transitam de um para o outro por meio de si mesmos, por meio daquilo que são, [e no qual] a pressuposição [de sua separabilidade] se supera" (108).
Werden. Seus momentos: *Entstehen und Vergehen*** (109).
*Das Aufheben des Werdens – das Dasein**** <ser concreto, determinado (?)>

* Sofistaria.

** Nascer e perecer.

*** O superar do devir – a existência.

110: *aufheben = ein Ende machen = erhalten** (aufbewahren zugleich)

112: *Dasein ist bestimmtes Sein*** (***NB*** 114 "*ein Konkretes*"***) – qualidade, diferente de *Anderes*, ***veränderlich und endlich*****. NB

114 "A determinidade assim isolada para si, como determinidade *que é*, é a qualidade"... "A qualidade, de tal modo que valha distintamente como qualidade que é, é a realidade" (115).

117 ... "A determinidade é a negação" ...

(Espinosa) *Omnis determinatio est negatio******, "esta proposição é de infinita importância" ...

120: "Algo é a primeira negação da negação" ...

(Aqui a exposição é algo fragmentária e extremamente nebulosa.) <*abstrakte und abstruse Hegelei******* – Engels[10]>

125 ... Dois pares de determinações: 1) "algo e outro"; 2) "ser para outro e ser em si".

* Superar = pôr fim = manter (simultaneamente conservar).

** Existência e ser *determinado*.

*** "Um concreto."

**** Outro, ***mutável e finito***.

***** Toda determinação é negação.

****** Hegelianice abstrata e abstrusa.

127 – ***Ding an sich*** – "uma abstração muito simples". Parece sabedoria a sentença de que não sabemos o que são as coisas em si. A coisa em si é uma abstração de qualquer determinação <*Sein-für-Anderes*>* <de qualquer relação com um outro>, ou seja, nada. Consequentemente, a coisa em si "não é senão abstração vazia sem verdade".

NB

Sehr gut!! Se perguntarmos o que são as coisas em si, *so ist in die Frage gedankenloser Weise die Unmöglichkeit der Beantwortung gelegt...*** (127).

Isso é muito profundo: a coisa em si e sua transformação numa coisa para outros (ver Engels[11]). A coisa em si, *no todo*, é uma abstração vazia, sem vida. Na vida, no movimento, tudo *acontece* tanto "em si" como "para outros", na relação com outro, transformando-se de um estado em outro.

Kantismo = metafísica

129 – *en passant*: o filosofar dialético, que não é conhecido pelo " filosofar metafísico, ao qual pertence também o [filosofar] crítico".

A ***dialética*** é a doutrina sobre como os ***contrários*** podem ser e são (como se tornam) ***idênticos*** – em que condições eles são idênticos, transformando-se uns nos outros –, por que é que a razão humana não deve tomar esses contrários por mortos, rígidos, mas por vivos, condicionados, móveis, transformando-se uns nos outros. *En lisant* Hegel***...

* Ser para outro.

** Na pergunta jaz assim, de modo impensado, a impossibilidade de ser respondida...

*** Lendo Hegel...

134: "*O* ***limite*** (é) a negação simples ou a primeira negação" (*des Etwas*. Cada coisa tem seu ***limite***), "mas o outro é simultaneamente a negação da negação" ...
137: "*Etwas mit seiner immanenten Grenze gesetzt als der Widerspruch seiner selbst, durch den es über sich hinausgewiesen und getrieben wird, ist das* ***Endliche***"*.

(**Algo**, tomado do ponto de vista de seu limite imanente – do ponto de vista de sua contradição consigo próprio, contradição que o impulsiona <este algo> e o conduz para além de seus limites, é o *finito*.)

Quando se diz que as coisas são finitas, reconhece-se, com isso, que seu não ser é sua natureza ("o não ser constitui seu ser").
"Elas" (as coisas) "*são*, mas a verdade deste ser é o *fim* dele".

Espirituoso e inteligente! Conceitos que com frequência parecem mortos, Hegel analisa e mostra que ***existe*** movimento neles. Finito? Significa que *se move* para o fim! Algo? Significa ***não é aquilo*** que é o outro. Ser em geral? Significa uma indeterminidade tal que ser = não ser. Flexibilidade multilateral, universal, dos conceitos, flexibilidade que vai até a identidade dos contrários – eis o essencial. Essa flexibilidade, aplicada subjetivamente = ecletismo e sofística. A flexibilidade aplicada *objetivamente*, ou seja, refletindo a multilateralidade do processo material e de sua unidade, é a dialética, é o reflexo correto do desenvolvimento eterno do mundo.

NB
pensamentos sobre a dialética *en lisant* Hegel

* "Algo posto com seu limite imanente como a contradição de si próprio, através da qual é impelido e feito sair para além de si – é o **finito**."

139 – O infinito e o finito são, dizem, contrários? (ver p. 148) (ver p. 151).
141 – *Sollen und Schranke** – momentos *des Endlichen***.
143 – "No dever ser começa o ultrapassar da finitude, a infinitude."

sehr gut!

143 – Dizem que a razão tem seus limites. "Nesta afirmação reside a falta de consciência de que, mesmo no fato de algo ser determinado como limitação, ele já está ultrapassado."
144 – A pedra não pensa, e por isso sua limitação (*Beschränktheit*) não é um limite (*Schranke*) *para ela*. Mas também a pedra tem seus limites, por exemplo a oxidabilidade, se ela "é uma base oxidável".

Evolução*** da pedra

144-145: – Tudo (o humano) vai para além dos limites (*Trieb*, *Schmerz* etc.****), mas a razão, vejam só, "não deveria poder ultrapassar o limite"!
"Sem dúvida que todo ultrapassar de um limite ... não é uma verdadeira emancipação em relação a ele"!

* *Dever ser e limitação.*

** Do finito.

*** No manuscrito, por cima da última letra da palavra эволюция/ *evoliútsia* (evolução) encontra-se a letra и (i), o que em russo tanto pode significar o plural dessa como a palavra "também".

**** Impulso, dor etc.

Um ímã, se tivesse consciência, consideraria livre seu apontar para o norte (Leibniz). – Não, nesse caso, ele conheceria *todas* as direções do espaço e consideraria *uma* única direção como o *limite* de sua liberdade, uma limitação dela.

148 ... "É da natureza do próprio finito ultrapassar-se, negar sua negação e tornar-se infinito" ... Não é a força (*Gewalt*) exterior (*fremde*)* (149) que transforma o finito em infinito, mas sua (do finito) natureza (*seine Natur*).

A dialética das próprias coisas, da própria natureza, do próprio curso dos acontecimentos.

151: "*Schlechte Unendlichkeit*"** – a infinitude, qualitativamente oposta à finitude, não ligada a ela, separada dela, como se o finito fosse *diesseits**** e o infinito *jenseites*****, como se o infinito estivesse *acima do* finito, *fora* dele...

153: De fato, porém, *sind sie****** (o finito e o infinito) *untrennbar*******. Eles são *uma unidade* (155).

* (Estranha).

** "Má infinitude."

*** *Aquém.*

**** *Além.*

***** Eles são.

****** *Inseparáveis.*

Aplicar aos átomos *versus* os elétrons. Em geral, a infinitude da matéria para dentro...[12]

158-159: ... "a unidade do finito e do infinito não é um seu aproximar exterior nem uma vinculação impertinente que contraria sua determinação, na qual, mutuamente autônomos, [dois] entes, em si separados e opostos, por conseguinte incompatíveis, seriam ligados; mas cada um deles é em si próprio essa unidade, e isso apenas como [um] *superar* de si próprio, em que nenhum tivesse sobre o outro *a precedência* do ser em si e da existência afirmativa. Como anteriormente se mostrou, a finitude só é como ultrapassar de si; está, portanto, contida nela a infinitude, o outro de si própria" ...

Conexão (de todas as partes) do progresso infinito

... "Porém, o progresso infinito exprime mais" (que a mera comparação do finito com o infinito), "é também em si a *conexão* (sublinhado de Hegel) do igualmente posto como diferente"... (160).
167. "A natureza do pensar especulativo ... consiste apenas no apreender dos momentos opostos em sua unidade."
A questão de como é que o infinito chega a finito é por vezes considerada a essência da filosofia. Porém, essa questão reduz-se ao esclarecimento de sua conexão...

Bien dit!

168 ... "E no que se refere também a outros objetos, saber *perguntar* pressupõe uma cultura, mas [isso acontece] ainda mais com os objetos filosóficos, para que se receba outra resposta que não a de que a pergunta não presta."

173-174: *Fürsichsein* – ser para si = ser infinito, ser qualitativo acabado. <A relação com o *outro* desapareceu; ficou a relação *consigo próprio.*>
A qualidade chega ao extremo (*auf die Spitze*) e torna-se quantidade.
O idealismo de Kant e de Fichte ... (181) "permanece no dualismo" ((confuso)) "da existência e do ser para si"...

> ou seja, que não há *transição* da coisa em si (a frase seguinte refere-a) para o aparecimento? do objeto para o sujeito?

> Por que é que *Fürsichsein* é *Eins**, isso não ficou claro para mim. Aqui Hegel é especialmente obscuro, a meu ver.

O *uno* é o velho princípio do ατομον** (e o vazio). O vazio é considerado *Quell der Bewegung**** (185) não só no sentido de que o lugar não está ocupado, mas *enthält***** também "o pensamento mais profundo de que no negativo em geral reside o fundamento do devir, da inquietude do automovimento" (186).

NB:
*Selbstbewegung******

* *Uno.*

** Átomo, o indivisível. (transliteração do grego: *átomon*– N. E.)

*** *Fonte do movimento.*

**** Contém.

***** Automovimento.

183: "A idealidade do ser para si como totalidade converte-se, assim, primeiro na realidade [*Realität*] e, de fato, como uno, na [realidade] mais firme, mais abstrata."

Águas turvas...

A ideia da transformação do ideal em real é *profunda*: muito importante para a história. E também na vida pessoal de alguém se vê que há aqui muito de verdade. Contra o materialismo vulgar. NB. A diferença entre o ideal e o material também não é incondicionada, não é *überschwenglich*[13].

189 – Nota. As mônadas de Leibniz. O princípio do *Eins* e sua não plenitude em Leibniz[14].

Aparentemente, Hegel toma seu autodesenvolvimento dos conceitos, das categorias, em conexão com toda a história da filosofia. Isso acrescenta um lado *novo* a toda a *Lógica*.

193 ... "É uma velha proposição que o *uno* [é] *múltiplo* e particularmente: que o ***múltiplo*** é ***uno***"...
195 ... "A diferença entre uno e múltiplo determinou-se como diferença da correlação de um com o outro, a qual está decomposta em duas ligações: a *repulsão* e a *atração*" ...

De modo geral, Hegel provavelmente precisava em parte de todo este *Fürsichsein* para deduzir como "a *qualidade* transita para a *quantidade*" (199) – a qualidade é determinidade, determinidade para si, o *Gesetzte** é a unidade –, isso dá a impressão de algo muito forçado e vazio.

Observar, p. *203*, a nota não desprovida de ironia contra o "proceder do conhecer que reflete acerca da experiência, que primeiro percepciona no aparecimento determinações, as coloca então na base e admite para o chamado *explicar* delas *matérias fundamentais* ou *forças* correspondentes, as quais devem produzir aquelas determinações do aparecimento"...

* *Posto.*

Segunda seção: Magnitude (quantidade)

Em Kant, há quatro "antinomias"[15]. De fato, *cada* conceito, cada categoria, é *igualmente* antinômico (217).

Papel do ceticismo na história da filosofia.

"O ceticismo antigo não se poupou do trabalho de mostrar em todos os conceitos que encontrava nas ciências esta contradição ou antinomia."

Analisando Kant de modo muito rigoroso (e espirituoso), Hegel chega à conclusão de que Kant simplesmente repete nas conclusões o que é dito nas premissas, as quais precisamente repetem que existem a categoria *Kontinuität** e a categoria *Diskretion***.

*Wahrhafte Dialektik****

Daqui decorre apenas "que nenhuma dessas determinações, tomada sozinha, tem verdade, mas apenas a unidade delas. Essa é a verdadeira consideração dialética delas, assim como seu verdadeiro resultado" (226). 229: "*Die Diskretion* é <tradução? divisibilidade, ***desmembramento*******>, tal como *die Kontinuität* <cerração?, continuidade?*****, *ininterrupção*>, **<u>momento</u>** da ***quantidade***"...

* *Continuidade.*

** *Discrição* (ou seja, condição de descontínuo).

*** Verdadeira dialética.

**** Em russo, раздельность/ *pazdiélnnost* e расчлененность/ *pastchlieniénnost*. No manuscrito a palavra "divisibilidade" está riscada.

***** Em russo, сомкнутость/ *somknútost* e преемственность/ *preiemstviénnost*. No manuscrito as palavras estão riscadas.

232: "O *quantum*, antes de tudo quantidade com uma determinidade ou limite em geral – é em sua determinidade completa o *número*" ...
234: "***Anzahl**** <montante? *enumeração***?> e *unidade* constituem os momentos do número".
248: Quanto ao papel e ao significado do *número* (muito sobre Pitágoras etc. etc.), entre outras coisas, uma observação acertada:
"Quanto mais os pensamentos se tornam ricos em determinidade – e, por conseguinte, em ligações –, tanto mais sua exposição em formas tais como as dos números se torna, por um lado, mais embrulhada e, por outro, mais arbitrária e vazia de sentido" (248-249). ((Apreciação dos pensamentos: a riqueza de determinações e, ***consequentemente***, de relações.))
A propósito das antinomias de Kant (mundo sem começo etc.), Hegel mostra de novo, *des Längeren****, que nas premissas se dá por demonstrado aquilo que deve ser demonstrado (267-278).
<Adiante, a transição da quantidade para qualidade numa exposição abstrato-teórica é tão obscura que não se entende nada. Retomar!!>
283: O infinito na matemática. Até agora, a justificação consiste ***apenas*** na *correção dos resultados* ("demonstrada a partir de outros fundamentos"), ... não na clareza do objeto <*confer* Engels[16]>.

NB

* Numeral: ou seja, quantidade contida num número.

** Em russo, численность/ *tchisliénnost* e перечисление/ *perietchisliénie*.

*** Extensamente.

285: No cálculo infinitesimal, certa imprecisão (declarada) é ignorada; no entanto, obtém-se um resultado não aproximado, mas *plenamente* preciso! Não obstante, procurar aqui uma *Rechtfertigung** é "não tão supérfluo" "quanto parece supérfluo perguntar pela demonstração do direito de usar o próprio nariz"[17].

> A resposta de Hegel é complexa, *abstrus*** etc. etc. Trata-se de matemáticas ***superiores***; cf. ***Engels*** sobre o cálculo diferencial e integral[18].

<É interessante a observação feita de passagem por Hegel – "transcendental, ou seja, propriamente subjetivo e psicológico" ... "de modo transcendental, a saber, no sujeito" (288).>

> P. 282-327 u. ff. – 379.
> Consideração detalhadíssima do cálculo diferencial e integral, com citações – Newton, Lagrange, Carnot, Euler, Leibniz etc. etc. – que mostram como foi interessante para Hegel esse "desaparecer" dos infinitamente pequenos, esse "estágio intermediário entre o ser e o nada". Sem o estudo das matemáticas superiores, tudo isso é incompreensível. É característico um título de *Carnot*: *Réflexions sur la métaphysique du calcul infinitésimal****!!!

* Justificação.

** Abstrusa.

*** *Reflexões sobre a metafísica do cálculo infinitesimal.*

O desenvolvimento do conceito de *Verhältnis**
(379-394) é extremamente obscuro. Assinalar apenas,
p. 394, as observações sobre os *símbolos*, contra
os quais, em geral, não há nada a dizer. "Contra
todo simbolismo", porém, há que dizer que, por
vezes, é "um meio cômodo para evitar apreender,
indicar, justificar as *determinações conceituais*"
(*Begriffsbestimmungen*). É justamente essa, no entanto,
a ocupação da filosofia.
"As determinações correntes de força ou
substancialidade, causa ou efeito etc., são igualmente
apenas símbolos para a expressão, por exemplo, de
relações vivas ou espirituais, ou seja, determinações
não verdadeiras por si próprias" (394).

NB?

* Relação.

Terceira seção:
A medida

"Na medida, estão reunidas qualidade e quantidade, abstratamente expressas. O ser como tal é igualdade imediata da determinidade consigo próprio. Essa imediatidade da determinidade superou a si mesma. A quantidade é o ser que regressou a si mesmo, de tal modo que é simples igualdade consigo como indiferença diante da determinidade" (395).

O terceiro membro é a medida.

Kant introduziu a categoria da *modalidade* (possibilidade, efetividade, necessidade), e Hegel observa que em Kant:

"Essa categoria tem aí mesmo a significação de ser a relação do objeto com o pensamento. No sentido daquele idealismo, o pensamento em geral é essencialmente exterior à coisa em si ... a objetividade que advém às outras categorias falta às da modalidade" (396).

En passant (397):

A filosofia indiana, na qual Brahma transita para Shiva (modificação = desaparecimento, surgimento) ...

Os povos divinizam a ***medida*** (399).

?A medida transita para a essência (*Wesen*).

(Sobre a questão da medida, não deixa de ser interessante apontar a observação feita de passagem por Hegel de que "na sociedade civil desenvolvida as multidões de indivíduos que pertencem às diversas profissões estabelecem uma relação uns com os outros") (402).

Sobre a questão da categoria de gradualidade (*Allmählichkeit*), Hegel observa:

"É tão fácil recorrer a essa categoria para tornar representável ou para *explicar* a desaparição de uma qualidade ou de algo, uma vez que assim o desaparecimento parece ocorrer quase diante dos olhos, porque o *quantum* está posto como o limite exterior por sua natureza alterável e, com isso, a *mudança* é evidente apenas como mudança do *quantum*. De fato, porém, com isso nada se explica; a mudança é, ao mesmo tempo, essencialmente a transição de uma qualidade para outra ou a [transição] mais abstrata de uma existência para a não existência; aqui reside uma determinação diferente daquela da gradualidade, a qual é apenas uma diminuição ou um aumento, e a unilateral fixação na magnitude.

Que, porém, uma mudança que aparece como meramente quantitativa se converte também numa [mudança] qualitativa, a essa conexão os antigos já estiveram atentos e representaram as colisões que resultam do desconhecimento dela em exemplos populares" ... (405-406) ("o calvo": arrancar um cabelo; "o montão" – retirar um grão...) "o que" (com isso) "é refutado é *das einseitige Festhalten an der abstrakten Quantumsbestimmtheit*" ("a fixação unilateral na determinidade de *quantum* abstrata", ou seja, sem considerar as múltiplas mudanças e as qualidades concretas etc.).

... "Aquelas maneiras de dizer não são, por isso, nenhuma brincadeira vazia ou pedante, mas estão em si corretas e são produto de uma consciência que tem interesse nos aparecimentos que ocorrem no pensamento. NB

O *quantum*, na medida em que é tomado como um limite indiferente, é o lado pelo qual uma existência é insuspeitadamente atacada e posta abaixo. É a *astúcia* do conceito apreender uma existência por esse lado em que sua qualidade parece não entrar em jogo – e, sem dúvida, tanto é assim que o engrandecimento de um Estado, de uma fortuna etc., que traz [consigo] a infelicidade do Estado, do possuidor, aparece mesmo, antes de tudo, como felicidade dele" (407).

"É um grande mérito travar conhecimento com os números empíricos da natureza, por exemplo, com as distâncias dos planetas uns dos outros; mas é um [mérito] infinitamente maior fazer desaparecer os *quanta* empíricos e elevá-los a uma *forma universal* de determinações da quantidade, de tal modo que eles se tornem momentos de uma lei ou uma medida"; o mérito de Galileu e de Kepler...* "Eles *demonstraram* as leis que encontraram de maneira a mostrar que o volume das singularidades da percepção lhes corresponde" (416). É preciso se exigir, contudo, uma ainda *höheres Beweisen*** dessas leis para que suas determinações de quantidade sejam conhecidas a partir das *Qualitäten oder bestimmten Begriffen, die bezogen sind* (*wie Raum und Zeit*)***.

Gesetz oder Maß

?

* Lei ou medida.

** Superior demonstração.

*** Qualidades ou conceitos determinados, que estão ligados (como tempo e espaço).

O desenvolvimento dos conceitos *des Maßes** como *spezifische Quantität*** e como *reales Maß**** (entre eles, *Wahlverwandtschaften***** – por exemplo, elementos químicos, tons musicais) é muito obscuro.

<Uma grande nota sobre a química, com uma polêmica contra Berzelius e suas teorias da eletroquímica (433-445).>

"Linha nodal de relações de medida" (*Knotenlinie von Maßverhältnissen*) – transições da quantidade à qualidade... Gradualidade e *saltos*.

<E novamente, na *p. 448*, que a gradualidade nada explica sem saltos.> || NB

Na *nota* de Hegel, como sempre, o factual, os exemplos, o concreto (Feuerbach graceja por isso, uma vez que Hegel relegou a *natureza* a suas *notas*, Feuerbach, *Obras*, II, p. ?)[19].
P. 448-452, nota, intitulada no índice (não no texto!! pedantismo!!): "Exemplos de tais linhas nodais; nisso, não há salto nenhum na natureza". || Saltos!
Exemplos: química; tons musicais; água (vapor, gelo) – *p. 449* –, parto e morte.

* Da medida.

** Quantidade específica.

*** Medida real.

**** Afinidades eletivas.

Quebras de gradualidade

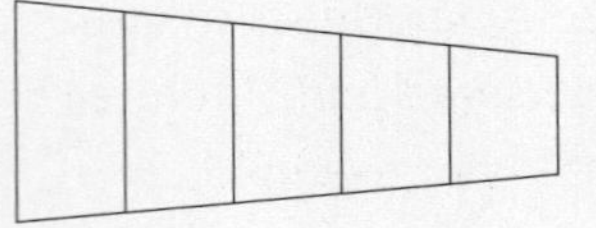

Abbrechen der Allmählichkeit, p. (450)

Saltos!

"Diz-se que não há nenhum salto na natureza; e a representação habitual, quando tem de conceber uma gênese ou uma extinção, julga, como se recordou, tê-lo concebido pelo fato de representá-lo como um aparecer ou um desaparecer gradual. Mostrou-se, porém, que as mudanças do ser em geral não são apenas a transição de uma magnitude para outra, mas transição do qualitativo para o quantitativo e, inversamente, um tornar-se outro que é uma interrupção do gradual e é qualitativamente outro diante da existência antecedente. A água, por meio do resfriamento, não se torna pouco a pouco dura, de tal modo que se tornasse primeiro pastosa e endurecesse gradualmente até a consistência do gelo, mas fica dura de uma vez; já com a temperatura toda do ponto de congelamento, se estiver em repouso, ainda pode conservar toda a sua fluidez, e um ínfimo estremecimento leva-a ao estado de dureza.

Saltos!

Na base da gradualidade do nascer está a representação de que aquilo que nasce já está sensivelmente ou em geral efetivamente presente [*vorhanden*], mas, por causa de sua pequenez, ainda não é perceptível; tal como na base da gradualidade do desaparecer está a representação de que o não ser ou o outro, aquilo que entra em seu lugar, está igualmente presente, mas ainda não é observável; e, de fato, presente, não no sentido de que o outro esteja em si contido no outro presente, mas no de que ele, como existência, está presente, mesmo de forma que não pode ser observada. Dessa maneira, o surgimento e a extinção são, em geral, superados ou o outro, o interior, no qual algo antes de sua existência está, é transformado numa pequenez da existência exterior e a diferença essencial ou a diferença conceitual é transformada em mera diferença de magnitude, numa diferença exterior. Tornar concebível um surgimento ou uma extinção a partir da gradualidade da mudança tem o inconveniente próprio da tautologia; aquilo que surge ou que se extingue está já de antemão pronto e faz da mudança mera alteração de uma diferença exterior, pelo que, de fato, é apenas uma tautologia. Para tal entendimento que quer conceber, a dificuldade reside na transição qualitativa de algo para seu outro em geral e para seu oposto; em contrapartida, esse entendimento representa ilusoriamente a identidade e a mudança como indiferentes e exteriores ao quantitativo.

No domínio moral, na medida em que é considerado na esfera do ser, ocorre a mesma transição do quantitativo para o qualitativo; e qualidades diversas parecem fundar-se numa diversidade das magnitudes. Há um mais e menos em que a medida da leviandade é transgredida e aparece algo de totalmente diferente, o crime, em que o justo transita para o injusto, a virtude, para o vício. Assim, também os Estados adquirem, por sua diferença de magnitude, quando o restante é admitido como igual, um caráter qualitativo diverso" (450-452).

Adiante.

Transição do ser para a essência (*Wesen*) exposta de modo extremamente obscuro.

Fim do volume 1.

Volume 4 (Berlim, 1834)
Parte 1. A lógica objetiva
Subdivisão 2. A doutrina da essência

Primeira seção:
A essência como reflexão em si própria

"A verdade do ser é a essência" (3)*. Esta é a primeira frase, que soa de modo completamente idealista, místico. Mas logo a seguir começa, por assim dizer, a soprar uma brisa leve: "O ser é o imediato. Ao querer conhecer o verdadeiro**, o que o ser é em e para si, o saber não permanece junto do imediato e de suas determinações" (*não **permanece*** NB), "mas ***penetra*** (NB) através (NB) dele, com o pressuposto de que *por trás* (o itálico é de Hegel) desse ser ainda há algo de outro que o próprio ser, de que este plano recuado constitui a verdade do ser. Esse conhecimento é um saber mediado, pois ele não se encontra imediatamente junto da e na essência, mas começa por um outro, o ser, e tem de percorrer um caminho prévio, o caminho do ultrapassar do ser ou, antes, do penetrar nele"...

teoria do conhecimento ||

"caminho" ||

Este *Bewegung*, o caminho do conhecimento, parece uma "atividade do conhecer" (*Tätigkeit des Erkennens*) "que fosse exterior ao ser".

Significação objetiva || "No entanto, esse curso é o movimento do próprio ser."

* Hegel, *Werke*, v. 4 (Berlim, Duncker und Humblot, 1834).

** A propósito. Hegel troça por mais de uma vez <ver as passagens citadas sobre a gradualidade> da palavra (e do conceito) *erklären*, "explicar", certamente contrapondo de uma vez por todas à solução metafísica ("isso está explicado"!!) o processo eterno de um conhecimento cada vez mais profundo. Ver v. 3, p. 463; "pode ser *conhecido* ou, como se diz, *explicado*". (N. A.)

"A essência ... é aquilo que é ... através de seu movimento próprio, o **movimento infinito** do ser" (4).
"A essência absoluta ... *não tem existência nenhuma*. Mas tem de transitar para a existência" (5).
A essência reside a meio caminho entre o ser e o conceito, como transição para o conceito (= absoluto).
A subdivisão da *essência*: aparência (*Schein*), aparecimento (*Erscheinung**), efetividade (*Wirklichkeit***).
*Das Wesentliche und das Unwesentliche**** (8). *Der Schein* (9).
No não essencial, na aparência, existe um momento de não existência (10).

> ou seja, o não essencial, o aparente, o superficial muitas vezes desaparece, não se sustenta tão "fortemente", não "assenta" tão "solidamente" como "essência". *Etwa*: o movimento de um rio – a espuma por cima e as correntes profundas por baixo. ***Mas também a espuma*** é uma expressão da essência!

Aparência e ceticismo *respective* kantismo:
"Assim, a aparência é o fenômeno [*Phänomen*] do ceticismo ou, então, o aparecimento [*Erscheinung*] do idealismo, uma imediatidade tal que não é algo nem coisa nenhuma, que de modo algum é um ser indiferente que fosse fora de sua determinidade e

* Algumas traduções para o português utilizam "fenômeno"; outras, "aparecimento", para diferenciar da tradução de *Phänomen*. (N. E.)

** Em alemão, *Wirlichkeit*. Traduções mais antigas recorrem a "realidade" ou "realidade efetiva". (N. E.)

*** O essencial e o inessencial.

ligação com o sujeito. O ceticismo não se permitia dizer é; **o idealismo moderno não se permitia encarar os conhecimentos como um saber da coisa em si**; aquela aparência não devia, em geral, ter qualquer base de um ser; nesses conhecimentos, a coisa em si não devia entrar. Simultaneamente,

NB

porém, o ceticismo admitia múltiplas determinações de sua aparência ou, antes, sua aparência tinha por conteúdo toda a riqueza múltipla do mundo. Do mesmo modo, o aparecimento do idealismo compreende em si todo o âmbito dessas múltiplas determinidades."

Incluem na *Schein* toda a riqueza do mundo e negam a objetividade da *Schein*!!

"Aquela aparência e esse aparecimento estão, assim, imediatamente determinados de modo múltiplo. Na base, portanto, desse conteúdo pode muito bem não estar nenhum ser, nenhuma coisa nem nenhuma coisa em si; para si, ele permanece tal como é; ele foi apenas transposto do ser para a aparência; de tal maneira que a aparência, no interior de si própria, tem aquelas determinidades múltiplas que são imediatas, existentes, diferentes umas diante das outras. A

imediatidade da aparência

aparência é, portanto, ela própria um determinado imediato. Ela pode ter este ou aquele conteúdo; o conteúdo que ela tem, porém, não é posto por ela própria, mas é seu imediatamente. O idealismo

não foram mais a fundo!

de Leibniz, de Kant ou de Fichte, tal como outras de suas formas, saiu, tão pouco quanto o ceticismo, do ser como determinidade, saiu dessa imediatidade. O ceticismo faz com que lhe *deem* o conteúdo de sua aparência <o “imediatamente dado”!!>; seja qual for o conteúdo que ela tenha, para ele é *imediato*. A mônada de Leibniz desenvolve suas representações a partir de si própria; ela não é, porém, a força que engendra e unifica, e elas sobem nela como bolhas; elas são indiferentes, estão imediatamente umas perante as outras e, assim, perante a própria mônada. Do mesmo modo, o fenômeno de Kant é um conteúdo *dado* da percepção, pressupõe afecções, determinações do sujeito, as quais diante de si próprias e dele próprio são imediatas. O impulso primordial [*Anstoß*] infinito do idealismo de Fichte pode muito bem não ter na base qualquer coisa em si, de tal maneira que ele se torne puramente uma determinidade no eu. Mas essa determinidade é, simultaneamente, *imediata* para o eu – que faz dela algo de seu e suprime a exterioridade dela –, é uma *limitação* dele, que ele pode, é verdade, ultrapassar, mas que tem em si um lado de indiferença, segundo o qual ela, apesar de estar no eu, contém um não ser *imediato* dele” (10-11).

cf. machianismo!!

... “As determinações que a” (*den Schein*) “diferenciam da essência são determinações da própria essência”...

... “É a imediatidade do não ser que constitui a aparência... O ser é não ser na essência. Sua nulidade é em si a *natureza negativa* da própria *essência*”...

aparência = a natureza negativa da essência

... “Esses dois momentos – a nulidade, mas como subsistência, e o ser, mas como momento, ou a negatividade sendo em si e a imediatidade refletida – que constituem os momentos da aparência são, com isso, os momentos da própria essência” ...

“A aparência é a própria essência na determinidade do ser”... (12-13).

A aparência é (1) um nada, um não existente (*Nichtigkeit*) que existe
– (2) o ser como momento

"A aparência é, portanto, a própria essência, mas a essência numa determinidade, de tal maneira que ela é apenas um momento seu, e a essência é o aparecer de si em si mesma" (14).

[Aparência*] O aparente é a essência *em uma* determinação sua, em um de seus lados, em um de seus momentos. A *essência* parece sê-lo. A aparência é o aparecer (*Scheinen*) da própria essência em si própria.

... "A essência... contém em si própria a aparência, como o movimento infinito em si"...
... "A essência nesse seu automovimento é a reflexão. A aparência é o mesmo que a reflexão é" (14).

A aparência (o aparente) é o ***reflexo*** da essência em si (nela) própria.

... "O devir na essência, seu movimento reflexivo, é, portanto, o movimento de nada a nada e, por isso, de retorno a si própria"... (15).

<Isso é penetrante e profundo. Existem na natureza e na vida movimentos "para o nada". Somente "a partir do nada" talvez não existam. Sempre a partir de alguma coisa.>

* No manuscrito a palavra "aparência" está riscada.

"A reflexão é tomada de modo habitual em sentido **subjetivo** como o movimento da faculdade de julgar que ultrapassa uma representação imediata dada e procura para si – ou, com isso, compara – determinações universais" (21). (Citação de Kant – *Crítica da faculdade do juízo*[20]) ... "Aqui não se trata, porém, nem **da reflexão da consciência** nem da reflexão mais determinada do entendimento, que tem o particular e o universal como suas determinações, mas da reflexão em geral"...

> Assim, também aqui Hegel acusa Kant de **subjetivismo**. *NB* isto. Hegel é pela "validade objetiva" (*sit venia verbo**) da aparência, do "imediatamente dado" <o termo "***dado***" é habitual em Hegel em geral, também aqui. Ver p. 21 i. f.; p. 22>. Filósofos menores discutem sobre tomar por base a essência ou o imediatamente dado (Kant, Hume, todos os machianistas). Hegel, no lugar de ***ou***, põe e, explicando o conteúdo concreto desse "e".

"*Die Reflektion* é o aparecer da essência em si própria." (27)
<tradução? reflexividade? determinação reflexiva? Reflexão** não é adequada.>
... "Ela" (*das Wesen*) "é um movimento através de momentos diferentes, [é] mediação absoluta consigo mesma" ... (27).

* Se podemos dizer assim.

** Em russo, na ordem: рефлективность/ *riefliektívnost*, рефлективное определенние/ *riefliektívnoe opriediélonie* e рефлексия/ *riefliéksia*. (N. E.)

Identidade – diferença – contradição
<+[*Gegensatz**] (fundamento)...
em particular
oposição>

Por isso Hegel explica a unilateralidade, a incorreção da "lei da identidade" (**A = A**), da categoria (todas as determinações do ente são categorias – p. ***27-28***). "Quando tudo é idêntico a si mesmo, não é diverso, não está oposto, não tem nenhum fundamento" (29). "A essência é ... identidade simples consigo" (30). O pensamento habitual põe lado a lado ("*daneben*") a identidade e a diferença, sem compreender **"esse movimento de transição de uma dessas determinações para a outra":** (31).

NB
termos sublinhados
por mim

Novamente contra a lei da identidade (A = A): seus partidários, "atendo-se a essa identidade **imóvel**, que tem sua oposição na diversidade, não veem que assim fazem dela uma determinidade **unilateral** que, como tal, não tem nenhuma verdade" (33).
("Tautologia vazia": 32)
("Apenas contenha a verdade ***formal***, uma [verdade] ***abstrata***, incompleta" (33).)
<Os tipos de reflexibilidade: *exterior* etc. desenvolvidos com muito pouca clareza.>
Os princípios da diversidade: "Todas as coisas são diversas" ... "A é também não A" ... (44).
"Não há duas coisas que sejam iguais uma à outra..."
A diferença reside neste ou naquele lado (*Seite*), *Rücksicht* etc. "*insofem*" etc.**

bien dit!!

* No manuscrito a palavra "*Gegensatz*" (oposição) está riscada.

** Aspecto etc. "na medida em que" etc.

"A ternura habitual para com as coisas, porém, que apenas cuida de que elas não se contradigam, esquece aqui, como outrora, que, com isso, a contradição não é resolvida, mas apenas empurrada para outro lugar, em geral, para a **reflexão subjetiva ou exterior**, que ela contém de fato, como superados e ligados um ao outro numa unidade, os dois momentos que por meio desse afastamento e desse deslocamento são enunciados como mero ser-posto" (47).
(Essa ironia é encantadora! A "ternura" para com a natureza e a história (nos filisteus) – o desejo de depurá-las das contradições e da luta...)
O resultado da soma de + **e** – será zero. *"O resultado da contradição não é apenas zero"* (59).
A resolução da contradição, a redução do positivo e do negativo a "apenas determinações" (61), transforma a *essência* (*das Wesen*) em *fundamento* (*Grund*) (ibidem).
... "A contradição resolvida é, portanto, o fundamento, a essência como unidade do positivo e do negativo" ... (62). NB
"Uma experiência exígua do pensamento reflexivo basta para que se perceba que, se algo foi determinado como positivo, ao prosseguir a partir dessa base, esse algo imediato já se transforma em algo negativo, e, ao contrário, algo determinado como negativo transforma-se em algo positivo; [que se perceba] que o pensamento reflexivo se embaraça nessas determinações e se contradiz. A falta de familiaridade com a natureza dessas últimas leva à opinião de que essa confusão é algo falso, que não deve acontecer, e atribui-o a um erro **subjetivo**. De fato, essa transição permanece também mero emaranhamento

enquanto não existir a consciência da ***necessidade*** da ***transformação***" (63).

... "Compreende-se a oposição entre positivo e negativo no sentido principal de que aquele (se bem que, de acordo com seu nome, expresse o ser colocado [*Poniertsein*], o ser posto [*Gesetztsein*]) deve ser algo objetivo, enquanto este, algo subjetivo, que pertença apenas a uma reflexão exterior, com o qual o objetivo – que é em e para si – nada tenha a ver, e que de modo nenhum exista para si" (64). "De fato, se o negativo expressa apenas a abstração de um arbítrio subjetivo" ... (então, ele, esse negativo, "para o positivo objetivo", não existe) ...

verdade e objeto

"Também a **verdade** é o positivo, como o saber coincidente com o **objeto**, mas ela só é essa igualdade consigo na medida em que o saber se comporta negativamente para com o outro, [na medida em que] **penetrou o objeto** e superou a negação que ele é. O erro é um positivo, como uma opinião – que se sabe e afirma – de algo que não é em si nem para si. A ignorância, porém, ou é o indiferente diante da verdade e do erro – portanto, não está determinada nem positiva nem negativamente e sua determinação pertence, como um defeito, à reflexão exterior –, ou então, objetivamente, como determinação própria de uma natureza, ela é o impulso que está dirigido contra si: um negativo que contém em si uma direção positiva. – É um dos conhecimentos mais importantes ver e reter esta natureza das determinações da reflexão consideradas, a de que sua verdade está apenas na ligação delas entre si e que consiste, assim, em que cada uma, em seu próprio conceito, contém a outra; sem esse conhecimento não se pode dar

o que é em si e para si

propriamente passo nenhum na filosofia" (65-66). Isto da observação 1. _ _ _ _

Observação 2. *"O princípio do terceiro excluído"*.
Hegel cita este postulado do terceiro excluído: "Algo é ou A ou não A; não há um terceiro" (66) e ***"analisa"***. Caso assim se aponte para que "tudo é um oposto", tudo tem sua determinação positiva e sua determinação negativa, então tudo bem. Porém, caso se entenda por isso, como habitualmente se entende, que de todos os predicados resulta ou o dado ou seu não ser, então é "trivial"!!! O espírito... é doce, não doce? Verde, não verde? A determinação deve avançar para a determinidade, e nesta trivialidade vai para o nada. E depois – alfineta Hegel – diz-se: não existe terceiro. **Existe** um terceiro nessa própria tese, o próprio *A* é o terceiro, pois o *A* pode ser tanto + *A* como – *A*. "O próprio algo é, portanto, o terceiro, que deveria ter sido excluído" (67).

<Isso é espirituoso e preciso. Cada coisa concreta, cada algo concreto está em relações diferentes e muitas vezes contraditórias com todo o resto, *ergo* é ele próprio e outro.>

Observação 3. ***"Princípio da contradição"*** (no fim do 2º capítulo da 1ª seção do livro 2 da *Lógica*).
"Ora, se as primeiras determinações da reflexão – a identidade, a diversidade e a oposição – foram estabelecidas num princípio, mais ainda devia ser apreendida e formulada num princípio – ***todas as coisas são em si próprias contraditórias*** – aquela para a qual elas transitam como para sua verdade, e isso, de fato, no sentido de que ***esse princípio***, diante dos restantes, expressa muito mais ***a verdade e a essência das coisas***. – A contradição que surge na oposição

é apenas o nada desenvolvido que está contido na identidade e que se insinuava na expressão de que o princípio da identidade nada diz. Essa negação determina-se ulteriormente em diversidade e em oposição, a qual é, então, a contradição posta. Porém, é um dos preconceitos fundamentais da lógica até aqui e da representação habitual fazer como se a contradição não fosse uma determinação tão essencial e imanente quanto a identidade; sim, mesmo que se tratasse aqui de hierarquia e de fixar as duas determinações como separadas, seria preciso tomar a contradição pelo mais profundo e pelo mais essencial. Pois, diante dela, a identidade é apenas a determinação do imediato simples, do ser morto; a contradição, no entanto, é a ***raiz de todo movimento e de toda vitalidade***; só na medida em que algo tem em si próprio uma contradição é que ***se move, tem impulso e atividade***.
A contradição é, primeiro, comumente afastada das coisas, do ente e do verdadeiro, em geral; afirma-se que não há nada contraditório. Ela é, por outro lado e pelo contrário, remetida para a reflexão subjetiva, que a poria somente por meio de sua ligação e comparação. Mesmo nessa reflexão, ela não estaria propriamente dada, do mesmo modo que é impossível representar ou pensar o contraditório. Ela passa, em geral, quer no efetivo, quer na reflexão pensante, por algo contingente, por algo como uma anormalidade e um paroxismo passageiro e doentio.
Ora, no que diz respeito à afirmação de que não haveria contradição, de que ela não seria um existente, não precisamos nos preocupar com tal segurança; é preciso encontrar uma determinação absoluta da

essência em qualquer experiência, em todo o efetivo, assim como em cada conceito. Sobre o infinito, que é a contradição tal como esta se mostra na esfera do ser, já foi indicado anteriormente algo semelhante. A experiência comum, porém, exprime ela própria que existe, pelo menos, uma multiplicidade de coisas contraditórias, de instituições contraditórias etc., uma contradição que não se encerra apenas numa reflexão exterior, mas também nelas próprias. Porém, ainda, a contradição não deve ser considerada uma simples anormalidade que se insinuasse apenas aqui e ali: ela é o negativo em sua determinação essencial, ***o princípio de todo o automovimento***, que não é outra coisa senão uma exposição dela mesma. O próprio movimento sensível exterior é seu ser existente imediato. Algo só se move não na medida em que neste 'agora' está aqui e em outro 'agora' está lá, mas na medida em que em um e neste 'agora' está aqui e não está aqui, na medida em que neste 'aqui' simultaneamente está e não está. É preciso conceder aos dialéticos antigos as contradições que eles assinalaram no movimento, mas disso não se segue que o movimento não seja, antes [se segue] que o movimento é a própria contradição *existente*. Do mesmo modo, o automovimento interno, propriamente dito, o impulso em geral (apetite ou *nisus** da mônada, a enteléquia da essência absolutamente simples), não é senão o algo em si próprio e a falta, o negativo de si próprio, numa e na mesma relação. A identidade ***abstrata*** consigo ainda

* Esforço.

não é ***nenhuma vitalidade***, mas porque o positivo é em si próprio a negatividade, é por isso que ele sai de si e ***se põe em mudança*** [*in Veranderung*]. Dessa maneira, algo é vivo apenas na medida em que contém em si a contradição e é justamente essa força de apreender e sustentar em si a contradição. Se, porém, um existente não consegue em sua determinação positiva abarcar simultaneamente a [determinação] negativa e manter firmes uma na outra, [se não consegue] ter em si próprio a contradição, então ele não é a própria unidade viva, não é fundamento, mas na contradição está caminhando para a morte. – O pensamento especulativo consiste apenas em que o pensamento mantém firme a contradição e nela se mantém firme a si próprio, não em que, como acontece com a representação, ele se deixa dominar por ela ou por meio dela, suas determinações se resolvam apenas em outras ou em nada" (67-70).

Movimento e "**auto*movimento***" (isto NB! movimento de si (autônomo), espontâneo, **interno e necessário**), "mudança", "movimento e vitalidade", "princípio de todo automovimento", "impulso" (*Trieb*) para o "movimento" e para a "atividade" – oposição ao "***ser morto***" – quem acreditará que essa é a essência da "hegelianice", da abstrata e *abstrusen* (difícil, absurda?) hegelianice?? Era preciso descobrir, compreender, *hinüberretten*[21], descascar, limpar essa essência, coisa que Marx e Engels fizeram.
A ideia do movimento e da modificação universal (1813, *Lógica*) é deduzida antes de sua aplicação à vida

e à sociedade. Em relação à sociedade, é proclamada antes (1847) de demonstrada em aplicação ao homem (1859)[22].

"Se no movimento, no impulso, entre outras coisas, a contradição está ocultada da representação pela *simplicidade* dessas determinações das relações, a contradição surge, pelo contrário, imediatamente nelas. Os exemplos mais triviais: em cima e embaixo, direita e esquerda, pai e filho, e assim por diante, até ao infinito – contêm todos a oposição em um. Está em cima o que não está embaixo; a determinação de em cima somente no fato de não estar embaixo, e apenas na medida em que há um embaixo, e vice--versa; numa das determinações, reside seu contrário. Pai é o outro do filho, e o filho, o outro do pai, e cada um é somente esse outro do outro; e cada determinação existe somente em relação à outra; o ser delas é um subsistir"... (70).

|| oculta pela simplicidade

"Por isso, a representação, é certo, tem por todo lado a contradição por conteúdo seu, mas não chega à consciência dela; permanece reflexão exterior que transita da igualdade para a desigualdade ou da ligação negativa para o ser-refletido dos diferentes em si. Mantém essas duas determinações uma diante da outra exteriormente e tem apenas elas em vista, não ao transitar – que é o essencial e contém a contradição. – A reflexão rica de espírito [*geistreiche*], para citá-la aqui, consiste, pelo contrário, no apreender e no exprimir da contradição. Embora, de fato, não expresse o conceito das coisas e de suas relações e tenha como material e conteúdo apenas determinações da representação, ela as põe numa relação que contém sua contradição e deixa transparecer por meio dela seu conceito. – A razão pensante, porém, aguça, por assim dizer, a diferença embotada do diverso, a mera multiplicidade da representação, [levando-a até] a diferença essencial, a oposição. Só quando levados ao extremo da contradição os múltiplos se tornam ativos e vivos uns contra os outros e recebem nela a negatividade, a qual é a pulsação que habita o automovimento e a vitalidade" ..... (70-71).

NB
(1) A representação habitual capta a diferença e a contradição, mas não a **transição** de uma para a outra, e ***isto é o mais importante.***
(2) Espírito e entendimento.
O espírito capta a contradição, *manifesta-a*, põe as coisas em relação umas com as outras, obriga "o conceito a transparecer por meio da contradição", mas não *exprime* o conceito das coisas e de suas relações.
(3) A razão pensante (inteligência) aguça a diferença embotada do diferente, a simples diversidade das concepções, até a diferença *essencial*, até a *oposição*. Somente levadas ao extremo, as contradições, as diversidades se tornam ativas (*regsam*) e vivas umas em relação às outras – adquirem a negatividade, que é ***a pulsação interna do automovimento e da vitalidade.***

Subdivisões:
Der Grund – (o fundamento)
(1) fundamento absoluto – *die Grundlage* (a base [alicerce]).
"Forma e matéria." "Conteúdo."
(2) fundamento determinado (como fundamento [para] um conteúdo determinado).
<Sua transição para a *mediação condicionante – die bedingende Vermittelung*>
(3) a coisa em si (transição para a *existência* [*Existenz*]). Observação. "*Princípio de razão.*"
O habitual: "Tudo tem sua razão suficiente".
"Em geral, isso não significa senão que o ente deve ser considerado não como algo imediato, mas como algo posto; ele não é para permanecer na existência [*Dasein*] imediata nem na determinidade em geral, mas para regressar daí a sua razão*" ... É supérfluo acrescentar: razão *suficiente*. A insuficiente não tem fundamento.
Leibniz, que fez do princípio da razão suficiente a base de sua filosofia, compreendeu isso mais profundamente. "***Leibniz*** ... contrapunha o suficiente da razão, principalmente, a ***causalidade*** em seu sentido rigoroso como modo ***mecânico*** de atuação" (76). Procurava a *"Beziehung" der Ursachen*** (77) – "o todo como unidade essencial".

* Isto é, a seu fundamento. Em Hegel, a palavra alemã *Grund* se aplica a *razão* (de algo) e a *fundamento*.

** "Ligação" das causas.

Ele procurou os *objetivos*, mas a teleologia[23] pertenceria não a isso aqui, e sim à doutrina do conceito.

..."Não se pode ... perguntar como é que a forma adviria à essência, pois aquela é apenas o aparecer desta em si própria, a reflexão própria que lhe habita (*sic*!)" ... (81).

A forma é essencial. A essência é formada. De um modo ou de outro, na dependência também da essência...

A *essência* como identidade sem forma (de si própria consigo) torna-se *matéria*.
"... Ela" (*die Materie*) "é ... a base propriamente dita ou o substrato da forma" ... (82).
"Quando se abstrai de todas as determinações, de toda a forma de um algo, resta a matéria indeterminada. A matéria é pura e simplesmente um *abstrato*. (– É impossível ver, sentir etc. a matéria – o que se vê, sente, é uma *matéria determinada*, isto é, uma unidade da matéria e da forma)" (82).
A matéria não é o *fundamento* da forma, mas a unidade do fundamento e do fundamentado. A matéria é o *passivo*, a forma, o *ativo* (*tätiges*) (83).
"A matéria tem que ser enformada, e a forma tem que se materializar" ... (84).
NB ‖ "Isso que aparece como atividade da forma é, antes, o movimento próprio da própria matéria" ... (85-86).
..."Ambos, o fazer da forma e o movimento da matéria, são o mesmo ... A matéria está determinada

como tal ou tem necessariamente uma forma, e
a forma é pura e simplesmente forma material, forma
subsistente" (86).
Observação: "Modo formal de explicação a partir
de fundamentos tautológicos".
Muitas e muitas vezes, particularmente nas ciências
físicas, os "fundamentos" seriam explicados
tautologicamente: o movimento da Terra é explicado
pela "força de atração" do Sol. Mas o que é a força
de atração? Também um movimento!! (92). Uma
tautologia vazia: por que é que este homem vai para
a cidade? Em consequência da força de atração
da cidade! (93). Também acontece que na ciência
se avança inicialmente como "fundamento" – as
moléculas, o éter, a "matéria elétrica" (95-96) etc.,
e depois se verifica "que eles" (esses conceitos)
"são antes determinações concluídas daquilo que
deviam fundamentar, hipóteses e ficções deduzidas
de uma reflexão acrítica" ... Ou diz-se que nós "não
conhecemos a essência íntima dessas próprias forças
e matérias"... (96), então não haveria nada a "explicar",
haveria apenas que se limitar aos fatos...
*Der reale Grund**... não é uma tautologia, mas "outra
determinação de conteúdo" (97).
A respeito da questão da "base" (*Grund*), Hegel
observa entre outras coisas:
"Quando se diz da natureza que ela é o fundamento
do mundo, aquilo que é chamado natureza é, por
um lado, *uno* com o mundo, e o mundo não é senão
a própria natureza." (100). Por outro lado, "para que

* O fundamento real.

natureza fosse mundo, associaria-se exteriormente a ela uma multiplicidade de determinações" ... Como cada coisa tem "*mehrere*"* "determinações de conteúdo, relações e aspectos", é possível apresentar um sem-número de argumentos *pró* e *contra* (103). Foi precisamente isso que Sócrates e Platão chamaram de sofística. Esses argumentos não contêm "todo o âmbito da coisa", não a "esgotam" (no sentido de "constituírem o enlaçamento da coisa" e "contêm todos" os seus aspectos).
Transição do fundamento (*Grund*) para condição (*Bedingung*).

E a elaboração "puramente lógica"? *Das fällt zusammen*****. Isso *tem* de coincidir, como a indução e a dedução em *O capital*.

*If I'm not mistaken, there is much mysticism and leeres*** pedantismo de Hegel nessas conclusões, mas a ideia fundamental é genial: a ligação universal, multilateral, **viva**, de tudo com tudo e o reflexo dessa ligação – *materialistisch auf den Kopf gestellter Hegel**** – nos conceitos humanos, que devem ser também desbastados, aparelhados, flexíveis, móveis, relativos, interligados, unos nas contradições, para abarcar o mundo.
A continuação da obra de Hegel e de Marx deve consistir na elaboração ***dialética*** da história do pensamento humano, da ciência e da técnica.

* "Várias."

** Se não me engano, há muito misticismo e vazio (início da frase em inglês, última palavra em alemão – N. E.).

*** Hegel materialisticamente posto de cabeça para baixo.

**** Isso coincide.

Um rio e as *gotas* nesse rio. A situação de *cada* gota, sua relação com as outras; sua ligação com as outras; a direção de seu movimento; a velocidade; a linha do movimento – reta, curva, circular etc. – para cima, para baixo. A soma do movimento. Os conceitos como *registros* dos diferentes lados do movimento, das diferentes gotas (= "coisas"), das diferentes *"correntes"* etc. Eis *à peu près* o quadro do mundo segundo a *Lógica* de Hegel – excetuados, naturalmente, o deus nosso senhor e o absoluto.

Muitas vezes em Hegel a palavra "**momento**" está no sentido de momento da ***conexão***, do momento no encadeamento

"Quando todas as condições de uma coisa estão disponíveis, ela entra na existência"... (116).

Muito bem! e que fazem aqui a ideia absoluta e o idealismo?

É engraçada essa "dedução" da... *existência*...

Segunda seção:
O aparecimento

Primeira frase: "*A essência tem que aparecer*" ... (119)
O aparecimento da essência é (1) *Existenz* (coisa);
(2) aparecimento (*Erscheinung*). ("O aparecimento é o que a coisa em si é ou a verdade dela", p. 120.)
"Ao mundo do aparecimento contrapõe-se o mundo em si refletido, o mundo que é em si" ... (120).
(3) *Verhältnis* (relação) e *efetividade*.
Entre outros: "O demonstrar é, em geral, o conhecimento mediado"...
... "As diversas espécies do ser exigem ou contêm sua espécie própria de mediação; assim, também a natureza do demonstrar se torna diversa por referência a cada uma delas" ... (121).
<E de novo... sobre a existência de deus!! Pobre desse deus, assim que se lembra da palavra *existência* já fica ofendido.>
A existência distingue-se do ser por sua mediação (*Vermittelung*: 124). <?Pela concreção e ligação?>
... "A coisa em si e seu ser mediado estão ambos contidos na existência e são eles próprios existências; a coisa em si existe como existência essencial da coisa, já o ser mediado é a existência inessencial" ... (125).
<?A coisa em si relaciona-se com o ser, como o essencial com o não essencial?>
... "Esta" (*Ding-an-sich*) "não deve ter em si própria qualquer multiplicidade determinada; por isso, só a recebe, uma vez trazida à reflexão exterior, mas permanece diante dela indiferente. (– A coisa em si só tem cor uma vez trazida aos olhos, odor [uma vez trazida] ao nariz etc.)"... (126).

... "Uma coisa tem a propriedade de efetuar isto ou aquilo em um outro e de se exteriorizar de modo peculiar em sua relação com esse outro"... (129).
"A coisa em si existe, portanto, de modo essencial" ...
A nota trata da "coisa em si do idealismo transcendental"...
... "A coisa em si como tal não é senão a abstração vazia de toda a determinidade, da qual, com efeito, não se pode saber nada, precisamente porque deve ser a abstração de toda determinação" ...
"O idealismo transcendental ... desloca qualquer determinidade das coisas, 'tanto segundo a forma quanto segundo o conteúdo, para a consciência'" ...
"assim, segundo esse ponto de vista, acontece em mim, no sujeito, que eu veja as folhas das árvores não pretas, mas verdes, o Sol redondo, não quadrado, que o açúcar tenha sabor doce, não amargo; que eu determine o primeiro e o segundo batimento de um relógio como sucessivos, não como simultâneos, que eu não determine o primeiro nem como causa nem como efeito do segundo etc." (131) ... Hegel ressalva adiante que aqui examinou apenas a questão da coisa em si e da *"äußerliche Reflexion"**.
"O essencial da insuficiência, do ponto de vista em que aquela filosofia permanece, consiste, então, em que ela se fixa na coisa em si abstrata como uma determinação última e contrapõe à coisa em si a reflexão ou a determinidade e a multiplicidade das propriedades, enquanto, de fato, a coisa em si tem em si própria essencialmente aquela reflexão exterior

o essencial = contra o subjetivismo e a separação entre a coisa em si e os aparecimentos

* "Reflexão exterior."

e se destina [a ser] uma [coisa] com determinações próprias, dotada de propriedades, pelo que a abstração da coisa – de ser pura coisa em si – se mostra como uma determinação não verdadeira" (132).

... "Muitas coisas diversas estão em essencial ação recíproca mediante suas propriedades; a propriedade é essa mesma ligação recíproca, e a coisa não é nada fora dela" ... (133).

*Die Dingheit** transita para a *Eigenschaft*** (134).

A *Eigenschaft* transita para a "matéria" ou "*Stoff*"*** ("as coisas consistem em matérias") etc.

"O aparecimento é ... antes de tudo a essência em sua existência"... (144). "O aparecimento é ... unidade da aparência e da existência" ... (145).

lei (dos aparecimentos)

Unidade nos aparecimentos: "Essa unidade é a lei do aparecimento. A lei é, portanto, o positivo da mediação daquilo que aparece [*das Erscheinende*]" (148).

<Aqui, no geral, é tudo obscuridade. Mas existe um pensamento vivo, pelo visto: o conceito de *lei* é um dos degraus do conhecimento pela humanidade da *unidade* e da *conexão*, da interdependência e da totalidade do processo mundial. O "despedaçamento" e o "retorcimento" das palavras e dos conceitos, a que Hegel aqui se rende, é uma luta contra a absolutização do conceito de *lei*, contra sua simplificação, contra sua fetichização. ***NB*** para a física moderna!!!>

* A coisidade.

** Propriedade.

*** "Material."

"Esse subsistir permanecente, que o aparecimento tem na lei" ... (149).

NB
Lei é o duradouro (o permanente) no aparecimento

"A lei é a reflexão do aparecimento na identidade consigo" (149). (A lei é o idêntico nos aparecimentos: "O reflexo do aparecimento na identidade consigo próprio".)

(A lei é o idêntico no aparecimento)

... "Essa identidade, a base do aparecimento, que constitui a lei, é momento próprio dela ... A lei não está, portanto, para além do aparecimento, mas *imediatamente presente* nesse último; o reino das leis é o reflexo *tranquilo* (destaque de Hegel) do mundo existente ou que aparece" ...

NB

Lei = reflexo tranquilo dos aparecimentos
NB

É uma definição notavelmente materialista e notavelmente certeira (da palavra "*ruhige*"*). A lei toma o que é o tranquilo – e por isso a lei, qualquer lei, é estreita, incompleta, aproximada.

"A existência volta à lei como a seu fundamento; o aparecimento contém em si tanto um quanto o outro: o fundamento simples e o movimento resolvente do universo que aparece, cuja essencialidade ele é." "A lei é, portanto, o aparecimento *essencial*" (150).

NB
A lei é o aparecimento essencial
←

* "Tranquilo."

Ergo, a *lei* e a *essência* são conceitos congêneres (da mesma ordem) ou, melhor, do mesmo grau, que exprimem o aprofundamento do conhecimento dos aparecimentos, do mundo etc., pela humanidade.

NB
(A lei é o reflexo do essencial no movimento do universo.)

O movimento do universo nos aparecimentos (*Bewegung des erscheinenden Universums**), na essencialidade desse movimento, é a lei.

Aparecimento, integridade, totalidade)
((lei = parte))

(O aparecimento é mais *rico* que a lei)

"O reino das leis é o conteúdo ***tranquilo*** do aparecimento; o aparecimento é o mesmo conteúdo, mas se expondo numa troca intranquila e como reflexão em outro ... o aparecimento é, por isso, diante da lei, a ***totalidade***, pois ele contém a lei, mas ***também*** [contém] ***ainda mais***: nomeadamente, o momento da forma que se move ela própria" (151).

Porém, adiante, embora não claramente, reconhece-se, parece, p. 154, que a lei pode preencher esta *Mangel***, abarcar também o lado negativo, também a *Totalität der Erscheinung**** (particularmente, 154 i. f.) Retomar!

O mundo em si é idêntico ao mundo dos aparecimentos, mas ao mesmo tempo é oposto a ele (158). Aquilo que em um é positivo em outro é negativo. Aquilo que no mundo dos aparecimentos

* Movimento do universo que aparece.

** Falta.

*** Totalidade do aparecimento.

é mau no mundo em si é bom. Ver – diz Hegel aqui – *Fenomenologia do espírito*, p. 121 ff[24].
"O mundo que aparece é o mundo essencial ... São ambos o todo autônomo da existência; um devia ser apenas a existência refletida, o outro, a existência imediata; mas cada um continua-se em seu outro e é, portanto, em si próprio a identidade desses dois momentos ... Ambos são, primeiro, autônomos, mas só o são como totalidades, e isso só o são na medida em que cada um tem em si essencialmente o momento do outro" ... (159-160).

> O principal aqui é que tanto o mundo dos aparecimentos quanto o mundo em si são *momentos* do conhecimento da natureza pelo ser humano, graus, *modificações* ou aprofundamentos (do conhecimento). O afastamento cada vez maior do mundo em si *do* mundo dos aparecimentos – é o que por enquanto não se vê em Hegel. *NB.* Em Hegel, os "momentos" do conceito não têm o significado dos "momentos" de transição?

... "***Dessa maneira, a lei é a <u>relação essencial</u>.***" (destaque de Hegel).
<A lei é a ***relação***. *NB* isso: para os machianistas e outros agnósticos e para os kantianos etc. A relação das *essências* ou entre as essências.>
"A palavra *mundo* expressa, em geral, a totalidade sem forma da multiplicidade"... (160).
E o 3º capítulo ("*A relação essencial*") começa com a tese: "A verdade do aparecimento é a relação essencial"... (161).

Subdivisões:
A relação do ***todo*** com a ***parte***; essa relação transita para a seguinte (sic!! (p. 168)): – da *força* com sua *manifestação*; – do *interno* e do *externo*. – Transição para a *substância*, a *efetividade*.
... "A verdade da relação consiste, portanto, na *mediação*" ... (167).
"Transição" para a força: "A força é a unidade negativa em que a contradição do todo e das partes se resolveu, a verdade daquela primeira relação" (170).
((Essa é uma das *mil* passagens semelhantes de Hegel que fazem sair de si os filósofos *ingênuos*, como Pearson, autor de *The Grammar of Science*[25]. – Ele cita uma passagem semelhante e se enfurece: são essas as besteiras que ensinam em nossas escolas!! E ele tem razão em *certo* sentido *parcial*. É um absurdo ensinar isso. É preciso primeiro ***descascar*** isso para chegar à dialética materialista. E $\frac{9}{10}$ é casca, lixo.))
A força aparece como "atributo" (*als angehörih**) "da coisa existente ou de uma matéria" ... "Quando, por isso, se pergunta como é que a coisa ou a matéria vêm a ter uma força, esta aparece como exteriormente ligada a elas e *impressa* na coisa por um poder que lhe é estranho" (171).
‖ ... "Isso ocorre ***<u>em todo desenvolvimento natural, científico e espiritual, em geral</u>***, e há essencialmente que reconhecer que o primeiro – na medida em que algo primeiro é só *interiormente* ou também em seu *conceito* – é, precisamente por isso, apenas sua existência imediata, passiva" ... (181).

* Como pertencente.

#

O começo de tudo pode ser encarado como interno – passivo – e, ao mesmo tempo, externo. No entanto, o interessante aqui não é isso, mas outra coisa: o critério da dialética em Hegel que inesperadamente escorrega: "***em todo desenvolvimento natural, científico e espiritual***" – eis onde está o *grão* da verdade profunda na casca mística da hegelianice!

#

Exemplo: o embrião de um ser humano seria apenas o ser humano interior, um *dem Anderssein Preisgegebenes**, um passivo. *Gott*** inicialmente ainda não é espírito. "***Imediatamente, portanto, deus é apenas a natureza***" (182).
(Isso também é característico!!)

Feuerbach[26] *daran "knüpft an"****. De fora *Gott*, resta a ***Natur*******.

* Abandonado ao ser-outro.

** Deus.

*** "Agarra-se" a isso.

**** ***Natureza***.

Terceira seção: *A efetividade*

..."A efetividade é a unidade da essência e da existência" ... (184).
Subdivisões: 1) "***o absoluto***" – 2) a efetividade propriamente dita. "*Efetividade, possibilidade e necessidade* constituem os momentos formais do absoluto." 3) "a relação absoluta": a *substância*.
"Nele próprio" (*dem Absoluten*) "não há qualquer devir" (187) – e outras tontices sobre o *absoluto*...
(!!) o absoluto é o absoluto absoluto...
o atributo é o » relativo ...
Na "observação", Hegel fala (de modo demasiado geral e nebuloso) dos defeitos da filosofia de Espinosa e de Leibniz.

comumente: de um extremo a outro

a totalidade = (na forma da) integralidade dispersa

Entre outros, assinalar:
"À unilateralidade de um princípio filosófico costuma-se opor uma unilateralidade oposta, e, como sempre acontece, surge delas uma totalidade, pelo menos, como uma *integralidade dispersa*" (197).

A *efetividade* está acima do *ser* e da *existência*.

(1) O ser é imediato.	"***O ser ainda não é efetivo***." Ele transita para o outro.
(2) Existência (ela transita para o aparecimento)	– parte do fundamento, das condições, mas nela ainda não há unidade "da reflexão e da imediatidade".
(3) Efetividade	unidade da existência e do ser em si (*Ansichsein*)

... "A efetividade está também acima da existência"... (200).

... "A necessidade real é a relação *com o conteúdo*"... "Essa necessidade, porém, é simultaneamente relativa"... (211).

"A necessidade absoluta é, portanto, a verdade a que retornam a efetividade e a possibilidade em geral, assim como a necessidade formal e real" (215).

(Continuação*)...

(Fim do volume 2 da *Lógica*, *Doutrina da essência*)...

Assinalar que na pequena *Lógica* (*Enciclopédia*) muitas vezes se expõe a mesma coisa mais claramente, com exemplos concretos. Ver idem Engels e Kuno Fischer[27].

A propósito da "possibilidade", Hegel assinala a vacuidade dessa categoria e diz na ***Enciclopédia***: "Se isso é possível ou impossível, depende do conteúdo; ou seja, da totalidade dos momentos da efetividade, que em seu desdobramento se mostra como a necessidade". (*Enciclopédia*, volume 6, p. 287**, § 143, Aditamento.)

"***O conjunto, a totalidade dos momentos da efetividade, que em seu desdobramento*** se mostra como a necessidade." O desdobramento de toda a totalidade dos momentos da efetividade ***NB*** = essência do conhecimento dialético.

* Aqui começa o caderno de Lênin *Hegel. Lógica II* (p. 49-88).

** Hegel, *Werke*, v. 6 (Berlim, Duncker und Humblot, 1840).

Ver na mesma *Enciclopédia*, volume 6, p. 289,
as eloquentes palavras sobre a futilidade do simples encantamento com a riqueza e a alteração dos fenômenos da natureza e também sobre
a necessidade
... "de progredir até uma penetração mais detalhada na harmonia ***interna*** e na ***conformidade da natureza da leis***" ... (289). (***Proximidade do materialismo***.)
Ibidem *Enciclopédia*, p. 292: "A efetividade desenvolvida – como alternância do interior e do exterior que coincidem em unidade, a alternância de seus movimentos opostos que estão reunidos em um único movimento – é a necessidade".
Enciclopédia, volume 6, p. 294: ... "Cega é a necessidade apenas na medida em que não é compreendida" ...
Ibidem, p. 295: "acontece-lhe" ... (*dem Menschen**) "que de sua ação sai algo totalmente diferente do que ele tinha pensado e desejado" ...
Ibidem, p. 301: "A *substância* é um ***estágio*** *essencial no* ***processo de desenvolvimento*** *da ideia*" ...

Leia-se: um estágio essencial no processo de desenvolvimento do *conhecimento humano* da natureza e da *matéria*.

Logik, volume 4**
... "Ela" (*die Substanz*) "é o ser em todo ser" ... (220).
A relação de substancialidade transita para a relação de causalidade (223).

* Ao homem.

** Hegel, *Werke*, v. 4, cit.

... "A substância ... somente como causa tem efetividade" ... (225).

> Por um lado, é preciso aprofundar o conhecimento da matéria até o conhecimento (até o conceito) da substância para encontrar as causas dos aparecimentos. Por outro lado, o conhecimento efetivo da causa é o aprofundamento do conhecimento que vai da exterioridade dos aparecimentos para a substância. Exemplos de um duplo tipo deveriam esclarecê-lo: 1) da história das ciências da natureza e 2) da história da filosofia. Mais precisamente: aqui não devem ser "exemplos" – *comparaison n'est pas raison** –, mas a *quintessência* de uma e de outra história + a história da técnica.

"O efeito ... não contém, em geral, nada que a causa não contenha" ... (226) *und umgekehrt***...

> Causa e consequência, *ergo*, são apenas momentos da interdependência mundial, da conexão (universal), do interencadeamento dos acontecimentos, apenas um elo na cadeia do desenvolvimento da matéria.

* Comparação não é razão.

** E *inversamente*...

O caráter multilateral e abrangente da conexão do mundo, exprimido pela causalidade apenas de modo unilateral, fragmentário e incompleto.
NB:

NB

> "É a mesma coisa que se expõe, uma vez como causa, outra vez como efeito; ali como subsistir peculiar, aqui como ser posto ou determinação em um outro" (227).

"Pode-se ainda anotar aqui que, na medida em que a relação de causa e efeito, apesar de um sentido impróprio, é admitida, o efeito não pode ser maior que a causa, pois o efeito não é senão a manifestação da causa."

na história "causas pequenas de grandes acontecimentos"

E, adiante, sobre a história. Nessa seria usual citar *anedotas* como "causas" pequenas de grandes acontecimentos – de fato, são apenas *pretextos*, apenas *äußere Erregung**, "de que o espírito interno do acontecimento não teria precisado" (230). "Aquela pintura em arabesco da história, que de uma delgada haste faz surgir uma grande figura, é, portanto, uma manifestação espirituosa, mas sumamente superficial" (ibidem).

* Incentivo exterior.

> Esse "espírito interno" – ver Plekhánov[28] – é uma indicação idealista, *mística,* mas muito profunda, das causas históricas dos acontecimentos. Hegel subsume inteiramente a história na causalidade e entende a causalidade de modo mil vezes mais profundo e rico que uma multidão de "sábios" hoje.

"Assim, por exemplo, uma pedra que se move é causa; seu movimento é uma determinação que ela tem, além da qual, porém, ela ainda contém muitas outras determinações – de cor, forma etc. – que não entram em sua causalidade" (232).

> A causalidade, como é por nós habitualmente entendida, é apenas uma partezinha da conexão universal, mas uma partezinha (acréscimo materialista) não da conexão subjetiva, e sim da objetivamente real.

"Mas, por meio do ***movimento*** da *relação* determinada de ***causalidade***, aconteceu agora que a causa não só se extinguiu no efeito – e, com isso, também o efeito, como na causalidade formal –, como a causa, em seu extinguir-se, torna-se de novo efeito, o efeito desaparece na causa, mas igualmente se torna de novo nela. Cada uma dessas determinações supera-se em seu pôr-se e põe-se em seu superar-se; não ocorre um transitar exterior da causalidade de um substrato a outro, mas esse seu tornar-se outro é, simultaneamente, seu pôr-se próprio. A causalidade, portanto, pressupõe--se ou condiciona-se a si própria" (235).

"Movimento da relação de causalidade" = de fato: o movimento da matéria *respective* movimento da história, captado, apropriado em sua *conexão* interna até tal ou qual grau de amplitude ou profundidade...

"Antes de tudo, a ação recíproca expõe-se como uma causalidade mútua de substâncias pressupostas, que se condicionam; cada uma é, diante da outra, simultaneamente substância ativa e substância passiva" (240).

"Na ação recíproca, a causalidade originária expõe-se como um nascer a partir de sua negação, da passividade, e como um perecer nela, como um devir ...

"conexão e relação"

... Necessidade e causalidade desapareceram, portanto, aí; elas contêm, uma e outra, a identidade imediata como **conexão** e **relação** e a **substancialidade**

"unidade da substância no diverso"

absoluta dos **diversos**, por conseguinte, sua absoluta contingência; contêm a unidade originária da diversidade substancial, portanto, a contradição absoluta. A necessidade é o ser *porque* ele é; a unidade do ser consigo próprio, o qual se tem [a si] por *fundamento*; inversamente, porque tem um

relação, mediação

fundamento, ele não é ser, ele é pura e simplesmente apenas *aparência, relação* ou *mediação*. A causalidade é essa transição posta do ser originário, da causa para a aparência ou o mero ser posto, inversamente, do ser-posto para a originariedade; a própria identidade do ser e da aparência, porém, é ainda a necessidade interna. Essa interioridade ou esse ser em si supera o movimento da causalidade; com isso, perde-se a substancialidade dos lados que estão em relação e a necessidade se revela. A necessidade se torna liberdade não pelo fato de desaparecer, mas por sua identidade ainda apenas interior ser manifestada" (241-242).

a necessidade não desaparece ao tornar-se liberdade

Quando se lê Hegel sobre a causalidade, parece estranho à primeira vista por que é que comparativamente ele se deteve pouco nesse tema de predileção dos kantianos. Por quê? Ora, porque, para ele, a causalidade é apenas *uma* das determinações da conexão universal, que ele já apreendeu muito mais profunda e multilateralmente antes, em *toda* sua exposição, sublinhando *sempre* e desde o princípio essa conexão, as transições recíprocas etc. etc. Seria muito instrutivo comparar as "***tentativas*** vãs" do neoempirismo (*respective* do "idealismo físico") com as soluções, ou melhor, com o método dialético de Hegel.

Assinalar ainda que na ***Enciclopédia*** Hegel sublinha a insuficiência e a futilidade do conceito *nu e cru* de "ação recíproca".
Volume 6, p. 308*:
"Ora, a ação recíproca é, sem dúvida, precisamente a verdade mais próxima da relação de causa e efeito e mantém-se, por assim dizer, no limiar do conceito; contudo, justamente por isso, não podemos nos contentar com a aplicação dessa relação quando se trata do conhecimento que concebe.

* Hegel, *Werke*, v. 6, cit.

apenas "ação recíproca" = vazio

Caso se permaneça aí, para se considerar um conteúdo dado meramente sob o ponto de vista da ação recíproca, esse é, de fato, um comportamento por inteiro desprovido de conceito; trata-se, então, meramente de um fato seco, e a exigência de mediação – aquilo de que antes de tudo se trata na aplicação da relação de causalidade – permanece de novo insatisfeita. O insuficiente na aplicação da relação da ação recíproca consiste – considerado mais de perto – em que essa relação, em vez de poder valer como um equivalente do conceito, quer antes ela própria ser primeiro concebida. E isso acontece porque seus dois lados não são deixados como um imediatamente dado, mas – tal como foi mostrado nos dois parágrafos precedentes – são conhecidos como momentos de um terceiro, mais elevado, precisamente o conceito. Se considerarmos, por exemplo, os costumes do povo espartano como efeito de sua constituição e esta, inversamente, como efeito dos costumes dele, essa consideração pode em todo caso ser correta, **mas essa concepção não confere por isso qualquer satisfação última**, porque, de fato, por meio dela, nem a constituição nem os costumes desse povo são concebidos, o que só pode acontecer pelo fato de aqueles dois lados – e igualmente todos os demais lados particulares – que mostram a vida e a história do povo espartano serem conhecidos como fundados nesse conceito" (308-309).

a exigência da mediação da (conexão), é disso que se trata a aplicação da relação de causalidade

NB

todos os "lados particulares" e o todo ("*Begriff*")

No fim do segundo livro da *Lógica**, *volume 4*, ***p. 243***, na transição ao "conceito", dá-se a definição: "conceito, o reino da subjetividade ou da liberdade"...

NB Liberdade = subjetividade ("ou") objetivo, consciência, aspiração NB

* Isto é, no fim de *A doutrina da essência*. (N. E.)

Volume 5. Ciência da lógica
Parte 2. *A lógica subjetiva ou a doutrina do conceito*
Sobre o conceito em geral

Nas duas primeiras partes, eu não tinha *Vorarbeiten**, mas aqui, pelo contrário, tenho um "*verknöchertes Material*"**, que é preciso "*in Flüssigkeit bringen*"... *** (3)****.

"Ser e essência são os momentos do devir dele (= *des Begriffes******)" (5).

Inverter: conceitos são produto superior do cérebro, produto superior da matéria.

"A lógica objetiva, que considera o *ser* e a *essência*, constitui, portanto, propriamente a *exposição genética do conceito*" (6).

9-10: A grande importância da filosofia de Espinosa como filosofia da substância (esse ponto de vista é muito *elevado*, mas incompleto, não é o mais elevado: em geral, refutar um sistema filosófico não significa jogá-lo fora, mas o desenvolver mais, não o substituir por outro, unilateral, oposto, mas o incluir em algo mais elevado). No sistema de Espinosa, não existe um sujeito livre, autônomo, consciente (falta "*liberdade e autonomia do sujeito autoconsciente*"),

* Trabalhos preliminares.

** "Material ossificado."

*** "Tornar fluido."

**** Hegel, *Werke*, v. 5 (Berlim, Duncker und Humblot, 1834).

***** Do conceito.

mas também em Espinosa um atributo da substância é o ***pensamento*** (10 i. f.).
13 i. f.: De passagem – assim como antes foi moda na filosofia "*das Schlimme nachzusagen*" *der Einbildungskraft und dem Gedächtnisse**, agora o é diminuir a importância do "conceito" (= "*das höchste des Denkens*"**) e exaltar "*das Unbegreifliche*"*** <alusão a Kant?>
Passando à crítica do ***kantismo***, Hegel considera grande mérito deste (15) a apresentação da ideia da "unidade transcendental da apercepção" (unidade da consciência, na qual se forma o *Begriff*), mas acusa Kant de ***unilateralidade*** e ***subjetivismo***:
... "Tal como ele" (*der Gegenstand*****) ... "está no pensamento, só assim ele está em e para si; tal como está na intuição ou na representação, ele é o aparecimento" ... (16). (Hegel *eleva* o idealismo de Kant de subjetivo a objetivo e absoluto)...
Kant reconhece a objetividade dos conceitos (a *Wahrheit****** é objeto deles), mas os deixa todos, porém, como subjetivos. Faz preceder o entendimento (*Verstand*) de *Gefühl und Anschauung*******. Sobre isso, Hegel diz:
"Ora, no que diz respeito, em primeiro lugar, àquela relação do entendimento ou do conceito com os estágios que lhes estão pressupostos, isso depende da ciência que for abordada para determinar a forma

da intuição ao conhecimento da realidade objetiva...

* "Dizer o pior" da imaginação e da memória.

** "O cume do pensamento."

*** "*O inconcebível.*"

**** O objeto.

***** Verdade.

****** Sentimento e intuição.

daqueles estágios. Em nossa ciência, como lógica pura, esses estágios são *ser* e *essência*. Na psicologia, o *sentimento*, a *intuição* e, depois, a *representação*, em geral, precedem o entendimento. A fenomenologia do espírito, como doutrina da consciência, alcança o entendimento mediante os estágios da consciência sensível e, depois, da percepção" (17). Em Kant, a exposição disso é muito "incompleta".

Depois – o **PRINCIPAL** –

"Véspera" da transformação do idealismo objetivo em materialismo

... "E aqui ... considera-se o conceito não como ato do entendimento consciente de si, como entendimento subjetivo, mas o conceito em e para si, o qual constitui **TANTO UM ESTÁGIO DA NATUREZA COMO DO ESPÍRITO, A VIDA OU A NATUREZA ORGÂNICA É ESSE ESTÁGIO DA NATUREZA DO QUAL O CONCEITO SOBRESSAI**" (18).

Adiante, segue-se uma passagem muito interessante (p. 19-27), *na qual Hegel refuta* ***justamente a epistemologicidade*** *de Kant* (é provável que Engels tivesse em vista justamente esta passagem no *Ludwig Feuerbach**, em que escreveu que o *principal* contra Kant já tinha sido dito por Hegel, tanto quanto isso é possível do ponto de vista idealista[29]), desmascarando a dualidade, a inconsequência de Kant, por assim dizer, suas vacilações entre o empirismo (= materialismo) e o idealismo, sendo que Hegel conduz essa argumentação ***inteira e exclusivamente*** do ponto de vista de um idealismo ***mais consequente***.

* Referência a *Ludwig Feuerbach e o fim da filosofia clássica alemã*, publicado no Brasil em Karl Marx e Friedrich Engels, *Obras escolhidas*, v. 3 (Rio de Janeiro, Vitória, 1963). (N. E.)

<*Begriff* ainda não é o conceito superior: ainda superior é a *ideia* = unidade do *Begriff* e da realidade.>
"'É apenas um conceito', costuma-se dizer, quando se [lhe] contrapõe não apenas a ideia, mas a existência palpável, sensível, espacial e temporal, como algo que fosse mais excelente que o conceito. Considera-se, então, o abstrato como menor que o concreto, porque nele haveria sido deixada de lado muito dessa matéria. O abstrair, segundo essa opinião, tem a significação de que, apenas *para nosso uso subjetivo*, foi tirado do concreto um ou outro caráter, de tal modo que, ao se deixarem de lado tantas outras propriedades e qualidades do objeto, nada lhe seria cortado quanto a seu valor ou sua dignidade; elas, como o real, continuam como algo com plena validade, mas [são] deixadas além do outro lado; de tal modo que seria apenas *incapacidade* do entendimento não recolher semelhante riqueza e ter de se contentar com a indigente abstração. Ora, se a matéria dada da intuição e o diverso da representação são tomados, diante do pensado e do conceito, como o real, essa é uma perspectiva cujo abandono é não só condição do filosofar, mas até algo pressuposto pela religião; como são possíveis uma precisão nela e um sentido dela, se o aparecimento fugidio e superficial do sensível e do singular ainda é tido como verdade? ... O pensamento abstrativo não é, portanto, de considerar como mero deixar de lado da matéria sensível – a qual, por esse fato, não sofreria qualquer prejuízo em sua realidade; ele é, antes, o superar e a redução dela [dessa matéria sensível], como mero aparecimento, ao essencial, o qual apenas no conceito se manifesta" (19-21).

Kant menospreza a força do entendimento

O idealista mais consequente agarra-se a ***deus***!

No essencial, Hegel tem toda a razão contra Kant. O pensamento, subindo do concreto ao abstrato, não se afasta – se ele é *correto* (NB) (e Kant, como todos os filósofos, fala do pensamento correto) – ***da*** verdade; antes, aproxima-se dela. A abstração da *matéria*, da *lei* da natureza, a abstração do *valor* etc., resumindo, *todas* as abstrações científicas (corretas, sérias, não absurdas) refletem a natureza mais profundamente, mais fielmente, ***mais completamente***. Da intuição viva ao pensamento abstrato *e dele à prática* – é esse o caminho dialético do conhecimento da *verdade*, do conhecimento da realidade objetiva. Kant rebaixa o saber para limpar o terreno para a fé: Hegel eleva o saber, asseverando que o saber é o saber de deus. O materialista eleva o saber da matéria, da natureza, jogando na fossa deus e a corja filosófica que o defende.

"Um mal-entendido principal que aqui reina é o de que o princípio natural ou o começo, do qual se parte no desenvolvimento natural ou na história do desenvolvimento do indivíduo, é o verdadeiro e o primeiro também no conceito" (21). (– É certo que os homens começam *daqui*, mas a *verdade* reside não no começo, mas no fim, ou melhor, na continuação. A verdade não é a impressão *inicial*) ... "Mas a filosofia não deve ser nenhuma narrativa daquilo que acontece, e sim um conhecimento daquilo que, nisso, é *verdadeiro*" (21).

Em Kant, "idealismo psicológico": em Kant, as categorias "são *apenas* determinações que provêm da autoconsciência" (22). Elevando-se do entendimento

(*Verstand*) à razão (*Vernunft*), Kant rebaixa o significado do pensamento, negando-lhe a capacidade de "chegar à verdade completa".
"É explicado" (por Kant) "como um mau uso da lógica se ela, que deve ser meramente um *cânone do julgamento*, for encarada como um *órganon* para a produção de perspectivas *objetivas*. Os conceitos da razão – nos quais tinha que se esperar uma força superior (frase idealista!) e um conteúdo mais profundo (***correto!!***) – já não têm nada *Konstitutives** <seria preciso dizer: *Objektives***>, como as categorias ainda tinham; são *meras* ideias; é certo que deve ser totalmente permitido utilizá-las, mas essas essências inteligíveis, nas quais toda a verdade deveria abrir-se por completo, não devem significar mais que *hipóteses*, às quais seria um completo arbítrio e temeridade atribuir uma verdade em e para si, uma vez que elas *não podem ocorrer em experiência nenhuma*. – Alguma vez teria sido possível pensar que a filosofia iria negar a verdade às essências inteligíveis porque elas carecem da matéria espacial e temporal da sensibilidade?" (23).

E Hegel também aqui tem *razão* quanto ao fundo: o *valor* é uma categoria que está *entbehrt des Stoffes der Sinnlichkeit****, mas ele é ***mais verdadeiro*** que a lei da procura e da oferta. Porém, Hegel é idealista: daí o absurdo: "***Konstitutives***" etc.

* *De constitutivo.*

** De objetivo.

*** Privada da matéria da sensibilidade.

Kant, por um lado, reconhece com toda a clareza a "***objetividade***" do pensamento ("*des Denkens*") ("uma identidade do conceito e da coisa") – por outro lado

Hegel a favor da cognoscibilidade das coisas em si NB

"Por outro lado, também se afirma de novo que nós não podemos, todavia, conhecer as coisas tal como são em e para si e que a verdade é inacessível à razão cognoscente; que aquela verdade – que consiste na unidade do objeto e do conceito – seria, todavia, apenas aparecimento; e isso, sem dúvida, de novo pela razão de que o conteúdo é apenas o diverso da intuição. Já se recordou aqui que é antes no conceito que essa diversidade, na medida em que pertence à intuição em oposição ao conceito, é superada e que o objeto é reconduzido, por meio do conceito, a sua essencialidade não contingente; esta entra no aparecimento, e precisamente por isso o aparecimento não é meramente algo desprovido de essência, mas manifestação da essência" (24-25).

o aparecimento é manifestação da essência

"Será ... assinalado como algo digno de assombro como a filosofia de Kant reconhecia aquela relação do pensamento com a existência sensível, da qual não ia adiante, como uma relação apenas relativa do mero aparecimento, e como reconhecia e exprimia muito bem uma unidade superior de ambos na ideia em geral e, por exemplo, na ideia de um entendimento intuitivo; no entanto, ela permanecia naquela relação relativa e na afirmação de que o conceito está e permanece separado pura e simplesmente da realidade – com isso, afirmava como *verdade* aquilo que exprimia como conhecimento finito e declarava redundante, ilícito e coisa do pensamento aquilo que reconhecia como *verdade* e cujo conceito determinado estabelecia."

NB

NB

NB

Na lógica, a *ideia* “torna-se a criadora da natureza” (26). || !!Ha-ha!
A lógica é a “ciência formal” *em oposição* às ciências concretas (da natureza e do espírito), mas seu objeto é “a verdade pura” ... (27).
O próprio Kant, ao perguntar o que é a verdade (*Crítica da razão pura*, p. 83) e ao dar uma resposta trivial (“a concordância do conhecimento com seu objeto”), bate em si mesmo, pois a “afirmação fundamental do idealismo transcendental” é que

- “O conhecimento racional não está capacitado para apreender as coisas em si” (27)
- e seria claro que tudo isso são “representações não verdadeiras” (28).

Ao se voltar contra uma concepção puramente formal da lógica (que também existiria em Kant), ao dizer que do ponto de vista habitual (a verdade é a concordância <“*Übereinstimmung*”> do conhecimento com o objeto) para a concordância “são essencialmente dois” (29), Hegel está dizendo que o formal na lógica é a “verdade pura” e que ... “esse formal tem, por isso, de ser pensado como sendo em si muito mais rico em determinações e conteúdo, bem como tendo uma eficácia infinitamente maior sobre o concreto, do que habitualmente se considera” ... (29).

... “Mesmo que nas formas lógicas não se visse mais que funções formais do pensamento, elas ainda assim seriam dignas da investigação de em que medida correspondem por si à verdade. Uma lógica que não se ocupa disso pode, quando muito, reivindicar o valor de *uma descrição histórico-natural dos aparecimentos do pensamento* tal como eles se

?

?

encontram" (30-31). (Nisso residiria o mérito imortal de Aristóteles), mas "é preciso ir mais longe" ... (31).

Nessa concepção a lógica coincide com a ***teoria do conhecimento***. É, de maneira geral, uma questão muito importante.

Assim, não é apenas uma descrição das *formas* do pensamento e não apenas uma ***descrição histórico-natural dos aparecimentos*** do pensamento (em que isso se distingue da descrição das formas??), mas ainda a ***correspondência com a verdade***, ou seja??, a quintessência ou, mais simplesmente, os resultados e os produtos da história do pensamento?? Em Hegel, há aqui falta de clareza idealista e algo por dizer. *Mística*.
<*Não* é psicologia, *não* é fenomenologia do espírito, ***mas*** lógica = uma questão sobre a verdade.>

As leis gerais do *movimento* do ***mundo*** e do ***pensamento*** ↓

Ver *Enciclopédia*, volume 6, p. 319*: "Porém, elas" (*die logische Formen***) "são, inversamente, como formas do conceito constituem *o espírito vivo do efetivo*"...

NB

O *Begriff*, em seu desenvolvimento para "*adäquater Begriff*"***, torna-se ideia (33)****. "O conceito em sua objetividade é a própria coisa sendo em si e para si" (33).

= objetivismo + mística e traição ao desenvolvimento.

* Hegel, *Werke*, v. 6 (Berlim, Duncker und Humblot, 1840).

** As formas lógicas.

*** "Conceito adequado."

**** Hegel, *Werke*, v. 6, cit.

Primeira seção: A subjetividade

O movimento dialético do "conceito" – do conceito puramente "formal" no começo – em direção ao *juízo* (*Urteil*), depois, ao silogismo (*Schluβ*) e, finalmente, à transformação da subjetividade do conceito em sua *objetividade* (34-35)*.
Primeiro traço distintivo do conceito – *universalidade* (*Allgemeinheit*). NB: O conceito proveio da *essência*, que proveio do *ser*.
O desenvolvimento posterior do universal, do particular (*Besonderes*) e do singular (*Einzelnes*) é abstrato e "***abstrus***" no mais alto grau.

*En lisant... These parts of the work should be called: a best means for getting a headache!***

Kuno Fischer expõe essas considerações "abstrusas" muito mal, tomando o que é *mais fácil* – exemplos da ***Enciclopédia*** –, acrescentando banalidades (contra a Revolução Francesa. Kuno Fischer, volume 8, 1901, p. 530) etc., mas sem indicar ao leitor *como* procurar a chave para as difíceis transições, os matizes, os fluxos e refluxos dos conceitos abstratos de Hegel.

* Idem.

** Ao ler... Essas partes da obra deveriam chamar-se: o melhor meio para arranjar uma dor de cabeça!

Ou isso é *mesmo* um tributo à velha lógica formal? Sim! e ainda um tributo, um tributo ao misticismo = idealismo

> Visivelmente, também aqui o principal para Hegel é *apontar as* ***transições***. De certo ponto de vista, em condições específicas, o universal é o singular, o singular é o universal. Não só 1) a *conexão*, e a conexão inseparável, de todos os conceitos e juízos, mas 2) as *transições* de um a outro, e não só as transições, mas também 3) a *identidade dos opostos* – eis o que para Hegel é o principal. No entanto, isso apenas "transparece" através das **brumas** da exposição arqui-"*abstrus*". A história do pensamento do ponto de vista do desenvolvimento e da aplicação dos conceitos e das categorias gerais da lógica – *voilà ce qu'il faut***!

Voilà uma abundância de "determinações" e *Begriffsbestimmungen** desta parte da *Lógica*!

Citando na p. 125 o "célebre" silogismo "todos os homens são mortais, Caio é homem, portanto, é mortal" – Hegel acrescenta, espirituosamente: "Cai-se logo no tédio tão logo se ouve esse silogismo" – isso decorreria da "forma inútil" – e faz uma observação profunda: "Todas as coisas são um *silogismo*, um universal que por meio da particularidade se encadeia com a singularidade; mas, decerto, não são todos que consistem em *três proposições*" (126).

certo!

NB "Todas as coisas são ***silogismos***"... ***NB***

> Muito bom! As "figuras" lógicas mais comuns (tudo isso no § sobre a "primeira figura do silogismo") são, didaticamente arrastadas, *sit venia verbo****, as relações mais comuns das coisas.

* Determinações conceituais.

** Eis o que é preciso.

*** Se assim se pode dizer.

A análise dos silogismos em Hegel (E.–B.–A., *Eins*; *Besonderes*; *Allgemeines**, B.–E.–A. etc.) lembra a imitação de Hegel por Marx no capítulo 1[30].

Sobre Kant

Entre outras:
"As antinomias da razão, de Kant, não são mais que isto: em um caso, põe-se como base de um conceito uma determinação dele, mas, em outro, de modo igualmente necessário, põe-se outra" ... (128-129).

A formação de conceitos (abstratos) e as operações com eles *já* incluem em si a representação, a convicção, a ***consciência*** da conformidade a leis da conexão objetiva do mundo. Separar a causalidade dessa conexão é absurdo. Negar a objetividade dos conceitos, a objetividade do universal no individual e no particular é impossível. Hegel é muito mais profundo e consequente que Kant e outros ao investigar o reflexo do movimento do mundo objetivo no movimento dos conceitos. Como a forma simples do valor, o ato isolado da troca de dada mercadoria por outra já inclui em si, em forma não desenvolvida, *todas* as principais contradições do capitalismo; assim, a mais simples *generalização*, a primeira e mais simples formação de *conceitos* (juízos, silogismos etc.) significa o conhecimento cada vez mais profundo, por parte do ser humano, da conexão *objetiva* com o mundo. Aqui é preciso procurar o verdadeiro sentido, o significado e o papel da *Lógica* de Hegel. NB isso.

Seria preciso voltar a Hegel para analisar passo a passo qualquer lógica corrente ***e a teoria do conhecimento*** de um kantiano etc.

NB: *Umkehren***.
Marx *aplicou* a dialética de Hegel em sua forma racional à economia política

NB
Sobre a questão do verdadeiro significado da *Lógica* de Hegel

* Singular [um]; particular; universal.

** Inverter.

Sobre a crítica do moderno kantismo, do machianismo etc.:

Dois aforismos:

1. Plekhánov critica o kantismo (e o agnosticismo em geral) a partir de um ponto de vista mais materialista vulgar que materialista dialético, *na medida* em que apenas *a limine** *rejeita* seus raciocínios, sem *corrigir* esses raciocínios (como Hegel corrigira Kant), aprofundando-os, generalizando-os, alargando-os, mostrando a ***conexão*** e as ***transições*** de todos e cada um dos conceitos.
2. Os marxistas criticaram (no início do século XX) os kantianos e os humistas mais à maneira de Feuerbach (e de Büchner) que de Hegel.

NB

..."Uma experiência que repousa sobre a indução é admitida como válida, *apesar* de a percepção *não estar completa* na medida conveniente; só se pode admitir, porém, que não é possível dar qualquer instância contra aquela experiência, na medida em que ela é verdadeira em si e para si" (154).

Esta passagem no §: "Silogismo da indução". A verdade mais simples, obtida pela via mais simples, indutiva, é **sempre** incompleta, pois a experiência é sempre inacabada. *Ergo*: conexão da indução com a analogia – com a *presunção* (previsão científica), a relatividade de qualquer saber e o conteúdo absoluto em cada passo adiante do conhecimento.

* Liminarmente.

Aforismo: É impossível compreender completamente *O capital*, de Marx, sobretudo o capítulo 1, sem ter estudado a fundo e sem ter compreendido *toda* a *Lógica* de Hegel. Como consequência, meio século depois, nenhum marxista compreendeu Marx!!

A ***transição*** do silogismo por analogia (sobre a analogia) ao silogismo sobre a necessidade; do silogismo por indução ao silogismo por analogia; do silogismo que parte do universal para chegar ao particular ao silogismo que parte do particular para chegar ao universal – a exposição da ***conexão*** e das ***transições*** <a conexão são justamente as transições>, eis a tarefa de Hegel. Hegel *demonstrou* de fato que as formas e as leis lógicas não são uma casca vazia, mas *reflexo* do mundo objetivo. Mais corretamente, não demonstrou, e sim *adivinhou genialmente*.

|| aforismo.

Na ***Enciclopédia***, Hegel observa que a divisão em *entendimento* e *razão*, em ***conceitos*** deste e daquele tipo, deve ser entendida de modo

"que seja um fazer nosso: ou permanecer meramente na forma abstrata e negativa do conceito, ou apreendê-lo, segundo sua verdadeira natureza, como ao mesmo tempo positivo e concreto.

|| conceitos abstratos e concretos

É o que acontece, por exemplo, no mero conceito do entendimento da liberdade, quando ela é considerada o oposto abstrato da necessidade, enquanto, pelo contrário, o conceito verdadeiro e racional

|| liberdade e necessidade

da liberdade contém em si a necessidade como superada" (p. 347-348, v. 6)*.

Ibidem p. 349: *Aristóteles* descreveu as formas lógicas com tal plenitude que "em essência" nada haveria a acrescentar.

Normalmente, encaram-se as "figuras do silogismo" como formalismo vazio. "Elas" (essas figuras) "têm, porém, um sentido muito profundo que repousa sobre a necessidade de *cada momento*, como determinação de conceito, se tornar ele próprio o todo e o *fundamento mediador*" (352, v. 6).

Enciclopédia (v. 6, p. 353-354):

NB "O sentido objetivo das figuras do silogismo é, em geral, o de que todo o racional se mostra como um silogismo tríplice, e decerto de tal modo que cada um de seus membros ocupa tanto o lugar de extremo como o do termo médio mediador. É esse, nomeadamente, o caso dos três membros da ciência filosófica, ou seja, da ideia lógica, da natureza e do

NB espírito. Aqui, antes de tudo, a natureza é o termo médio, o membro que encadeia conjuntamente. A natureza, essa totalidade imediata, desdobra-se nos dois extremos da ideia lógica e do espírito". +

* Hegel, *Werke*, v. 6, cit.

"A natureza, essa totalidade imediata, desdobra-se na ideia lógica e no espírito." A lógica é a doutrina do conhecimento. É a teoria do conhecimento. O conhecimento é o reflexo da natureza pela humanidade. Mas não é um reflexo simples, não é imediato, não é completo, mas o processo de uma série de abstrações, da formação, da constituição dos conceitos, das leis etc., e precisamente esses conceitos, essas leis etc. (pensamento, ciência = "ideia lógica") *abarcam* ainda, condicional e aproximadamente, a conformidade universal a leis da natureza em perpétuo movimento e desenvolvimento. Aqui há *de fato*, de modo objetivo, **três** membros: 1) a natureza; 2) o conhecimento humano = o **cérebro** humano (como produto superior dessa mesma natureza); e 3) a forma do reflexo da natureza no conhecimento humano, e essa forma são justamente os conceitos, as leis, as categorias etc. Um homem não pode abarcar = refletir = representar a natureza *toda*, inteiramente, sua "totalidade imediata", pode apenas *perpetuamente* se aproximar disso, criando abstrações, conceitos, leis, um quadro científico do mundo, e assim por diante.

NB: <Hegel "apenas" deifica essa "ideia lógica", a conformidade a leis, a universalidade>

+ "Mas o espírito só é espírito na medida em que está mediado pela natureza" ... "É justamente o espírito que conhece na natureza a ideia lógica e, dessa maneira, eleva a natureza a sua essência" ... "A ideia lógica é 'a substância absoluta do espírito tal como da natureza, o universal, aquilo que tudo penetra'" (353-354).

NB:

A propósito da analogia, uma observação certeira: "É o **instinto** da razão que faz pressentir que esta ou aquela determinação empiricamente encontrada esteja fundada na **natureza interna** ou no gênero de um objeto e que ao fim se baseia nisso" (357). (v. 6, p. 359.)

<Contra si mesmo!>

E p. 358: o legítimo desprezo pela filosofia da natureza seria provocado por um jogo fútil de analogias *vazias*.

Na lógica* habitual, separam-se de modo formalista o pensamento e a objetividade:
"O pensamento passa aqui por uma atividade meramente subjetiva e formal, e o que é objetivo, em oposição ao pensamento, por algo firme e existente por si. Porém, esse dualismo não é verdadeiro, e é sem sentido tomar de maneira tão simples as determinações de subjetividade e objetividade, sem perguntar sobre sua proveniência" ... (359-360). De fato, a subjetividade é apenas um grau do desenvolvimento a partir do ser e da essência – e depois essa subjetividade "dialeticamente 'rompe sua limitação'" e "abre-se à objetividade, por meio do silogismo" (360).

Muito profundo e inteligente! As leis da lógica são reflexo do objetivo na consciência subjetiva do ser humano.

* No manuscrito, a palavra "lógica" está ligada por uma seta à palavra "aqui" da citação seguinte de Hegel.

Volume 6, p. 360:
O "conceito realizado" é o objeto.
Essa transição do sujeito, do conceito, ao objeto parece algo "estranha", mas por objeto se deve entender não simplesmente o ser, e sim algo definido, "um concreto em si mesmo, completo, autônomo" ... (361).

"O mundo é o ser outro da ideia."

A subjetividade (ou o conceito) e o objeto – *são o mesmo* e *não o mes*mo... (362).

Sobre o argumento ontológico, sobre deus – disparate!

... "Está errado considerar subjetividade e objetividade como uma oposição firme e abstrata. Ambas são pura e simplesmente dialéticas" ... (367). ‖ NB

Segunda seção: A objetividade

(*Lógica*) **5, 178***:

objetividade

O significado duplo da objetividade: ... "para a objetividade aparece também a dupla significação de estar diante do conceito autônomo, mas também de ser aquilo que é em e para si" ... (**178**).

conhecimento do objeto

... "O conhecimento da verdade é posto nisto: conhecer o objeto tal como ele é, objeto livre de acréscimo da reflexão subjetiva" ... (**178**).

> Observações sobre o "mecanismo" – adiante – extremamente *abstrus* e por pouco não são um completo disparate.
> Adiante, idem sobre o *quimismo*, os estágios do "juízo" etc.

O parágrafo intitulado **"*A lei*"** (198-199) não dá aquilo que se poderia esperar de Hegel sobre uma questão tão interessante. É estranho, por que a "lei" está relacionada a "mecanismo"?

esta aproximação é muito importante

O conceito de *lei* se aproxima aqui dos conceitos: "ordem" (*Ordnung*), uniformidade (*Gleichförmigkeit*); necessidade; "alma" *der objektiven Totalität***; "princípio do automovimento".

* Hegel, *Werke*, v. 5, cit.

** Da totalidade objetiva.

Tudo isso do ponto de vista de que o mecanismo seria um ser outro do espírito, do conceito etc., da alma, da individualidade... Um jogo de analogias vazias, evidentemente!

Anotar, na p. 210 encontra-se o conceito "*Naturnotwendigkeit*"* – "tanto um quanto o outro, o mecanismo e o quimismo, são abrangidos, portanto, no conceito de necessidade natural" ... (pois aqui vemos "sua" (*des Begriffs*) "imersão na exterioridade" (ibidem)).

"natureza = imersão do conceito na exterioridade" (ha-ha!)

"Foi recordado que a oposição entre teleologia e mecanismo é, antes de tudo, a oposição mais geral entre liberdade e necessidade. Kant apresentou a oposição nessa forma sob as antinomias da razão e, de fato, como o terceiro conflito das ideias transcendentais" (213).

liberdade e necessidade

Repetindo resumidamente os argumentos de Kant a favor da tese e da antítese, Hegel observa a futilidade desses argumentos e chama atenção para aquilo a que se resume o raciocínio de Kant:

"A resolução kantiana dessa antinomia é a mesma que a resolução geral das demais; a de que, nomeadamente, a razão não pode provar nem uma nem outra proposição, porque nós não podemos ter *a priori* nenhum princípio determinante da possibilidade das coisas segundo leis meramente empíricas da natureza; a de que, portanto, além disso, ambas [as proposições] precisam ser encaradas

Hegel contra Kant (sobre a liberdade e a necessidade)

* "Necessidade natural."

não como proposições objetivas, mas como máximas subjetivas; a de que, por um lado, eu devo sempre refletir a respeito dos acontecimentos naturais segundo o princípio do mero mecanismo natural, mas que isso não impede de, proporcionando-se o ensejo, seguir a pista de algumas formas naturais segundo outra máxima, nomeadamente, segundo o princípio das causas finais; como se essas duas máximas, que de resto só devem ser precisas para a razão humana, não estivessem na mesma oposição em que aquelas proposições se encontram. Como foi notado anteriormente, de tal ponto de vista não se investiga apenas aquilo que o interesse filosófico exige, a saber: qual dos dois princípios tem em si e por si verdade; e sob esse olhar não faz qualquer diferença se os princípios deveriam ser considerados objetivos, o que aqui significa: determinações exteriormente existentes – ou como meras máximas de um conhecimento subjetivo; é antes esse ***conhecimento subjetivo, ou seja, contingente***, que, ***conforme a situação***, aplica uma ou outra máxima, na medida em que ele as considera convenientes para dados objetos, não perguntando, no mais, pela verdade dessas próprias determinações, sejam elas determinações dos objetos, sejam do conhecimento" (215-216).

Bien!

Hegel:	***Dialética materialista:***
"O fim revelou-se, em relação ao mecanismo e ao quimismo, como o *terceiro* termo; é a verdade deles. Na medida em que ele próprio ainda está no interior da esfera da objetividade ou da imediatidade do conceito total, segue afetado pela exterioridade como tal e tem um mundo objetivo diante de si, com o qual ele se liga. Por esse lado, a causalidade mecânica – na qual há que incluir também, em geral, o quimismo – aparece ainda nessa relação de finalidade que é a [relação de finalidade] exterior, mas como subordinada a ela, como superada em e por si" (216-217).	As leis do mundo exterior, da natureza, divididas em ***mecânicas*** e ***químicas*** (isso é muito importante), são a base da atividade humana *conforme a fins*. O ser humano em sua atividade prática tem diante de si o mundo objetivo, depende dele, determina por ele sua atividade. Por esse lado, pelo lado da atividade prática humana (que coloca fins), a causalidade mecânica (e química) do mundo (da natureza) aparece como se fosse algo *exterior*, de segunda ordem, oculto.
... "A natureza da subordinação das duas formas anteriores do processo objetivo decorre daqui; o outro, que nelas se encontra em progresso infinito, é o conceito que lhes é, antes de tudo, posto como exterior, o qual é fim; não só o conceito é a substância delas, mas também a exterioridade é o momento que lhes é essencial, o momento constituinte da determinidade delas. A técnica mecânica ou química, por ter seu caráter exteriormente determinado, oferece-se assim por si à ligação de finalidade, que deve agora ser considerada em mais detalhe" (217).	2 formas do processo ***objetivo***: a natureza (mecânica e química) e a atividade humana que lhe estabelece os *fins*. Correlação dessas formas. Os fins do ser humano inicialmente parecem estranhos ("outros") em relação à natureza. A consciência humana, a ciência ("*der Begriff*"), reflete a essência, a substância da natureza, mas ao mesmo tempo essa consciência é exterior em relação à natureza (não coincidindo imediata nem simplesmente com ela). A TÉCNICA MECÂNICA E QUÍMICA serve os fins humanos precisamente porque seu caráter (essência) consiste em sua determinação pelas condições exteriores (as leis da natureza).

((***TÉCNICA*** e mundo ***OBJETIVO***. ***TÉCNICA*** e ***FINS***))

... "Ele" (*der Zweck**) "tem diante de si um mundo objetivo, mecânico e químico, com o qual sua atividade se liga como com algo dado" ... (219-220). "Assim, ele tem ainda uma existência verdadeiramente extramundana, na medida em que, nomeadamente, aquela objetividade está diante dele" ... (220).

De fato, os fins de um ser humano são gerados pelo mundo objetivo e pressupõem a existência deste – encontram-no como dado, existente. No entanto, ao homem *parece* que seus fins são tomados de fora do mundo, são independentes do mundo ("liberdade"). ((NB: Tudo isso no § sobre o "fim subjetivo" NB)) (217-221).

"O fim encadeia-se conjuntamente, por um meio, com a objetividade e, nesta, consigo próprio" (221, § "O meio").

germes do materialismo histórico em Hegel

"Na medida em que o fim [*Zweck*] é finito [*endlich*], tem, além disso, um conteúdo finito; de acordo com isso, ele não é um absoluto nem pura e simplesmente um em si e para si racional. O meio, porém, é o termo médio exterior do silogismo, o qual é a consumação do fim; no meio, anuncia-se, portanto, a racionalidade como tal, que se conserva nesse outro exterior e, justamente, por meio dessa exterioridade.

* O fim.

Nessa medida, o meio é algo superior aos fins finitos da conformidade a fins exterior; o arado é mais honroso que imediatamente o são as fruições que por ele são preparadas, e que são fins. O utensílio se conserva, enquanto as fruições imediatas perecem e são esquecidas. **EM SEUS UTENSÍLIOS O HOMEM DETÉM PODER SOBRE A NATUREZA EXTERIOR, AINDA QUE, QUANTO A SEUS FINS, ELE LHE ESTEJA ANTES SUBMETIDO**" (226).

Hegel e o materialismo histórico NB

*Vorbericht**, ou seja, prefácio do livro, datado: Nuremberg. 21.VII.1816.

Isto no §: "O fim efetuado"

O MATERIALISMO HISTÓRICO COMO UMA DAS APLICAÇÕES E UM DOS DESENVOLVIMENTOS DE IDEIAS GENIAIS; SEMENTES EXISTENTES EM EMBRIÃO EM HEGEL.

"O processo teleológico é a tradução do conceito (sic!), que existe distintamente como conceito na objetividade" ... (227).

* Preâmbulo.

NB

Quando Hegel se esforça – às vezes até se esbaforir – por incluir a atividade do homem conforme os fins nas categorias da lógica, dizendo que essa atividade é um "silogismo" (*Schluß*), que o sujeito (o homem) desempenha o papel de um "membro" na "figura" lógica do "silogismo" etc., **NÃO É APENAS FORÇAR A BARRA, NÃO É APENAS UM JOGO. HÁ, AQUI, UM CONTEÚDO MUITO PROFUNDO, PURAMENTE MATERIALISTA. É PRECISO INVERTER: A ATIVIDADE PRÁTICA HUMANA TEVE DE CONDUZIR BILHARES DE VEZES A CONSCIÊNCIA HUMANA À REPETIÇÃO DAS DIFERENTES FIGURAS LÓGICAS *PARA QUE* ESSAS FIGURAS *PUDESSEM* ADQUIRIR O SIGNIFICADO DE *AXIOMA*. ISTO *NOTA BENE*.**

AS CATEGORIAS DA LÓGICA E A PRÁTICA HUMANA

NB

NB

"O movimento do fim agora alcançou isto: o momento da exterioridade não está apenas posto no conceito, ele não é apenas um dever ser e uma aspiração, mas, como totalidade concreta, é idêntico à objetividade imediata" (235). No fim do § sobre o "fim efetuado", no fim da seção (capítulo 3: "Teleologia") – da seção 2 "***A objetividade***" – passagem à seção 3: **"A ideia"**.

NB

DO CONCEITO SUBJETIVO E DO FIM SUBJETIVO À VERDADE *OBJETIVA*

Digno de nota: à "ideia" como coincidência do conceito com o objeto, à ideia como ***verdade***, Hegel chega ***mediante*** a atividade prática, conforme a fins. É uma aproximação muito grande de que o homem demonstra com sua *prática* a correção objetiva de suas ideias, seus conceitos, seus conhecimentos, sua ciência.

Terceira seção: A ideia

Princípio da seção 3: "*A IDEIA*"

"A ideia é o conceito adequado, o ***verdadeiro objetivo*** ou o que é verdadeiro como tal" (236).
Em geral, a introdução à 3ª seção ("A ideia") da 2ª parte da ***Lógica*** ("A lógica subjetiva") (v. 5, p. 236-243) e os §§ correspondentes da ***Enciclopédia*** (§§ 213-215) são **CERTAMENTE A MELHOR EXPOSIÇÃO DA DIALÉTICA**. Também aqui se mostra de modo notavelmente genial a coincidência, por assim dizer, da lógica e da gnosiologia.

NB

A expressão "ideia" é empregada igualmente no sentido de simples representação. Kant.
"Kant reivindicou novamente a expressão *ideia* para o conceito da razão. – O conceito da razão deve, então, segundo Kant, ser o conceito do incondicionado, mas no que diz respeito aos aparecimentos, transcendente, ou seja, dele não se pode fazer nenhum uso empírico que lhe seja adequado. Os conceitos da razão, segundo Kant, devem servir para o conceituar, os conceitos do entendimento, para compreender as percepções. – De fato, porém, se os últimos são realmente conceitos, são conceitos – por meio deles conceitua-se" ... (236).

Hegel contra Kant

contra o transcendente no sentido de separação entre a verdade (objetiva) e a empiria

très bien!

Ver adiante sobre Kant

É igualmente incorreto considerar a ideia algo "irreal"; como se diz: "*São apenas ideias*".

très bien!

"Se os *pensamentos* são algo meramente *subjetivo* e contingente, decerto não têm qualquer valor ulterior; mas nisso não ficam atrás das *efetividades* temporais e contingentes, que tampouco têm qualquer valor ulterior além do das contingências e dos aparecimentos. Se, pelo contrário, a ideia não tem o valor de verdade, porque no que diz respeito aos aparecimentos é *transcendente*, porque no mundo sensível não pode ser dado nenhum objeto congruente com ela, então isso é um mal-entendido singular, na medida em que à ideia é negada validade objetiva por lhe faltar justamente aquilo que constitui o aparecimento: o *ser não verdadeiro* do mundo objetivo" (237-238).
Em relação às ideias práticas, o próprio Kant considera *pöbelhaft** invocar a experiência contra as ideias; ele apresenta as ideias como um *Maximum*, do qual é preciso procurar aproximar a realidade.
E Hegel continua:

Hegel contra o *"Jenseits"* de Kant

"Como se deu, porém, o resultado de a ideia ser a unidade do conceito e da objetividade – o verdadeiro –, não é de considerá-la apenas como um *objetivo* [*Ziel*] – do qual haveria que aproximar-se ao mesmo tempo que permaneceria ele próprio sempre uma espécie de *além* –, mas que tudo o que é efetivo só é na medida em que tem em si e expressa a ideia. O objeto, o mundo objetivo e subjetivo, em geral, *devem* não apenas *ser congruentes* com a ideia, mas eles próprios a congruência do conceito e da realidade; aquela realidade que não corresponde ao conceito é mero *aparecimento*, o subjetivo, o contingente, o arbitrário, que não é a verdade" (238).

A concordância dos conceitos com as coisas ***não*** é subjetiva

* Plebeu.

"Ela" (*die Idee*) "é, *em primeiro lugar*, a verdade simples, a identidade do conceito e da objetividade como o universal" ... (242).	A ideia (ler: conhecimento humano) é coincidência (concordância) do conceito e da objetividade ("universal"). Isso, em 1º lugar.
... "*Em segundo lugar*, ela é a *relação* da subjetividade existente por si do conceito simples e de sua objetividade dela *diferenciada*; aquela é essencialmente o *impulso* de superar essa separação" ...	Em 2º lugar, a ideia é a **relação** da subjetividade (= homem) para si (= pretensamente autônoma) com a objetividade ***diferente*** (dessa ideia)... A subjetividade é o **impulso** para extinguir essa separação (a ideia do objeto).
... "Ao ser essa relação, ela é o *processo* de se dirimir na individualidade e em sua natureza inorgânica e de uma vez mais fazer esta voltar ao poder do sujeito e retornar à primeira universalidade simples.	O conhecimento é o *processo* da imersão (do entendimento) na natureza inorgânica para subordiná-la ao poder do sujeito e generalizá-la (conhecimento do universal em seus aparecimentos)...
A identidade da ideia consigo mesma é una com o *processo*; o pensamento – que liberta a efetividade da aparência da mutabilidade desprovida de finalidade e a transfigura em ideia – tem que representar esta verdade da efetividade não como um repouso morto, como mera *imagem*, turva, sem impulso e movimento, como um gênio, ou um número, ou um pensamento abstrato;	A coincidência do pensamento com o objeto é um **processo**: o pensamento (= homem) não deve representar a verdade como o repouso morto, como um simples quadro (imagem), pálido (turvo), sem impulso, sem movimento, como um gênio, como um número, como um pensamento abstrato.
a ideia, em virtude da liberdade que o conceito nela alcança, tem também em si a *mais dura oposição*; seu repouso consiste na segurança e na certeza com que eternamente engendra e supera essa oposição e nela se une consigo mesma" ...	A ideia tem também em si a mais forte oposição, o repouso (para o pensamento humano) consiste na segurança e na certeza com que ele eternamente engendra (essa oposição entre o pensamento e o objeto) e eternamente a supera...

NB

O conhecimento é a eterna e infindável aproximação do pensamento ao objeto. O *reflexo* da natureza no pensamento de alguém deve ser compreendido não "de modo morto", não "abstratamente", ***não sem movimento***, ***não sem contradições***, mas no ***processo*** eterno do movimento, do surgimento das contradições e da solução delas.

"A ideia é ... a ideia do *verdadeiro* e do *bem*, como *conhecimento* e *querer* ... O processo desse conhecimento e (NB) desse **agir** (NB) finitos converte a universalidade, inicialmente abstrata, em totalidade, por meio da qual se torna *objetividade perfeita*" (243).	A ideia é *conhecimento* e impulso (querer) <do homem> ... O processo (transitório, finito, limitado) do conhecimento e do **agir** transforma os conceitos abstratos em *objetividade perfeita*.

O MESMO NA ENCICLOPÉDIA (VOLUME 6).

Enciclopédia, § 213 (p. 385*):

... "A ideia é a *verdade*; pois a verdade consiste na correspondência da objetividade com o conceito ... Mas também *todo* o efetivo, na medida em que é algo verdadeiro, é a ideia... O ser singular representa um lado qualquer da ideia; para isso, precisa, ainda, de outras efetividades, que também aparecem como particularmente subsistentes por si; é somente nelas, de modo conjunto e em *sua relação*, que o conceito se realiza. O singular, tomado por si, não corresponde a seu conceito; essa limitação de sua existência constitui sua finitude e sua derrocada ..."	O ser (objeto, aparecimento etc.) isolado é (apenas) **um lado** da ideia (da verdade). A verdade precisa ainda de outros lados da **realidade**, que também parecem apenas independentes e isolados (*besonders für sich bestehende***). ***Apenas em seu conjunto*** (*zusammen*) e em sua ***relação*** (*Beziehung*) a verdade se realiza.

<O ***conjunto*** de *todos* os lados do aparecimento, da realidade e de suas (inter)***relações*** – é disso que é composta a verdade. As relações (= transições = contradições) dos conceitos = conteúdo principal da lógica, **sendo que** esses conceitos (e suas relações, suas transições, suas contradições) são mostrados como reflexos do mundo objetivo. A dialética das ***coisas*** engendra a dialética das *ideias*, não o contrário.>

Hegel ***adivinhou*** de modo genial a dialética das coisas (dos aparecimentos, do mundo, da ***natureza***) na dialética dos conceitos #

* Hegel, *Werke*, v. 6, cit.

** Particularmente subsistentes por si.

justamente ***adivinhou***, nada além

Esse aforismo deve ser expresso de modo mais popular, *sem* a palavra dialética; mais ou menos assim: Hegel, de modo genial, *adivinhou* na mudança, na interdependência de ***todos*** os conceitos, na *identidade de seus opostos*, nas *transições* de um conceito para outro, na eterna mudança, no movimento dos conceitos, **JUSTAMENTE ESSA RELAÇÃO DAS COISAS, DA NATUREZA**.

= NB
Cada conceito encontra-se em dada ***relação***, em dada conexão com ***todos*** os restantes

<em que consiste a dialética?>

=

interdependência dos conceitos sem exceção
» de ***todos*** »
transições dos conceitos de um para outro
» de todos » sem exceção.
Relatividade da oposição entre os conceitos...
identidade das oposições entre os conceitos.

"Por verdade, entende-se, antes de tudo, que eu *saiba* como algo *é*. Isso é, no entanto, a verdade apenas na relação com a consciência ou a verdade formal, a mera correção (§ 213, p. 386). Todavia, a verdade em sentido mais profundo consiste no fato de a objetividade ser idêntica ao conceito" ...

"Um homem mau é um homem não verdadeiro, ou seja, um homem que não se comporta em conformidade com seu conceito ou com sua destinação. Entretanto, algo não pode subsistir sem ter, por completo, identidade do conceito e da realidade. Por isso, o mau e [o] não verdadeiro só *são* na medida em que sua realidade de alguma maneira ainda se comporta em conformidade com seu conceito" ...

... "Na base do que merece o nome de filosofia sempre esteve a consciência de uma unidade absoluta ***daquilo que para o entendimento apenas vale em sua separação***" ...
"Os ***estágios do ser*** e da essência até aqui considerados, do mesmo modo que o conceito e a objetividade, não são nessa sua diferença ***algo firme*** e que ***repousa*** sobre si, mas se mostraram dialéticos, e sua verdade é apenas a de ***serem momentos da ideia***" (387-388).

As diferenças entre ser e essência, entre conceito e objetividade, são relativas

Volume 6, 388

<Momentos do conhecimento (= da "ideia") da natureza pelo homem – essas são as categorias da lógica.>

Volume 6, p. 388 (§ 214):
"A ideia pode ser expressa de diferentes maneiras. Ela pode ser apreendida como a razão (é esta a significação filosófica propriamente dita de razão) e, além disso, como o sujeito-objeto, como a unidade do ideal e do real, do finito e do infinito, da alma e do corpo, como a possibilidade que tem em si própria sua efetividade, como aquilo cuja natureza só pode ser concebida como existente etc., porque na ideia estão contidas todas as relações do entendimento, mas em seu infinito retorno e identidade em si.

(a ideia) a verdade é multilateral

O entendimento não teria grande trabalho para mostrar que tudo o que é dito sobre a ideia é internamente *contraditório*. Contudo, isso também pode ser-lhe retribuído na mesma moeda, ou melhor, já foi devolvido nessa moeda, por meio da ideia;

um trabalho que é o trabalho da razão, que, decerto, não é tão fácil como o trabalho do entendimento. – Se o entendimento mostra que a ideia se contradiz a si própria, porque, por exemplo, o subjetivo é tão somente subjetivo e o objetivo está antes oposto a ele; porque o ser é algo totalmente diferente do conceito e, portanto, não pode ser extraído dele; porque o finito é tão somente finito e constitui exatamente o contrário do infinito, não podendo ser, por consequência, idêntico a ele, e assim por diante em relação a todas as determinações; a lógica mostra, ao contrário, o oposto, a saber: o subjetivo que o é apenas subjetivamente, o finito que o é apenas finitamente, o infinito que o é apenas infinitamente etc. não têm qualquer verdade, contradizem-se e transitam para seu oposto; dessa maneira, a transição e a unidade em que os extremos estão como superados, como um parecer ou como momentos, manifestam-se como a verdade desses extremos (388).

NB:
As abstrações e a "unidade concreta" dos opostos

"Quando o entendimento critica a ideia, cai em duplo mal-entendido. Em primeiro lugar, os extremos do termo ideia – qualquer que seja a forma como são expressos –, na medida em que estão dados em sua unidade, ainda no sentido e na determinação em que eles não estão em sua unidade concreta, são tomados como abstrações que se situam fora dela. Ele" (*der Verstand*) "não desconhece menos a *relação*, mesmo **quando** ela já está claramente posta; assim, ele não repara até, por exemplo, ***na natureza da cópula no juízo***, a qual do ***singular***, do sujeito, enuncia que o ***singular é outrossim*** não singular, mas universal.

Belo exemplo: o mais simples e o mais claro, <a dialética dos conceitos e suas raízes materialistas>

NB
singular = universal

Em segundo lugar, o entendimento considera *sua* reflexão, de acordo com a qual a ideia idêntica consigo contém o negativo de si mesma, a contradição – uma reflexão *exterior*, que não entra na própria ideia. De fato, isso não é, porém, uma sabedoria especial do entendimento; ***mas a própria ideia é a dialética***, a qual eternamente separa e diferencia o idêntico do diferente, o subjetivo do objetivo, o finito do infinito, a alma do corpo, e apenas nessa medida ***é eterna criação, eterna vitalidade e eterno espírito***" ... (389).

A dialética não está no entendimento humano, mas na "ideia", ou seja, na realidade objetiva

<"vida eterna" = dialética>

6, § 215, p. 390:
"A ideia é essencialmente *processo*, porque sua identidade só o é na medida em que é absoluta e livre do conceito, na medida em que é a negatividade absoluta e, portanto, dialética".
Por isso, a expressão "unidade" do pensamento e do ser, do finito e do infinito etc., seria *falsch**, pois ela exprime uma "identidade tranquilamente persistente". Não é verdade que o finito simplesmente neutralize ("*neutralisiert*") o infinito, e *vice-versa*. De fato, nós temos um *processo*.

a ideia é... um processo

isto NB

Caso se conte... A cada segundo, morrem mais de dez pessoas na Terra, e nascem ainda mais. "Movimento" e "momento": capta isso. Em cada momento dado... Capta esse momento. Idem no puro movimento ***mecânico*** (contra Tchernov[31]).

* Falsa.

"A ideia, como processo, percorre em seu desenvolvimento três estágios. A primeira forma da ideia é a *vida* ... A segunda forma ... é a ideia como *conhecimento*, a qual aparece na dupla figura das ideias *teórica* e *prática*. O processo do conhecer tem como resultado o restabelecimento da unidade enriquecida pela diferença, e isso dá a terceira forma, a forma da ideia *absoluta*"... (391).

A verdade é um processo. Da ideia subjetiva, chega-se à verdade objetiva ***por meio*** da "prática" (e da técnica).

A ideia é a "verdade" (p. 385, § 213). A ideia, ou seja, a *verdade* como processo – pois a verdade é um ***processo*** –, percorre em seu *desenvolvimento* (*Entwicklung*) três estágios: 1) a vida; 2) o processo de conhecimento, que inclui a *prática* de alguém e a *técnica* (ver acima[32]); – 3) o estágio da ideia absoluta (ou seja, da verdade plena). A vida gera o cérebro. No cérebro humano, reflete-se a natureza. Ao comprovar e aplicar em sua prática e na técnica a correção desses reflexos, chega-se à verdade objetiva.

LÓGICA. VOLUME 5.

Seção 3. A ideia. Capítulo 1. *A vida*

"Segundo a representação comum da lógica" (v. 5, p. 244*), a questão da *vida* não lhe pertence. Mas, se o objeto da lógica é a *verdade*, e "***a verdade como tal wesentlich im Erkennen ist*****", então é preciso tratar do conhecimento – em relação com o conhecimento, (p. 245) é, pois, necessário falar da *vida*.

* Hegel, *Werke*, v. 5, cit.

** ***Está essencialmente no conhecer.***

Às vezes, por trás da chamada "lógica pura", coloca-se ainda uma lógica "aplicada" (*angewandte*), mas então...
... "cada ciência deveria ser incluída na lógica, pois cada uma delas é uma lógica aplicada, na medida em que consiste em apreender seu objeto em formas do pensamento e do conceito" (224).

cada ciência é lógica aplicada

O pensamento de incluir a ***vida*** na lógica é compreensível – e genial – do ponto de vista do *processo* do reflexo do mundo objetivo na consciência (inicialmente individual) de alguém e da comprovação dessa consciência (reflexo) pela prática – ver:

... "O juízo original da vida consiste em que ela, como sujeito individual, se separa do coletivo"... (248).

*Enciclopédia** § 216: os diferentes membros do corpo só são aquilo que são em sua conexão. Uma mão separada do corpo só é mão pelo nome (Aristóteles).

---

vida = o sujeito individual se separa do objetivo

Se analisarmos a relação do sujeito com o objeto na lógica, é preciso ter também em vista as premissas gerais do ser do sujeito *concreto* (= ***a vida de alguém***) na situação objetiva.

Subdivisões**:
1) vida como "o indivíduo vivo" (§ A)
2) "o processo da vida"
3) "o processo do gênero" (*Gattung*), da reprodução humana, e a transição para o *conhecimento*.

* Hegel, *Werke*, v. 6, cit.

** Idem, *Werke*, v. 5, cit., p. 248-62.

(1) "totalidade subjetiva" e "objetividade" "indiferente"
(2) unidade do sujeito e do objeto

... "Essa objetividade do vivo é *organismo*; ela é o *meio* e o *instrumento* do fim"... (251).

NB

Enciclopédia § 219: ... "A natureza inorgânica, que é submetida pelo vivo, suporta isso porque, *em si*, ela é o mesmo que a vida é *para si*."
Inverter = materialismo puro. Excelente, profundo, verdadeiro! E ainda NB: demonstra a *extrema* correção e precisão dos termos "*an sich*" e "*für sich*"*!!!

Hegel e o *jogo* com "conceitos orgânicos"

!!!

A seguir, a "subsunção" da "sensibilidade" (*Sensibilität*), da "irritabilidade" (*Irritabilität*) – isso seria o *particular*, em contraste com o universal!! – e da "reprodução" nas categorias lógicas é um jogo vazio. Esquecida a *linha nodal*, a transição a ***outro*** plano dos fenômenos da natureza.
Etc. "A dor é 'uma existência real' da contradição" no indivíduo vivo.

Hegel e o jogo com o "organismo"

O ridículo em Hegel

Ou ainda: a reprodução de alguém ... "é sua" (de dois indivíduos de sexos diferentes) "identidade realizada, a unidade negativa do gênero que se reflete em si a partir da divisão"... (261).

* "Em si" e "para si".

LÓGICA. VOLUME 5.
Seção 3. A ideia.
Capítulo 2. ***A ideia do conhecer*** (p. 262-327).

... "Sua" (*des Begriffs*) "realidade em geral é a *forma de sua existência* [*Dasein*]; trata-se da determinação dessa forma; sobre ela repousa a diferença entre aquilo que o conceito é em si, ou como subjetivo, e aquilo que ele é imerso na objetividade e, em seguida, na ideia da vida" (263).

a consciência subjetiva e sua imersão na objetividade

... "O espírito não só é infinitamente mais rico que a natureza, como ainda ... a unidade absoluta do oposto no conceito constitui a essência do espírito" ... (264).

? mística!

Em Kant, o "Eu" aparece "como um sujeito transcendental dos pensamentos" (264); "sendo que esse Eu tem, segundo a própria expressão de Kant, o incômodo de nós termos sempre de nos valer dele para ajuizar o que quer que seja dele"...
(p. 265)

Hegel contra Kant: <ou seja, que o "Eu" é em Kant uma forma vazia ("autoextração") sem análise concreta do processo de conhecimento>

"Em sua" (= de Kant) "crítica dessas determinações" (a saber: *abstrakte, einseitige Bestimmungen "der vormaligen* – pré-kantiana – *Metaphysik*"* a respeito da "alma"), "ele" (Kant) "seguiu muito simplesmente a maneira humiana do ceticismo; a saber, ater-se a como o eu aparece na autoconsciência, do qual, todavia, há que eliminar todo o empírico, pois é a essência dele, a coisa em si, que deve ser conhecida; não restaria, então, nada a não ser este aparecimento do "*Eu penso*", que acompanha todas as representações – e a respeito do qual não se teria o mínimo conceito" (266). # # #

NB: Kant e Hume – céticos

* Determinações abstratas, unilaterais "da precedente – pré-kantiana – metafísica".

Hegel vê o ceticismo de Hume e de Kant em quê?

Pelo visto, aqui Hegel encontra o ceticismo no fato de Hume e Kant não verem nos "aparecimentos" a coisa em si *que aparece* [*erscheinende*], separarem os aparecimentos da verdade objetiva, duvidarem da objetividade do conhecimento, *alles Empirische* separarem, *weglassen, da Ding an sich**... E Hegel continua:

Não se pode compreender fora do processo de compreensão (conhecimento, estudo concreto etc.)

... "Certamente é preciso concordar que não há o mínimo conceito nem do eu nem do que quer que seja, tampouco do próprio conceito, enquanto não se *conceituar* e se permanecer apenas na *representação* simples, fixa, e no *nome*" (266).

Para compreender, é preciso começar empiricamente a compreensão, o estudo, elevar-se da empiria ao universal. Para aprender a nadar, é preciso cair na água.

Kant limita-se aos "aparecimentos"

A velha metafísica, procurando conhecer a *verdade*, separaria os objetos, segundo o indício da verdade, em substâncias e fenômenos. A crítica de Kant *renunciou* à investigação da verdade... "Significa, porém, renunciar ao conceito e à filosofia quando se permanece no aparecimento e naquilo que na consciência cotidiana se dá como mera representação" (269).

* Separam todo o empírico da coisa em si.

§ A:
"*A ideia do verdadeiro*. A ideia subjetiva é, antes de tudo, *impulso* ... O impulso tem ... a determinidade de superar sua subjetividade própria, de tornar concreta sua realidade primeiramente abstrata e de preenchê-la com o *conteúdo* do mundo pressuposto por sua subjetividade ... Dado que o conhecimento é a ideia como fim, ou como [ideia] subjetiva, a negação do mundo que é pressuposto como sendo em si é *primeira*" ... (274-275).

> ou seja, como primeiro *estágio*, momento, começo, ponto de partida do conhecimento, é sua finitude (*Endlichkeit*) e subjetividade, a negação do mundo em si – o fim do conhecimento é primeiramente subjetivo...

"De modo singular, esse lado da *finitude* foi retido nos tempos modernos" (claramente Kant) "e admitido como a relação *absoluta* do conhecimento; como se o finito como tal devesse ser o absoluto! Desse ponto de vista, ao objeto atribui-se uma propriedade desconhecida de *coisa em si para além* do conhecimento – e, com ela, também a verdade é considerada para o conhecimento um *além* absoluto. As determinações do pensamento, em geral, as categorias, as determinações da reflexão, assim como o conceito formal e seus momentos, recebem com isso a posição de ser não determinações finitas em si e para si, mas finitas no sentido de que são um subjetivo em oposição àquela propriedade vazia da *coisa em si*; admitir essa relação da não verdade do conhecimento como verdadeira é o erro que se tornou opinião geral dos tempos modernos" (276).

Kant erigiu em absoluto ***um*** aspecto. **Hegel contra Kant**:

em Kant a coisa em si é um "*Jenseits*" absoluto

subjetivismo de Kant

O caráter finito, transitório, relativo, condicionado do conhecimento humano (de suas categorias, da causalidade etc. etc.) foi tomado por Kant como *subjetivismo*, não como a dialética da ideia (= da própria natureza), separando o conhecer do objeto.

Mas o **curso** do conhecimento o conduz à verdade objetiva

... "Mas o conhecer tem de resolver, por meio de seu curso próprio, sua finitude e, com ela, sua contradição" (277).

Hegel contra o idealismo subjetivo e o "realismo"

... "É unilateral representar a análise como se no objeto não houvesse nada que não tivesse sido *lá colocado*, assim como é unilateral estimar que as determinações que se dão são apenas *tiradas* dele.
A primeira representação exprime, como é sabido, o idealismo subjetivo, que na análise toma a atividade do conhecimento somente como um *pôr* unilateral para além do qual a *coisa em si* permanece oculta; a segunda representação pertence ao chamado realismo, que apreende o conceito subjetivo como uma identidade vazia que receberia em si, *de fora*, as determinações do pensamento".

Objetividade da lógica

... "Contudo, ambos os momentos são inseparáveis; o lógico, em sua forma abstrata em que a análise o faz sobressair, decerto só está dado no conhecer, assim como, inversamente, não é apenas algo posto, e sim *algo que é em si*" ... (280).

Os conceitos lógicos são subjetivos enquanto permanecem "abstratos", em sua forma abstrata, mas ao mesmo tempo exprimem também as coisas em si. A natureza é *tanto* concreta *quanto* abstrata, *tanto* aparecimento *quanto* essência, *tanto* momento *quanto* relação. Os conceitos humanos são subjetivos em sua abstração, separação, mas objetivos em conjunto, em processo, em resultado, em tendência, em fonte.

É muito bom o § 225 da ***Enciclopédia***, em que o "*conhecimento*" (o "teórico"*) e a "vontade", a "atividade prática", são representados como dois lados, dois métodos, dois meios de eliminar a "unilateralidade" tanto da subjetividade quanto da objetividade.

E adiante ***281-282***, muito importante sobre a ***transição*** de uma categoria para a outra (e contra Kant, p. 282). NB

Lógica, v. 5, p. 282 (fim)**

... "Kant ... toma ... a conexão determinada, ou seja, os conceitos de relação e os próprios princípios sintéticos da *lógica formal*, como *dados*; sua dedução precisaria ter sido ***a exposição da transição*** daquela unidade simples da autoconsciência para essas suas determinações e suas diferenças; mas Kant poupou-se da exposição desse verdadeiro ***avançar*** sintético do ***conceito que se produz a si próprio***" (282).

* Em Hegel, "a atividade teórica". (N. E. P.)

** A partir daqui as notas de Lênin passam para o caderno *Hegel. Lógica III* (p. 89-115).

<Kant não mostrou a ***transição*** de uma categoria para a outra.>

286-287 – Voltando-se de novo à matemática superior (mostrando, aliás, saber como Gauss[33] resolveu a equação $X^m - 1 = 0$), Hegel refere-se mais uma vez ao cálculo diferencial e integral, e diz que

... "até o dia de hoje ... a matemática ... não pôde chegar a justificar, por si própria, ou seja, de modo matemático, as operações que se baseiam nessa transição" (a transição de grandezas de umas para outras), "porque essa transição não é de natureza matemática". *Leibniz*, a quem se atribui a honra da descoberta do cálculo diferencial, teria realizado essa transição "da maneira mais insuficiente, ao mesmo tempo desprovida de conceito por completo e não matemática" ... (287).

"O conhecimento *analítico* é a primeira premissa de todo silogismo – a relação imediata do conceito com o objeto; a identidade é, portanto, a determinação que ele reconhece como sua, e ele é apenas o apreender daquilo que é. O conhecimento sintético dirige-se ao *conceituar* daquilo que é, ou seja, o apreendizado da multiplicidade das determinações em sua unidade. É, portanto, a segunda premissa do silogismo, à qual o diverso como tal é ligado. Seu objetivo é, por isso, a necessidade em geral" (288).

A propósito do método de algumas ciências (por exemplo, da física) de tomar para "explicação" diferentes "forças" etc. e puxar (arrastar), ajustar fatos etc., Hegel faz a seguinte observação inteligente:

"A dita explicação e prova do elemento concreto aduzida em teoremas mostra-se, em parte, uma tautologia, em parte, uma confusão da relação verdadeira; em parte, ainda, essa confusão servia para encobrir o engano do conhecer que admitiu unilateralmente experiências mediante as quais ele somente podia chegar a suas definições e seus princípios simples; e, com isso, elimina a refutação a partir da experiência, uma vez que a toma e faz valer não em sua totalidade concreta, mas como exemplo e, decerto, pelo lado que pode ser aproveitado pelas hipóteses e pela teoria. Nessa subordinação da experiência concreta às determinações pressupostas, a base da teoria se obscurece e é mostrada apenas pelo lado que está de acordo com a teoria" (315-316).

notavelmente correto e profundo

(vide a economia política da burguesia)

contra o subjetivismo e a unilateralidade

A velha metafísica <como exemplo, o exemplo de Wolff: dar a si mesmo ares ridículos de importância com banalidades etc.[34]> teria sido derrubada por *Kant* e *Jacobi*. Kant mostrou que as "demonstrações rigorosas" conduzem a antinomias.

"porém, a respeito da natureza dessa demonstração que está ligada a um conteúdo finito, ele" (Kant) "não refletiu; uma coisa deve ruir com a outra" (317).

ou seja, *Kant* não compreendeu a lei *universal* da dialética do "finito"?

O conhecimento sintético ainda não está completo, pois "o conceito não se torna, como unidade de si consigo mesmo, seu objeto ou sua realidade ...

Por isso, a ideia ainda não alcança nesse conhecimento a verdade, em virtude da inadequação do objeto ao conceito subjetivo. – Mas a esfera da necessidade é o ápice do ser e da reflexão; ela transita, em e para si própria, para a liberdade do conceito, a identidade interna transita para sua manifestação, que é o conceito como conceito" ...

..."A ideia, na medida em que o conceito *para si* é agora determinado em si e para si, é a ideia *prática*, o *agir*" (319). E o § seguinte intitula-se "B: A ideia do bem".

Hegel sobre a prática e a objetividade do conhecimento

O conhecimento teórico deve dar o objeto em sua necessidade, em suas relações multilaterais, em seu movimento contraditório *an [sich] und für sich*. Mas o conceito humano só abarca, apreende, domina "definitivamente" essa verdade objetiva do conhecer quando o conceito se torna um "ser para si" no sentido da prática. Ou seja, a prática do humano e da humanidade é a comprovação, o critério da objetividade do conhecimento. É esse o pensamento de Hegel? É preciso voltar a isso.

Por que da prática, da ação, a transição apenas para o "bem", *das Gute*? Isso é estreito, unilateral! E o *útil*?
Sem dúvida, o útil também entra. Ou isso, segundo Hegel, também é *das Gute*?

Tudo isso no capítulo "A ideia do conhecer" (capítulo 2) – na transição para a "ideia absoluta" (capítulo 3) –, ou seja, indubitavelmente, a prática em Hegel se apresenta como um elo na análise do processo de conhecimento e justamente como transição para a verdade objetiva ("absoluta", segundo Hegel). Marx, portanto, liga-se imediatamente a Hegel ao introduzir o critério da prática na teoria do conhecimento: ver as teses sobre Feuerbach[35].

A prática na teoria do conhecimento:

(320) "Ele" (*der Begriff*) "tem de novo, como algo de subjetivo, o pressuposto de um ser outro que é em si; ele é o *impulso* de se realizar, o fim que, por si próprio, se quer dar objetividade e efetuar-se, no mundo objetivo. Na ideia teórica, o conceito subjetivo como universal, o em e para si desprovido de determinação, está oposto ao mundo objetivo, do qual ele retira o conteúdo determinado e o preenchimento. Já na ideia prática, é como algo efetivo que ele se põe diante do efetivo; mas a certeza de si próprio, que o sujeito em seu estar em e para si como determinado tem, é uma certeza de sua efetividade e da *inefetividade* do mundo ...".

. . . . . .

*Alias**:
A consciência humana não apenas reflete o mundo objetivo, mas também o cria.

O conceito (= o homem), sendo subjetivo, pressupõe novamente um ser em si que é uma alteridade existente (= a natureza independente do humano). Esse conceito (= o homem) é o *impulso* de se realizar, de dar-se por meio de si mesmo objetividade no mundo objetivo e realizar-se (efetuar-se).
Na ideia teórica (no domínio da teoria), o conceito subjetivo (o conhecimento?) como universal em si e para si desprovido de determinação opõe-se ao mundo objetivo, do qual obtém o conteúdo determinado e o preenchimento.
Na ideia prática (no domínio da prática), esse conceito como efetivo (atuante?) opõe-se ao efetivo.
A certeza de si que o sujeito <<aqui, de repente, em vez de "conceito">> tem em seu ser em si e para si, como sujeito determinado, é a certeza de sua efetividade e da *inefetividade* do mundo.
<ou seja, o mundo não satisfaz o homem, e este decide modificá-lo com sua ação.>

* De outro modo.

... "Essa determinidade contida no conceito, igual a ele e que encerra em si a exigência da efetividade exterior singular, é o *bem*. Ele entra em cena com a dignidade de ser absoluto, porque ele é em si a totalidade do conceito, o objetivo, simultaneamente, na forma da unidade livre e da subjetividade. Essa ideia é ***superior à ideia de conhecimento considerada***, pois ela tem não apenas a dignidade do universal, mas também a do ***pura e simplesmente efetivo***" ... (320-321). ... "A atividade do fim não está, portanto, dirigida contra si para receber em si uma determinação dada e dela se apropriar, mas antes para pôr a si a própria determinação e para se dar, por intermédio da superação das determinações do mundo exterior, realidade sob a forma de efetividade exterior"... (321)... . . .	O essencial: O "bem" é uma "exigência da realidade exterior", ou seja, por "bem" entende-se a *prática* humana = exigência (1) também da efetividade *exterior* (2). ‖ ***A prática é superior ao conhecimento (teórico)***, pois ela tem não só a dignidade da universalidade, mas também da efetividade imediata. ‖ "A atividade do fim não está dirigida contra si ... Mas para o *dar-se*, por intermédio da superação de determinados (lados, traços, aparecimentos) do mundo ***exterior***, *realidade sob a forma de efetividade exterior*"*... ‖

... "O bem executado é bom por meio daquilo que já é no fim subjetivo, em sua ideia; a execução dá-lhe uma existência exterior" ... (322).

* Tal como Hegel, em alemão, distingue *Realität* e *Wirklichkeit*, Lênin diferencia, em russo, действительности/ *dieistivítelnost* e реальность/ *reálnost*. (N. E.)

"Pelo lado do ***mundo objetivo*** que lhe está pressuposto, em cuja pressuposição a subjetividade e a finitude do bem consiste ***e que, como outro, segue seu caminho próprio*** –, a própria execução do bem está exposta a obstáculos e até à impossibilidade"... + (322-323).

> O "mundo objetivo" "segue seu caminho próprio", e a prática humana, tendo diante de si esse mundo objetivo, encontra "obstáculos à execução" do fim e até mesmo se choca com a "impossibilidade" ...

+ ... "O bem permanece, dessa maneira, um *dever ser*; ele é em si e para si, mas o ser como imediatidade última, abstrata, permanece determinado, diante dele, também como um não ser" ... + +

> O bom, o bem, os bons propósitos permanecem **DEVER SER SUBJETIVO**...

Dois mundos: o subjetivo e o objetivo

+ + ... "A ideia do bem completo é, decerto, um postulado absoluto, mas não é mais que um postulado, ou seja, o absoluto eivado da ***determinidade da subjetividade***. Há ainda os ***dois mundos em oposição***: um, um reino da *subjetividade* nos espaços ***puros*** do pensamento ***transparente***, o outro, um reino da ***objetividade*** no elemento de uma **efetividade** exteriormente **múltipla**, que é o impermeável reino da treva. O desenvolvimento completo da contradição irresolvida, daquele fim absoluto ao qual a limitação desta efetividade se opõe irresistivelmente, foi considerado mais de perto em *Fenomenologia do espírito*, p. 453 e ss."... (323).

NB

Faz chacota dos puros "espaços do pensamento transparente" no reino da subjetividade, ao qual opõe a "treva" da efetividade "objetiva", "múltipla".

... "Na última" (= *der theoretischen Idee* diferentemente *der praktischen Idee**) ... "o conhecimento se sabe apenas como apreensão, como a identidade – indeterminada para si própria – do conceito consigo próprio; o preenchimento, ou seja, a objetividade determinada em si e para si é para ele um *dado* e aquilo *que é verdadeiramente* ***a efetividade existente de maneira independente do posto subjetivo***. Para a ideia prática, ao contrário, essa efetividade, que está simultaneamente defronte dela como invencível limitação, vale como um em si e para si nulo, que só deve receber sua determinação verdadeira e único valor por meio dos fins do bem. A vontade, portanto, é um empecilho ***para o alcançar de seu objetivo porque se separa do conhecer e porque a efetividade exterior não recebe, para ela, a forma daquilo que verdadeiramente é***; a ideia do bem pode, portanto, encontrar seu complemento somente na ideia de verdade" (323-324).

* A ideia teórica diferentemente da ideia prática.

O conhecimento ... encontra diante de si o ser verdadeiro como efetividade existente independentemente das opiniões (*Setzen**) subjetivas. (Isso é puro materialismo!) A própria vontade de alguém, sua prática, põe entraves à consecução de seu objetivo ... pelo fato de se separar do conhecimento e não reconhecer a efetividade exterior como o ser verdadeiro (como a verdade objetiva). É necessária a ***união do conhecimento e da prática***.

Nota bene

E logo depois disso:

... "Ela, porém, faz essa transição por meio de si própria" (a transição da ideia do verdadeiro para a ideia do bem, da teoria para a prática, e vice-versa). "No silogismo do agir, uma das premissas é a ligação imediata do ***fim bom à efetividade*** da qual se apodera e que, na segunda premissa, como ***meio exterior***, volta-se contra a efetividade exterior" (324).

* O pôr.

"Silogismo do agir"... Para Hegel, o *agir*, a prática, é um ***"silogismo" lógico***, uma figura da lógica. E isso é verdade! Naturalmente, não no sentido de que a figura da lógica tem seu ser outro na prática humana (= idealismo absoluto), mas no sentido inverso: a prática de alguém, repetindo-se milhares de milhões de vezes, fixa-se em sua consciência como figuras da lógica. Essas figuras têm a solidez de um preconceito, um caráter axiomático precisamente (e apenas) em razão dessa repetição de bilhares de vezes.

NB

NB

1ª premissa: o *fim bom* (fim subjetivo) *versus* a *efetividade* ("a efetividade exterior").

2ª premissa: *meio* (instrumento) exterior, (o objetivo).

3ª premissa, ou seja, a conclusão: a coincidência do subjetivo e do objetivo, a comprovação das ideias subjetivas, o critério da verdade objetiva.

... "A execução do bem diante de uma efetividade outra que se opõe a ela é a mediação essencialmente necessária para a relação imediata e para efetivação do bem" ...

... "Ora, se o fim do bem não devesse, contudo, por isso" (pela atividade) "ser executado, isso seria uma recaída do conceito no ponto de vista que o conceito tem antes de sua atividade – no ponto de vista da efetividade determinada como nula e, contudo, pressuposta como real; – uma recaída que se torna progresso na má infinitude, que se fundamenta somente no fato de que, na superação daquela realidade abstrata, essa superação também é imediatamente esquecida ou de que se esquece de que essa realidade já é antes pressuposta como efetividade em e para si nula, não objetiva" (325).

O não cumprimento dos fins (da atividade humana) tem por causa (*Grund*) o fato de a realidade ser tomada por não existente (*nichtig**), de não se reconhecer a efetividade objetiva dela (da realidade).

NB

"Por meio da atividade do conceito objetivo, a efetividade exterior é mudada, e sua determinação é, assim, superada, e é justamente com isso que a privam do caráter de realidade meramente aparente, de determinabilidade exterior e de nulidade; ela é, assim, *posta* como sendo em e para si" ... +

A atividade humana, que faz um quadro objetivo do mundo, ***modifica*** a efetividade exterior, elimina sua determinidade (= modifica esses ou aqueles de seus aspectos, suas qualidades) e, desse modo, retira-lhe os traços da aparência, da superficialidade e da nulidade, torna-a existente em si e para si (= objetivamente verdadeira).

NB

NB

+ ... "Supera-se, com isso, a pressuposição em geral, a saber: a determinação do bem como fim ***meramente subjetivo*** e limitado segundo seu conteúdo, a necessidade de realizá-lo apenas por atividade subjetiva e essa própria atividade. ***Como resultado***,

* Nulo.

a mediação supera-se a si própria; o resultado é uma imediatidade que não é o restabelecimento da pressuposição, mas, ao contrário, o ser superado dela. A ideia do conceito determinado em si e para si está, com isso, *posta não apenas no sujeito ativo,* mas outrossim como uma efetividade imediata, e, inversamente, esta, tal como é ***no conhecimento***, [está posta] de maneira que seja ***objetividade que verdadeiramente é***" (326).

O resultado da ação é a comprovação do conhecimento subjetivo e o critério da **OBJETIVIDADE VERDADEIRAMENTE EXISTENTE**.

... "Nesse resultado, o *conhecimento* está, assim, restabelecido ***e unido à ideia prática***; a efetividade previamente encontrada está, simultaneamente, determinada como fim absoluto executado; não, porém, como no conhecimento investigativo, meramente como mundo objetivo sem a subjetividade do conceito, mas como mundo objetivo cujo fundamento interno e subsistir efetivo é o conceito. Isso é a ideia absoluta" (327). ((Fim do capítulo 2. Passagem ao capítulo 3: "A ideia absoluta".))

Capítulo 3: "A ideia absoluta".
... "A ideia absoluta, tal como se deu, é a identidade da ideia teórica e da ideia prática, cada uma das quais ainda é, para si, unilateral" ... (327).

A unidade da ideia teórica (do conhecimento) ***e da prática*** – isto NB – e essa unidade ***justamente na teoria do conhecimento***, pois como resultado obtém-se a "ideia absoluta" (mas a ideia = "*das objektive Wahre*"*) <volume 5, 236>.

Restaria observar agora não mais o *Inhalt***, mas... "o universal de sua forma – ou seja, o *método*" (329). "No conhecimento investigativo, o método está colocado igualmente como *instrumento*, como um meio que está do lado subjetivo, pelo qual ele se liga ao objeto ... No conhecimento verdadeiro, pelo contrário, o método não é apenas certa quantidade de determinações, mas o ser determinado em e para si do conceito, o qual é aí apenas meio" (o termo médio na figura lógica do silogismo) "porque igualmente tem a significação do objetivo" ... (331). ... "O método absoluto" (ou seja, o método do conhecimento da verdade objetiva), "pelo contrário, não se comporta como reflexão exterior, mas toma o determinado a partir de seu próprio objeto, uma vez que o próprio método é o princípio imanente e a alma do objeto. – Era isso que *Platão* exigia do conhecimento: *que considerasse as coisas em e para si próprias*; em parte, em sua universalidade, em parte, porém, sem se desviar delas nem as tomar segundo circunstâncias, exemplos, comparações, e sim tendo-as sós diante de si e trazendo à consciência aquilo que lhes é imanente" ... (335-336).

* "O verdadeiro objetivo."

** Conteúdo.

Esse método "do 'conhecimento absoluto' é *analítico* ... 'mas igualmente *sintético*'" ... (336).

Uma das definições da **dialética**

"*Dieses so sehr synthetische als analytische Moment des* Urteils, *wodurch das anfängliche Allgemeine aus ihm selbst als das* Andere seiner *sich bestimmt, ist das* dialektische *zu nennen*"*... (336) (+ ver p. seguinte)**.

> "Esse momento tanto sintético quanto analítico do *juízo*, em virtude do qual o universal inicial <o conceito universal> se determina a partir de si próprio como o outro de si, deve ser denominado dialético."

A definição não é das mais claras!!

1) A determinação do conceito a partir de si próprio <é a coisa *mesma* em suas relações e em seu desenvolvimento que deve ser encarada>;
2) a contradição na própria coisa (*das Andere seiner****), as forças e as tendências contraditórias em cada aparecimento;
3) a união de análise e síntese.

Tais são os elementos da dialética, ao que parece.

Talvez se possam representar mais detalhadamente esses elementos assim:

* O boxe seguinte traz a tradução para esta citação feita em alemão por Lênin. (N. E.)

** No manuscrito, depois dos parênteses, começa uma seta que aponta para o parágrafo "A dialética é...", que se encontra na folha seguinte do manuscrito (ver p. 234 deste volume).

*** O outro de si.

Os elementos da dialética

1) a ***objetividade*** da observação (não exemplos, não desvios, mas a coisa em si mesma).

×

2) toda a soma das variadas ***relações*** dessa coisa com as outras.
3) o ***desenvolvimento*** dessa coisa (*respective* do aparecimento), seu próprio movimento, sua própria vida.
4) as ***tendências*** (***e*** # aspectos) internamente contraditórias nessa coisa.
5) a coisa (o aparecimento etc.) como soma

   #

   e unidade dos contrários.
6) ***luta*** *respective* desenvolvimento desses contrários, impulsos contraditórios etc.
7) união da análise e da síntese – a decomposição em partes isoladas e o conjunto, o somatório dessas partes.
8) as relações de cada coisa (aparecimento etc.) não só são variadas, mas gerais, universais. Cada coisa (aparecimento, processo etc.) está ligada com ***cada uma***. ×
9) não só a unidade dos contrários, mas ***transição de <u>cada</u>*** determinação, qualidade, traço, aspecto, propriedade, para ***cada*** outro <para seu contrário?>.
10) processo infinito de descoberta de ***novos*** aspectos, ***novas*** relações etc.
11) processo infinito de aprofundamento do conhecimento humano das coisas, dos aparecimentos, dos processos etc., dos aparecimentos à essência e de uma essência menos profunda a uma essência mais profunda.

12) da coexistência à causalidade e de uma forma de conexão e interdependência a outra mais profunda, mais geral.
13) repetição, num estágio superior, de certos traços, propriedades etc. de um inferior e
14) aparente retorno ao velho (negação da negação)
15) luta do conteúdo com a forma e o contrário. Rejeição da forma, refação do conteúdo.
16) transição da quantidade para a qualidade e *vice-versa*. ((***15*** e ***16*** são ***exemplos*** de ***9***))

Resumidamente, é possível definir a dialética como a doutrina da unidade dos contrários. Assim, o núcleo da dialética será abarcado, mas exige esclarecimentos e desenvolvimento.

+ (continuação. Ver p. anterior*)
... "A dialética é uma daquelas ciências antigas que foi sobremaneira ignorada pela metafísica <aqui claramente = teoria do conhecimento e da lógica> dos filósofos modernos, e então, em geral, pela filosofia popular tanto dos antigos quanto dos modernos" ...

Platão e a dialética

Sobre **Platão**, Diógenes Laércio teria dito que Platão foi o iniciador da **dialética**, {da terceira ciência filosófica (como Tales fora o da filosofia da natureza, Sócrates, da filosofia moral)[36], mas aqueles que alardeiam esse mérito de Platão pouco refletiriam a respeito dele...}

* Ver, neste volume, p. 232.

"Tem-se considerado a dialética, frequentemente, como uma *arte*, como se ela repousasse num *talento* subjetivo e não pertencesse à objetividade do conceito" ... (336-337). É um importante mérito de Kant reintroduzir a dialética, reconhecê-la como (propriedade) "necessária" à "razão" (337), mas o resultado (da aplicação da dialética) deve ser "oposto" (ao kantismo) *ver adiante*.

Objetividade da dialética

Segue-se um **esboço da dialética** muito interessante, claro e importante:

... "Para além de a dialética aparecer habitualmente como algo contingente, ela costuma ter esta forma mais precisa: de um objeto qualquer – por exemplo, mundo, movimento, ponto etc. –, mostra-se que lhe cabe uma determinação qualquer – por exemplo, segundo a ordem dos objetos nomeados, a finitude no espaço ou no tempo, o estar *neste* lugar, a negação absoluta do espaço; mas [cabe-lhe], além disso, de modo igualmente necessário, também a determinação oposta: por exemplo, infinitude no espaço e no tempo, não estar neste lugar, relação com o espaço e, portanto, espacialidade. A escola eleática mais antiga aplicou sua dialética principalmente contra o movimento, já Platão, muitas vezes, contra as representações e os conceitos de seu tempo, particularmente dos sofistas, mas também contra as categorias puras e as determinações da reflexão; o ceticismo desenvolvido posterior estendeu-a não apenas aos chamados fatos da consciência imediatos e às máximas da vida comum, mas também a todos os conceitos científicos. Ora, a conclusão que se tira de tal dialética é, em geral, a da *contradição* e da *nulidade* das afirmações feitas. No entanto, esse

da história da dialética

papel do ceticismo na história da dialética

resultado pode ter um duplo sentido: ou o sentido objetivo de que o *objeto* que desse modo se contradiz em si mesmo se supera e é nulo (essa foi, por exemplo, a conclusão dos eleatas, segundo a qual, por exemplo, o mundo, o movimento, o ponto teriam sua verdade negada); ou, então, o sentido subjetivo de que o *conhecer seria defeituoso*. Às vezes entende-se por essa última conclusão que a dialética apenas produziria o artifício de uma aparência falsa. Essa é a perspectiva habitual do chamado senso comum, que se atém à evidência *sensível* e às costumeiras representações e frases" ... (337-338).

a dialética é entendida como artifício

Por exemplo, Diógenes, o Cão[37], demonstra o movimento andando, uma "refutação vulgar", diz Hegel.

kantismo = (também) ceticismo

... "Ou então o resultado da nulidade subjetiva não diz respeito à própria dialética, mas, antes, ao conhecimento contra o qual está dirigida; e, no sentido do ceticismo, do mesmo modo que da filosofia de Kant, contra o *conhecimento* em geral." ... "O preconceito fundamental aqui é o de que a dialética tem *apenas um resultado negativo*" (338). A propósito, é um mérito de Kant chamar atenção para a dialética e para o exame "das determinações do pensamento em si e para si" (339).

"O objeto, tal como é sem o pensamento e sem o conceito, é uma representação ou, ainda, um nome; apenas nas determinações do pensamento e do conceito ele *é* aquilo que *é*" ...

Uma verdade! ***representação e pensamento***, o desenvolvimento de ambos, *nil aliud**

... "Não se deve, portanto, considerar culpa de um objeto ou do conhecimento que eles se mostrem dialéticos por seu caráter e [por] uma ligação exterior" ...

O objeto se mostra dialético

... "Assim, todos os opostos admitidos como fixos, por exemplo, finito e infinito, singular e universal, estão em contradição não por alguma ligação exterior, mas são antes, em e para si próprios, como a consideração de sua natureza mostrou, as transições" ... (339).

Os conceitos não são imóveis, mas em e para si, por sua natureza = ***transição***

"Ora, este é, propriamente, o ponto de vista anteriormente designado, segundo o qual # um primeiro, universal, *considerado em e para si*, se mostra como o outro de si próprio" ...

#
O primeiro conceito universal (também = o primeiro conceito universal já encontrado)

... "mas o outro não é, essencialmente, o negativo vazio, o nada, ***aquilo que é tomado como resultado habitual da dialética***, e sim o outro do primeiro, o negativo do imediato; portanto, ele está determinado como o mediado – contém, em geral, em si a determinação do primeiro. O primeiro é, assim, essencialmente *conservado* e *mantido* também no outro. Apreender o positivo no negativo *dele* – o resultado da pressuposição –, no resultado, isso é o mais importante no conhecimento racional;

Isso é muito importante para a compreensão da dialética

* Nada mais.

simultaneamente, faz parte da mais simples reflexão convencer-se da absoluta verdade e da necessidade dessa exigência e, no que diz respeito aos *exemplos* para a demonstração, é nisso que consiste a lógica toda" (340).

> Não é a negação vazia, não é a negação gratuita, *não* é a negação, a hesitação, a dúvida *cética* o característico e o essencial na dialética – que, sem dúvida, contém em si o elemento da negação, até mesmo seu elemento mais importante –, não, mas a negação como um momento da conexão, como um momento do desenvolvimento, com apreensão do positivo, ou seja, sem quaisquer hesitações, sem qualquer ecletismo.

A dialética, em geral, consiste na negação da *primeira* tese, em sua substituição pela *segunda* (na transição da primeira para a segunda, na indicação da conexão da primeira com a segunda etc.). A segunda pode ser tornada predicado da primeira –
– "por exemplo, o finito é infinito, o uno é múltiplo, o singular é o universal" ... (341).

"*em si*" = em potência, ainda não desenvolvido, ainda não desdobrado

... "Porque o primeiro ou imediato é o conceito *em si* – portanto, também o negativo apenas *em si* –, o momento dialético consiste no fato de que a *diferença* que ele contém *em si* é posta nele. O segundo, pelo contrário, é ele próprio o *determinado*, a *diferença* ou a relação;
o momento dialético dele consiste, portanto, em pôr a *unidade* que nele está contida" ... – (341-342).

(Em relação às teses simples e originárias, às "primeiras" afirmações positivas etc., o "momento dialético", **ou seja**, o exame científico, exige a indicação da diferença, da conexão, da transição. Sem isso, a simples afirmação positiva é incompleta, sem vida, morta. Em relação à "segunda", à tese negativa, o "momento dialético" exige a indicação da "***unidade***", ou seja, a conexão do negativo com o positivo, a presença desse positivo no negativo. Da afirmação à negação – da negação à "unidade" com o afirmado –, sem isso, a dialética vai se tornar uma negação vazia, um jogo, ou um ceticismo.)

... – "Por isso, se o negativo, o determinado, a relação, o juízo e todas as outras determinações que recaem nesse segundo momento não aparecem para si próprios já como contradição e como dialéticos, isso é mero defeito do pensamento que não confronta seus pensamentos uns aos outros. Pois o material, as determinações contrapostas *numa relação*, já estão *postas* e disponíveis para o pensamento. O pensamento formal, porém, faz da identidade sua lei, deixa o conteúdo contraditório que tem perante si cair na esfera da representação, no espaço e no tempo, em que os contraditórios são mantidos *externos um ao outro*, um ao lado do outro e um a seguir do outro e, assim, aparecem perante a consciência ***sem contato recíproco***" (342).

NB

"Aparecem perante a consciência sem contato recíproco" (os objetos) – eis a essência da antidialética. Aqui Hegel está apenas expondo as orelhas de burro do idealismo – classificando o tempo e o espaço (em ligação com a representação) como algo *inferior* ao *pensamento*. Aliás, em *certo* sentido, a representação é, de fato, inferior. A essência consiste no fato de que o pensamento deve *abarcar* toda a "representação" em seu movimento, e **para isso** o *pensamento* deve ser dialético. A representação está ***mais próxima*** da realidade que o pensamento? Sim e não. A representação não pode abarcar o movimento ***como um todo***, por exemplo, não abarca o movimento com a velocidade de 300 mil quilômetros por segundo[38], mas o *pensamento* pode e deve abarcá-lo. O pensamento, tomado da representação, também reflete a realidade; o tempo é uma forma do ser da realidade objetiva. Aqui, no conceito de tempo (e não na relação da representação com o pensamento) está o idealismo de Hegel.

... "[O pensamento formal] Constitui-se, a respeito disso, no princípio determinado de que a contradição não é pensável; de fato, porém, o pensamento da contradição é o momento essencial do conceito. O pensamento formal também a pensa de fato, mas logo desvia o olhar dela, e daquela afirmação" (na sentença de que a contradição não seria pensável) "apenas transita para a negação abstrata".

"Ora, a negatividade considerada constitui o *ponto de virada* do movimento do conceito. Ela é o ponto simples da relação negativa sobre si, a fonte mais interior de toda a atividade, do automovimento vivo e espiritual, a alma dialética que todo o verdadeiro tem em si próprio, por meio da qual somente ele é verdadeiro; pois somente sobre essa subjetividade se fundam a superação da oposição entre conceito e realidade e a unidade que é a verdade. – O segundo negativo, o negativo do negativo, ao qual chegamos, é aquela superação da contradição; porém, ele é tão pequeno quanto a contradição, um *fazer de uma* reflexão exterior; pelo contrário, é o momento *mais interior, mais objetivo*, da vida e do espírito, por meio do qual há um sujeito, [uma] pessoa, [um] livre" (342-343).

o sal da dialética

critério da verdade (unidade de conceito e realidade)

<Aqui é importante: 1) a caracterização da dialética: automovimento, fonte da atividade, movimento da vida e do espírito; coincidência dos conceitos de sujeito (de homem) e de realidade; 2) objetivismo em grau supremo (*das "objektivste Moment"**).>

Essa negação da negação é o terceiro termo, diz Hegel (343) – "se, em geral, se quiser *contar*" –, mas é possível tomá-lo também como *quarto* (*Quadruplicität***) (344), contando *duas* negações: a "simples" (ou "formal") e a "absoluta" (343 i. f.).

A diferença não está clara para mim, a absoluta não equivaleria à mais concreta?

* O "momento mais objetivo".

** Quadruplicidade.

NB: a "triplicidade" da dialética é seu aspecto superficial, exterior

"Que ele seja essa unidade, e também que a forma toda do método seja uma *triplicidade*, é decerto, de todo, apenas o lado superficial, exterior, do modo de conhecer" (344).
– no entanto, diz ele, também já é um "mérito infinito da filosofia de Kant" que ela, pelo menos (se bem que *ohne Begriff**), tenha indicado isso.

Hegel insulta ferozmente o formalismo, o tédio, o jogo vazio com a dialética

"É certo que o formalismo se apoderou igualmente da triplicidade e se ateve a seu *esquema* vazio; o escândalo insosso e a aridez do chamado *construir* filosófico moderno – que consiste em nada mais que aplicar por toda parte aquele esquema formal sem conceito nem determinação imanente e em utilizá-lo para um ordenar exterior – tomaram aquela forma tediosa e mal-afamada. Contudo, pela insensatez desse uso, ela não pode perder em valor interno, e é sempre muito apreciável que, antes de tudo, tenha sido encontrada a figura do racional, ainda que apenas inconcebida" (344-345).
O resultado da negação da negação, esse terceiro termo é "... não um terceiro tranquilo, mas, precisamente, essa unidade" (dos opostos), "que é o movimento e a atividade mediando-se consigo próprios"... (345).
O resultado dessa conversão dialética no "terceiro", na síntese, é uma nova premissa, afirmação etc., que de novo se torna fonte de análise posterior. Mas nele, nesse "terceiro" estágio, já entrou o "***conteúdo***" do conhecimento ("o conteúdo do conhecimento como tal entra na esfera da consideração") – e o *método* se alarga num *sistema* (346).

* Sem conceito.

Começo de todas as considerações, de toda a análise, essa primeira premissa, agora já parece indefinida, "imperfeita", surge a necessidade de demonstrá-la, de "deduzi-la" (*ableiten*), obtém-se "o que pode aparecer como a exigência de um infinito progresso *regressivo* na demonstração e na dedução" (347) – por outro lado, a nova premissa impulsiona ***adiante*** ...
... "Assim, o conhecer se move de conteúdo em conteúdo. Em primeiro lugar, esse progredir determina-se pelo fato de começar por determinidades simples e de as seguintes serem sempre *mais ricas* e *mais concretas*. Pois o resultado contém seu começo, e o decurso deste enriqueceu aquele com uma nova determinidade. O universal constitui a base; por isso, o prosseguimento não deve ser tomado como um fluir de um outro a um outro. O conceito, no método absoluto, *mantém-se* em seu ser outro, o universal, em sua particularização, no juízo e na realidade; em cada estágio de determinação posterior ele eleva toda a massa de seu conteúdo anterior e, por meio da progressão dialética, não só não perde nada nem deixa nada para trás, como traz consigo todo o adquirido e enriquece-se e condensa-se em si" ... (349).
(Não está nada mal a espécie de balanço que este fragmento faz daquilo que é a dialética.)
Mas o *alargamento* exige também um *aprofundamento* ("*In-sich-gehen*"*), "e a maior extensão (é) igualmente a intensidade mais alta". ||

* "Entrar em si."

Isto NB:
O ***mais rico*** é o ***mais concreto*** e o mais ***subjetivo***

"O mais rico é, portanto, o mais concreto e o *mais subjetivo*, e o que se retira para a profundidade mais simples é o mais poderoso e o mais abrangente" (349). "É desse modo que cada passo adiante da progressão no determinar ulterior, na medida em que se afasta do começo indeterminado, é também uma *retroaproximação* dele e que, com isso, o que antes podia aparecer como diverso – o fundamentar regressivo [*rückwärtsgehende*] do começo e seu determinar progressivo [*vorwärtsgehende*] posterior – coincide e é o mesmo" (350).

Não se pode *deprezieren** este começo indeterminado:

NB:
Hegel contra Kant
↓

"... não é preciso que seja depreciado para que ele" (o começo) "possa vigorar apenas provisória e hipoteticamente. Tudo que se podia adiantar contra ele – porventura, as limitações do conhecimento humano, a exigência de investigar criticamente o instrumento do conhecimento antes de ir às coisas – são eles próprios pressupostos que, como determinações concretas, trazem consigo a exigência de sua mediação e fundamentação. Isso porque, formalmente, eles não têm qualquer vantagem sobre o *começo* pela coisa, contra o qual protestam, e que, para um conteúdo mais concreto, antes precisam de

→

uma dedução – assim, há de se tomar apenas como ***pretensões vãs*** a que sejam atendidas antes de algo outro. Elas têm um conteúdo não verdadeiro na medida em que fazem algo irreplicável e absoluto do que é finita e não verdadeiramente conhecido**, a saber, um conhecer limitado, determinado como

* Depreciar.

** Isto é, familiar.

forma e instrumento diante de seu conteúdo; esse conhecer não verdadeiro é ele próprio também a forma, o fundamentar que retrocede. – E o método da verdade também sabe que o começo é um imperfeito, porque é começo, mas, ao mesmo tempo, que esse imperfeito em geral é um necessário, porque a verdade é apenas o vir a si próprio por meio da negatividade da imediatidade" ... (350-351).

contra Kant (correto)

... "Em virtude da natureza do método indicada, a ciência expõe-se como um *círculo* em si enroscado, em cujo começo – o fundamento simples – a mediação reenrosca o fim; no caso, esse círculo é um *círculo de círculos* ... As ciências singulares são fragmentos desta cadeia" ... (351).

A ciência é um *círculo de círculos*

"O método é o conceito puro que se relaciona apenas consigo próprio; ele é, portanto, a ligação simples consigo, que é o ser. Ora, mas também há o ser preenchido, o conceito que se conceitua a si próprio, o ser como a totalidade concreta, igualmente pura e simplesmente intensiva" ...

NB:
conexão do método dialético com "*erfülltes Sein*"*, com o ser cheio de conteúdo e concreto

... "Em segundo lugar, essa ideia" ((*die Idee des absoluten Erkennens***)) "ainda é lógica, ela está encerrada no pensamento puro, [é] a ciência apenas do conceito divino. A execução sistemática é, decerto, ela própria uma realização, mas mantida no interior da mesma esfera. Porque a ideia pura do conhecer está, nesta medida, encerrada na subjetividade,

* "Ser preenchido."

** A ideia do conhecer absoluto.

Transição da ideia para a ***natureza***...

ela é *impulso* de superá-la e a verdade pura torna-se, como resultado último, também *começo de outra esfera e* [de outra] *ciência*. Essa transição precisa apenas ser indicada aqui.
Na medida em que a ideia se põe, a saber, como unidade absoluta do conceito puro e de sua realidade – e, com isso, recolhe-se à imediatidade do *ser* –, é como a totalidade sob esta forma: *natureza*" (352-353).

NB:
Na pequena lógica (*Enciclopédia* § 224, *Zusatz** p. 414**) a *última* frase do livro é: "*diese seiende Idee aber ist die Natur****"

Essa frase na **última** página, a 353ª, da *Lógica* é mais que notável. A transição da ideia lógica à *natureza*. O materialismo está ao alcance da mão. Engels disse com razão que o sistema de Hegel é um materialismo invertido[39]. Essa não é a última frase da *Lógica*, mas o que segue até o fim da página não tem importância.

Fim da *Lógica*. **17.XII.1914.**

---

* Adendo.

** Hegel, *Werke*, v. 6, cit.

*** "Esta ideia que é, porém, é a natureza."

É digno de nota que todo o capítulo sobre a "ideia absoluta" quase não diz uma palavrinha sequer sobre deus (eventualmente escapou por casualidade um "conceito" "divino") e, além disso, – *isto* ***NB*** – quase não contém especificamente ***idealismo***, mas tem como principal objeto o **método** ***dialético***. Balanço e resumo, a última palavra e a essência da lógica de Hegel é o *método dialético* – isso é extremamente digno de nota. E mais uma coisa: é nessa obra ***mais idealista*** de Hegel que há ***menos*** idealismo, ***mais*** materialismo. "Contraditório", mas um fato!

NB

Volume 6, p. 339:
Enciclopédia § 227 – magnífico sobre o método *analítico* ("decompor" o aparecimento "concreto dado" – "dar a forma de abstração" a seus diferentes aspectos e "*herausheben*"* "o gênero ou a força e a lei"), p. 398 – e sobre sua aplicação:

NB:
"o gênero ou a força e a lei" (gênero = lei!)

Não é de modo nenhum "questão de gosto" (398) aplicar o método analítico ou o sintético (como *man pflegt zu sprechen***) – isso depende "da própria forma dos objetos do conhecimento".
Locke e os empiristas adotam o ponto de vista da análise. E diz-se muitas vezes que "o conhecimento em geral não pode fazer mais" (399).

* "Destacar."

** Costuma-se dizer.

Muito justo! Ver a observação de Marx em *O capital*, I, 5.2[40]

"Torna-se, entretanto, claro, simultaneamente, que isso é uma perversão das coisas e que o conhecer que queira tomar as coisas tal como elas *são* entra, por aqui, em contradição consigo próprio." O químico, por exemplo, "*martert*"* um pedaço de carne e descobre azoto, carbono etc. "Essas matérias abstratas, porém, já não são mais carne."

Definições, pode haver muitas, pois os objetos têm muitos aspectos:

"Quanto mais rico for o objeto a definir, ou seja, quanto mais aspectos diversos ele oferecer à consideração, mais diversas podem ser também as definições para ele propostas" (400, § 229) – por exemplo, a definição de vida, a de Estado etc.

Espinosa e Schelling dão em suas definições uma massa de "especulativo" (evidentemente, Hegel aplica aqui essa palavra no bom sentido), mas "sob a forma de asserções". No entanto, a filosofia deve demonstrar e deduzir tudo, não se limitar às definições.

A divisão (*Einteilung*) deve ser "natural, não meramente artificial, ou seja, arbitrária" (401).

P. ***403-404*** – maldosamente contra o "construir" e o "jogar" com a construção, quando a questão está no "conceito", na "ideia", na "unidade do conceito e da objetividade"... (403).

Na pequena *Enciclopédia*, § 233, seção **b**, intitulada ***Das Wollen***** (aquilo que na *grande Lógica* é "*Die Idee des Guten*"***).

* "Tortura."

** ***O querer.***

*** "A ideia do bem."

A atividade é "contradição" – o objetivo é real e não real, possível e não... etc.
"Formalmente, o desaparecer dessa contradição está no fato de que a atividade supera a subjetividade do fim e, com isso, a objetividade, a oposição, por meio da qual ambas são finitas, não apenas a unilateralidade dessa subjetividade, mas esta no universal" (406).
O ponto de vista de *Kant* e de *Fichte* (particularmente na filosofia moral) é o ponto de vista do fim, do dever ser subjetivo (407) (fora da relação com o objetivo)...
Falando da ideia absoluta, Hegel ri (§ 237, volume 6, p. 409) das "declamações" a respeito dela, como se nela tudo se revelasse, e observa que
"a ideia absoluta" ... é ... "o universal, mas o universal não meramente como forma abstrata, diante da qual (*sic*!) está o conteúdo particular como um outro, mas como a forma absoluta à qual regressaram todas as determinações, toda a plenitude do conteúdo por elas posto. A ideia absoluta pode, sob esse aspecto, ser comparada ao ancião que pronuncia as mesmas frases religiosas que a criança, mas para quem elas têm a significação de toda sua vida. Mesmo que a criança entenda o conteúdo religioso, para ela este vale, no entanto, apenas como algo fora do qual se encontram ainda toda a vida toda e todo o mundo".

très bien!
Bela comparação!
em vez da religião trivial, deve-se tomar todo tipo de verdade abstrata

... "O interesse reside no movimento todo" ... (§ 237, p. 409).

fascinante!

... "O conteúdo é o desenvolvimento vivo da ideia."
... "Cada um dos estágios até aqui considerados é uma imagem do absoluto, mas, a princípio, de modo limitado" ... (410).

§ 238, aditamento:
"O método filosófico é tanto analítico como sintético, contudo, não no sentido de mero contíguo nem de mera alternância desses dois métodos do conhecimento finito, mas antes no de que os contém em si como superados, e, em conformidade, ***em cada um de seus movimentos***, comporta-se simultaneamente como analítico e sintético. O pensamento filosófico procede analiticamente, na medida em que apenas recebe seu objeto – a ideia –, não o contraria e, por assim dizer, apenas assiste ao movimento e ao desenvolvimento dele. O filosofar é, nessa medida, totalmente passivo. Mas o pensamento filosófico é, então, igualmente sintético e mostra-se como a atividade do próprio conceito. Disso, porém, faz parte o esforço de manter afastadas de si as inspirações próprias e opiniões particulares que sempre querem se tornar evidentes" ... (411).

très bien

muito bom! (e fantástico)

(§ 243, p. 413) ... "Desse modo, o método não é forma exterior, mas a alma e o conceito do conteúdo" ...
(Fim da *Enciclopédia*; ver acima, à margem, excerto do fim da *Lógica**.)

* Ver, neste volume, p. 246. No caderno, seguem-se páginas em branco; no fim do caderno, estão escritas uma nota "A respeito da mais recente literatura sobre Hegel" e outra sobre uma resenha do livro de Perrin.

SUMÁRIO DO LIVRO DE HEGEL *LIÇÕES SOBRE A HISTÓRIA DA FILOSOFIA*[1]

Hegel. Lições sobre a história da filosofia[2]. *Obras, volume 13*

Introdução à história da filosofia[3]

P. 37* ... "Se o verdadeiro é abstrato, não é verdadeiro. A razão humana sã procura o concreto... A filosofia é inimicíssima do abstrato, reconduz ao concreto ..."

P. 40: comparação entre a história da filosofia e um ***círculo*** – "esse círculo tem por periferia um grande conjunto de círculos" ...

Comparação muito verdadeira e profunda!! Cada matiz do pensamento = círculo sobre o grande círculo (espiral) do desenvolvimento do pensamento humano em geral

"Afirmo que a sucessão dos sistemas da filosofia na história é igual à sucessão na dedução lógica das determinações da ideia. Afirmo que, caso se ***despojem por completo*** os conceitos fundamentais dos sistemas que apareceram na história da filosofia daquilo que diz respeito a sua figura exterior, a sua aplicação ao particular, e assim por diante, obtêm-se os diversos estágios da determinação da própria ideia em seu conceito lógico.
Se, inversamente, toma-se o a progressão lógica por si, tem-se aí a progressão dos aparecimentos históricos segundo seus momentos principais; mas, decerto, tem que se saber reconhecer esses conceitos puros naquilo que a figura histórica contém" (43).

NB

* Hegel, *Werke*, v. 13 (Berlim, Duncker und Humblot, 1833).

P. 56 – zomba da corrida atrás da moda – atrás daqueles que estão prontos a "*auch jedes* ***Geschwöge*** (?) *für eine Philosophie auszuschreien*"*.
P. 57-58 – magnífico pela estrita historicidade na história da filosofia, para não atribuir aos antigos um "desenvolvimento" de suas ideias, o que nos é compreensível, mas de fato não existia ainda nos antigos.
Tales, por exemplo, não tem ainda o conceito de ἀρχή** (como *princípio*), não tem ainda o conceito de *causa*...
... "Assim, há povos inteiros que ainda não têm esse conceito" (de causa); "para isso é requerido um estágio elevado de desenvolvimento"... (58).

<Extremamente longo, vazio, entediante sobre a relação da filosofia com a religião. No geral, um prefácio de quase 200 páginas – impossível!!>

* "Apregoar como filosofia qualquer **tagarelice** (?)".

** Princípio, começo (transliteração: *archē* – N. E.).

Volume 13. Primeiro volume da história da filosofia
História da filosofia grega

A filosofia dos jônios

"Anaximandro (610 a. C.-547 a. C.) afirmou que o homem se originou de um peixe" (213).

Pitágoras e os pitagóricos

... "São, assim, determinações quietas, secas, sem processo, não dialéticas" ... (244).

determinação negativa da *dialética*

Trata-se das ideias gerais dos pitagóricos[4]; o "número" e seu significado etc. *Ergo*: diz-se isso a propósito das ideias primitivas dos pitagóricos, de sua filosofia primitiva; as "determinações" da substância, das coisas, do mundo, são, para eles, "secas, desprovidas de processo (de movimento), não dialéticas".

Seguindo predominantemente o *dialético* na história da filosofia, Hegel cita os raciocínios dos pitagóricos: ... "Um, acrescentado a um par, faz um ímpar (2 + 1 = 3); acrescentado ao ímpar, faz um par (3 + 1 = 4); – ele" (*Eins**) "tem a propriedade de fazer *gerade* (= par) e, assim, tem ele próprio que ser par. A própria unidade contém em si, portanto, as diversas determinações" (246).

* Um, uma unidade.

("harmonia do universo")
a relação do subjetivo com o objetivo

A harmonia musical e a filosofia de Pitágoras:
... "Pitágoras reivindicou para o entendimento o sentimento subjetivo – que no ouvir é simples, mas existe, em si, na relação – e o conquistou para si por meio de determinações fixas" (262).
P. 265-266: o movimento dos corpos celestes – sua harmonia –, a harmonia, inaudível para nós, das esferas celestes *que cantam* (para os ***pitagóricos***): Aristóteles. "*De caelo*", II, 13 (e 9)[5]: ...
"Os pitagóricos puseram o fogo no meio, mas a Terra como um astro que se move num círculo em torno desse corpo central" ... Esse fogo, porém, não era para eles o Sol... "Nisso, eles não se atêm à aparência dos sentidos, mas a razões ... Essas dez esferas" <dez esferas ou órbitas ou movimentos de dez planetas: Mercúrio, Vênus, Marte, Júpiter, Saturno, Sol, Lua, Terra, Via Láctea e *Gegenerde** (– antípoda?), esta inventada "para arredondar o número", para somar 10>, "tal como tudo o que se move, produzem um ruído; cada uma [produz] um som diverso, segundo a diversidade de sua magnitude e sua velocidade. Esta é determinada pelas diversas distâncias, que têm entre si uma relação harmônica segundo os intervalos musicais; por meio disso, surge, então, uma voz harmônica (música) das esferas que se movem (mundo)" ...

alusão à estrutura da matéria!

* Antiterra.

Os pitagóricos pensavam da alma "*die Seele sei: die Sonnenstäubchen*"* (= grão de pó, átomo) (p. 268) (Aristóteles, *De anima*, I, 2)[6].
Na alma – sete círculos (elementos), tal como no céu. Aristóteles. *De anima*, I, 3 – p. 269 [205].

papel do pó (no raio solar) na filosofia antiga

pitagóricos: "conjecturas", fantasias sobre a concordância de macrocosmo e microcosmo

Também aqui a fábula de que Pitágoras (que tomou dos egípcios a doutrina da imortalidade da alma e da transmigração das almas) contava sobre si mesmo, de que sua alma tinha vivido 207 anos em outras pessoas etc. etc. (271).

<NB: uma combinação de *germes* do pensamento científico e da fantasia *à la* religião, mitologia. E hoje ainda! O mesmo, a mesma combinação, mas a proporção entre ciência e mitologia é outra.>

<Ainda a respeito da teoria dos números de Pitágoras. "Os números, onde estão eles? Separados por todo o espaço, habitando por si no céu das ideias? Não são imediatamente as próprias coisas; pois uma coisa, uma substância, é, todavia, algo diferente de um número – um corpo não tem semelhança nenhuma com isso", p. 254.
Citação <de Aristóteles? *Metaphysik*[7], I, 9, não? De Sexto Empírico? Não está claro>.>

NB

P. 279-280 – os pitagóricos admitem um **<u>éter</u>** (... "Um raio do Sol penetraria o éter denso e frio" etc.).

* "Que a alma é: a poalha [que um raio de sol torna visível]."

> Assim, a **conjectura** a respeito do éter existe há milhares de anos e continua a ser uma *conjectura*. Contudo, hoje já existem mil vezes mais *canais* que conduzem à solução da questão, à definição científica do éter[8].

A ESCOLA ELEÁTICA

Falando da escola eleática[9], Hegel diz sobre a ***dialética***:

o que é a dialética?

... "Encontramos aqui" (*in der eleatischen Schule**) "o começo da dialética, ou seja, justamente do movimento puro do pensamento em conceitos; com isso, a oposição entre o pensamento e o aparecimento ou o ser sensível – entre aquilo que é em si e o ser para outro desse em si: e na essência objetiva encontramos a contradição que ela tem em si própria (a dialética propriamente dita)" ... (280). Ver p. seguinte**.

(α)

(β)

Hegel sobre a dialética (ver p. anterior)

Há aqui, no fundo, duas determinações (duas marcas, dois traços característicos; *Bestimmungen, keine Definitionen****) da dialética[10]:

(α) "movimento puro do pensamento em conceitos";

(β) "na (própria) essência objetiva" (esclarecer) (descobrir) "a contradição, que ela" (essa essência) "tem em si própria (***a dialética propriamente dita***)".

Em outras palavras, este "fragmento" de Hegel deve ser apresentado assim:

* Na escola eleática.

** Trata-se do texto imediatamente seguinte, que, no manuscrito, encontrava-se em outra página.

*** Determinações, de modo nenhum definições.

A dialética, em geral, é "movimento puro do pensamento em conceitos" (ou seja, falando sem a mística do idealismo: os conceitos humanos não são imóveis; movem-se eternamente, passam de uns a outros, fluem de uns para outros, sem isso não refletem a vida viva. A análise dos conceitos, seu estudo, "a arte de operar com eles" (Engels)[11] exige sempre o estudo do ***movimento*** dos conceitos, de sua conexão, de suas transições mútuas).
Em particular, a dialética é o estudo da oposição entre a coisa em si (*an sich*), a essência, o substrato, a substância, e o aparecimento, o "ser para outro". (Aqui também vemos a transição, o fluir de um para outro: a essência aparece. O aparecimento é essencial.) O pensamento humano aprofunda-se infinitamente do aparecimento à essência, da essência de primeira ordem, por assim dizer, para a essência de segunda ordem etc. *sem fim*.
Em sentido próprio, a dialética é o estudo da contradição *na própria essência dos objetos*: não só os aparecimentos são transitórios, móveis, correntes, separados apenas por fronteiras convencionais, como o é também a *essência* das coisas.>

Sexto Empírico expõe do seguinte modo o ponto de vista cético:
... "É como se imaginássemos que, numa casa em que se encontram muitas coisas preciosas, diversas pessoas, de noite, procurassem ouro: cada uma poderia achar que tinha encontrado o ouro, mas não saberia com certeza se realmente o tinha encontrado. Do mesmo modo, os filósofos penetram neste mundo, como numa grande casa, à procura da verdade; mesmo que a alcançassem, não poderiam, contudo, saber que a tinham alcançado" ... (288-289).

comparação tentadora...

Xenófanes (o eleata) dizia:

os deuses à imagem do homem

"Se os touros e os leões tivessem mãos para realizar obras de arte, tal como os homens, igualmente desenhariam os deuses e lhes dariam um corpo tal qual a figura que eles próprios têm" ... (289-290).
"Aquilo que é próprio de Zenão é a dialética" ...
"Ele é ... o iniciador da dialética" ... (302).
... "Encontramos também em Zenão a ***dialética*** verdadeiramente **objetiva**" (309).
(310: a respeito da refutação dos sistemas filosóficos: "O falso tem de ser posto em evidência como falso, não porque o oposto é verdadeiro, mas em si próprio" ...)

dialética

"A dialética, em geral, é: (α) dialética exterior, esse movimento diferente da plena compreensão desse movimento; (β) não um movimento demonstrado apenas por nosso entendimento, mas demonstrado a partir da essência da própria coisa, ou seja, a partir do puro conceito do conteúdo. A primeira é uma maneira de considerar os objetos, de indicar razões e aspectos, graças à qual tudo aquilo que outrora passava por firme se abala. Podem ser, então, razões totalmente exteriores, e ao tratar dos sofistas falaremos mais a respeito dessa dialética. A outra dialética é, no entanto,

dialética objetiva

a consideração imanente do objeto: ele é tomado por si; sem pressuposição, ideia, dever, e não segundo relações, leis, fundamentos exteriores. Colocamo-nos totalmente dentro da coisa, consideramos o objeto em si próprio e o tomamos segundo as determinações que ele tem.

Nessa consideração, ele" (*er*) (*sic!*) "se revela a partir dele próprio que ele contém determinações opostas e, portanto, supera-se; encontramos essa dialética principalmente entre os antigos. A dialética subjetiva, que raciocina a partir de razões exteriores, está certa quando se admite que 'no correto também há algo de incorreto e no falso também há algo de verdadeiro'. A verdadeira dialética não deixa ficar nada mesmo para seu objeto, como se ele só fosse defeituoso por um aspecto; mas ele se dissolve no todo de sua natureza" ... (p. 311).

No século XX (e mesmo no fim do século XIX) "todos estão de acordo" com o "princípio do desenvolvimento". – Sim, mas esse "acordo" superficial, não meditado, casual, filisteu, é *o tipo* de acordo com que se sufoca e se banaliza a verdade. – Se tudo se desenvolve, quer dizer que tudo passa de um a outro, pois o desenvolvimento reconhecidamente não é um simples, universal e eterno *crescimento*, *aumento* (*respective* diminuição) etc. – Se é assim, então, é necessário compreender, em primeiro lugar, *mais precisamente* a evolução como surgimento e destruição de tudo, intertransições. – Em segundo lugar, se ***tudo*** se desenvolve, isso se refere aos *conceitos* e às *categorias* mais gerais do pensamento? Se não, quer dizer que o pensamento não está ligado ao ser. Se sim, quer dizer que há uma dialética dos conceitos e uma dialética do conhecimento que tem significado objetivo. +

Sobre a questão da ***dialética*** e seu significado objetivo...

NB
I princípio do desenvolvimento...
II princípio da unidade...

+ Além disso, o princípio universal do desenvolvimento tem de ser unido, ligado, combinado com o princípio universal da ***unidade do mundo***, da natureza, do movimento, da matéria etc.

..."Zenão tratou o movimento principalmente de modo dialético objetivo"...

NB
Isso pode e deve ser ***invertido***: a questão não é se há movimento, mas como exprimi-lo na lógica dos conceitos

..."O próprio movimento é a dialética de tudo o que é"... Zenão nem pensava em negar o movimento como "certeza sensível", colocava-se apenas a questão "*nach ihrer* (do movimento) *Wahrheit*" – (da verdade do movimento) (313). E, na p. seguinte, ao contar a anedota de como Diógenes (o cínico de Sínope) refutava o movimento com a caminhada, Hegel escreve:

Nada mal! De onde apareceu essa continuação da anedota? Em Diogenes Laertius, VI, §39, e Sexto Empírico, III, 8 (Hegel, p. 314), essa continuação existe[12]. Hegel a teria inventado?

..."Mas a anedota prossegue assim: quando um aluno ficava satisfeito com essa refutação, Diógenes batia-lhe com um pau alegando que, uma vez que o mestre tinha discutido recorrendo a razões, ele apenas poderia fazer valer uma refutação com razões. Assim, não se deve se contentar com a certeza sensível, mas conceber"... (314).

4 modos de refutação do movimento em Zenão:

1. Aquele que se move para um fim deve primeiro percorrer metade do caminho até ele. Dessa metade, primeiro a metade ***desta,*** e assim por diante, *sem fim*.

   Aristóteles respondeu: o espaço e o tempo são infinitamente divisíveis (δυνάμει*) (p. 316), mas

* Em potência (transliteração: *dunámei* – N. E.).

não infinitamente divididos (ενεργεία*); Bayle (*Dictionnaire*, v. 4, artigo "Zenon"[13]) chama de *pitoyable*** a resposta de Aristóteles, dizendo ... "***caso*** traçássemos uma infinidade de linhas sobre uma polegada de matéria, não introduziríamos aí uma divisão que reduziria a infinito atual o que não era, segundo ele, senão um infinito virtual" ...

E Hegel escreve (317): "Este *caso* é uma boa!".

ou seja, ***caso*** se levasse até ao fim a divisão ***infinita***!!

... "A essência do tempo e do espaço é o movimento, pois ele é o universal; concebê-lo significa: expressar sua essência na forma do conceito. Como unidade da negatividade e da continuidade, o movimento é expresso como conceito, como pensamento; neles, porém, precisamente, nem a continuidade nem a pontualidade devem ser postas como a essência" ... (p. 318-319).

certo!

<"Conceber significa exprimir em forma de conceitos."
O movimento é a essência do tempo e do espaço.
Dois conceitos fundamentais exprimem esta essência: (infinita) continuidade (*Kontinuität*) e "pontualidade" (negação da continuidade, ***descontinuidade***).
O movimento é a unidade da continuidade (do tempo e do espaço) e da descontinuidade (do tempo e do espaço). O movimento é contradição, é unidade das contradições.>

* Em ato (transliteração: *energueia* – N. E.).

** De dar dó.

<Ueberweg-Heinze, 10. ed., p. 63 (§ 20), não tem razão quando diz que Hegel "defende Aristóteles contra Bayle". Hegel refuta tanto o cético (Bayle) como o antidialético (Aristóteles).
Ver Gomperz. "*Les Penseurs de la Grèce*", p...[14], o *reconhecimento* forçado, obrigado, da unidade das contradições: sem reconhecimento (por covardia de pensamento) da dialética...>

2. Aquiles não alcançará a tartaruga. "Primeiro ½" etc. sem fim. Aristóteles responde: alcançará, caso lhe seja permitido "transgredir o limite" (p. 320).
E Hegel: "Essa resposta está correta, contém tudo" (p. 321) – pois na realidade a metade torna-se aqui (em certo grau) "limite"...

ver as objeções de Tchernov a Engels[15]

..."Quando falamos do movimento, em geral, dizemos: o corpo está num lugar e depois vai a outro lugar. Ao mover-se, ele já não está mais no primeiro, mas também ainda não está no segundo; se ele estiver em algum dos dois lugares, está em repouso. Caso se diga que ele está entre os dois, isso não quer dizer nada, pois entre os dois lugares ele está também num lugar; há, portanto, aqui a mesma dificuldade. Movimento significa estar neste lugar e, simultaneamente, não estar; ou seja, a continuidade do espaço e do tempo – e é apenas essa que torna possível o movimento" (p. 321-322).

NB
certo!

<Movimento é a presença de um corpo em dado momento e dado lugar e, em outro momento, seguinte, em outro lugar – essa é a objeção que Tchernov repete (ver seus *Estudos filosóficos*) seguindo *todos* os adversários "metafísicos" de Hegel.

Essa objeção é *falsa*: 1) ela descreve o *resultado* do movimento, não o *próprio* movimento; 2) ela não mostra, não contém a *possibilidade* do movimento; 3) ela apresenta o movimento como soma, como ligação de estados de *repouso*, ou seja, a contradição (dialética) não é suprimida por ela, mas apenas ocultada, afastada, encoberta, velada.>

"O que cria a dificuldade é sempre o pensamento, porque ele mantém um fora do outro, em sua diferenciação, os momentos – na realidade ligados – de um objeto" (322).

certo!

Não podemos apresentar, exprimir, medir, representar o movimento sem interromper o contínuo, sem simplificar, sem tornar mais grosseiro, sem dividir, sem matar o vivo. A representação do movimento pelo pensamento é sempre um tornar grosseiro, um tornar morto não só pelo pensamento, mas também pela sensação – e não só do movimento, mas de **qualquer** conceito.
Nisso está a *essência* da dialética. É ***exatamente essa essência*** que é expressa pela fórmula: unidade, identidade dos contrários.

3. "A flecha que voa está em repouso."
   E a resposta de Aristóteles: o erro surgiria da admissão de que "o tempo se compõe a partir de cada agora" (ἐκ τῶν νῦν*) p. 324.
4. ½ é igual ao dobro: o movimento, medido em comparação com um corpo imóvel e em comparação com um corpo que se move em direção ***oposta***.

* Transliteração: *ek tōn nun*. (N. E.)

No fim do § sobre Zenão, Hegel o compara com ***Kant*** (cujas *antinomias* "não são mais que o que Zenão já fez aqui").

A conclusão geral da dialética dos eleatas:
"O verdadeiro é apenas o uno, tudo o mais é não verdadeiro" – "tal como a filosofia de Kant tem por resultado: 'Nós só conhecemos aparecimentos'*. No fim das contas, é o mesmo princípio" (p. 326).
No entanto, também há uma diferença.

<Kant e seu subjetivismo, ceticismo etc.>

"Em Kant, é o espiritual que arruína o mundo; segundo Zenão, o mundo que aparece em si e para si é não verdadeiro. Segundo Kant, é nosso pensamento, nossa atividade espiritual que é má; – [é] uma enorme humildade do espírito não dar valor algum ao conhecimento" ... (327).
Continuação dos eleatas em Leucipo e nos ***sofistas***...

A FILOSOFIA DE HERÁCLITO

Depois de Zenão (? ele viveu *depois* de Heráclito?)[16], Hegel passa a Heráclito e diz:

NB

"Ela" (a dialética de Zenão) "pode ainda ser chamada dialética subjetiva, na medida em que cabe ao sujeito que considera, e o uno, sem essa dialética, sem esse movimento, é identidade abstrata" ... (328).
<mas antes foi dito, conforme citação da p. 309 e outras, que em Zenão havia dialética *objetiva*. Aqui existe algum tipo de "*distinguo*"** ultrafino. Ver o seguinte:>

* Apesar da referência a Kant, Hegel usa aqui não *Phänomenen* (fenômenos), mas *Erscheinungen*. (N. E.)

** "Distingo."

"A dialética é: α) dialética exterior, raciocinar por aqui e por ali, sem chegar à alma da própria coisa; β) dialética imanente do objeto, cabendo porém (NB) à consideração do sujeito; γ) objetividade de Heráclito, ou seja, apreender a própria dialética como princípio" (328). NB

α) dialética subjetiva
β) no objeto existe dialética, mas eu não sei, talvez isso seja *Schein*, apenas aparecimento etc.
γ) dialética inteiramente objetiva como princípio de todo ente

(Em Heráclito): "Aqui avistamos terra; não há nenhuma proposição de Heráclito que eu não tenha trazido para minha lógica" (328).
"Heráclito diz que tudo é devir; esse devir é o princípio. Isso reside na expressão: o ser é tão pouco quanto o não ser" ... (p. 333). NB
"Foi uma grande ideia reconhecer que ser e não ser são apenas abstrações sem verdade, que o primeiro verdadeiro é apenas o devir. O entendimento isola ambos como verdadeiros e válidos; a razão, em contrapartida, reconhece um no outro, que em um está contido seu outro" (NB "seu outro") – "e, assim, o todo, o absoluto, deve-se determinar como o devir" (334).
"Aristóteles diz, por exemplo (*De mundo*[17], capítulo 5), que Heráclito tinha 'juntado, um ao outro, o todo e o não todo' (parte), ... 'o que anda junto e o que contraria, o consonante e o dissonante; e a partir do todo' (do oposto), 'haveria um, e, a partir do um, tudo'" (335).

Platão, no *Symposion*, cita os pontos de vista de Heráclito (entre outros, relativamente à música: a harmonia é constituída de oposições) e a expressão de que "a arte do músico une o diverso"[18].
Hegel escreve: isso não é uma objeção contra Heráclito (336), pois o diverso é a essência da harmonia:

Muito certo e importante: o "outro" como ***seu*** outro, desenvolvimento para ***seu*** oposto

"Essa harmonia é precisamente o absoluto devir, mudar – não o tornar-se outro: agora esse e, depois, um outro. O essencial é que cada diverso, particular, é diverso de um outro, não abstratamente de um outro qualquer, mas de *seu* outro; uma coisa só é na medida em que seu outro em si está contido em seu conceito"...
"Acontece o mesmo com os tons; eles precisam ser diversos, mas de tal modo que também possam ser unidos" ... (336).
P. 337: entre outros, Sexto Empírico (e Aristóteles) são listados entre as ... "melhores testemunhas"...
Heráclito disse: "*Die Zeit ist das erste körperliche Wesen*"* (Sexto Empírico) – p. (338).
*Körperliche*** – expressão "inábil" (talvez *tenha* (NB) sido escolhida (NB) pelo cético), mas o tempo seria, "*das erste sinnliche Wesen*"***...
... "O tempo é o puro devir, como se intui" ... (338).
A propósito de Heráclito considerar o fogo um processo, diz Hegel: "O fogo é o tempo físico; ele é esta absoluta inquietude" (340) – e adiante, a propósito da filosofia da natureza de Heráclito:

* "O tempo é o primeiro ser corpóreo."

** Corpóreo.

*** "O primeiro ser sensível."

... "Ela" (*Natur**) "é em si própria processo"... (344)
... "a natureza é este nunca em repouso, e o todo é o transitar de um para outro, da divisão para a unidade, da unidade para a divisão"... (341).
"Conceber a natureza significa: expô-*la* como processo"... (339). Estaria aqui a estreiteza dos naturalistas:
... "Se lhes" (*Naturforscher***) "dermos ouvidos, eles apenas observam, dizem o que veem; isso, porém, não é verdade: inconscientemente, eles transformam de imediato, por meio do conceito, o que é visto. E o conflito não é a oposição da observação e do conceito absoluto, mas do conceito rígido limitado contra o conceito absoluto. Eles mostram as transformações como não sendo" ... (344-345).

NB

NB

... "A água, ao dissociar-se em seu processo, mostra hidrogênio e oxigênio: – estes não foram engendrados, mas, antes, já existiam como tais, como partes de que a água se compunha" (assim Hegel imita os naturalistas) ...
"Tal como com todo enunciar da percepção e da experiência; desde que o homem fale, há aí um conceito; de modo nenhum deve-se mantê-lo afastado: renascido na consciência, sempre mantém-se o traço da universalidade e da verdade."

* Natureza.

** Naturalistas.

<Muito certo e importante – é justamente o que foi repetido de forma mais popular por Engels quando escreveu que os naturalistas devem saber que os resultados da ciência da natureza são conceitos, mas a arte de operar com conceitos não é inata, e sim resultado de um desenvolvimento de 2 mil anos da ciência da natureza e da filosofia[19].
Os naturalistas têm um conceito estreito da transformação e não têm compreensão da dialética.>
... “Ele” (*Heraklit*) “é aquele que primeiro expressou a natureza do infinito e que primeiro concebeu, de modo preciso, a natureza como infinita em si, ou seja, concebeu sua essência como processo” ... (346).
A respeito do “conceito da necessidade” – ver p. 347.
Heráclito não poderia ver a verdade na “certeza sensível”, mas na “necessidade” (εἱμαρμένη) – ((λόγος))*.

NB

“a ***mediação absoluta***” <“***conexão absoluta***”> (348)

NB: Necessidade = “o universal do ser” (o universal no ser) (conexão, “mediação absoluta”)

“O racional, o verdadeiro, o que eu sei, é decerto um regressar a partir do objetivo, como a partir do sensível, do singular, do determinado, do ente. Aquilo que a razão em si sabe, porém, é igualmente **a necessidade ou o universal** do ser; é a essência do pensamento, tal como é a essência do mundo” (352).

* (destino)-((logos)) (transliteração: *eimarmenē*, *logos* – N. E.).

LEUCIPO

368: "O desenvolvimento da filosofia na história tem de corresponder ao desenvolvimento da filosofia lógica; mas nesta ainda haverá lugares que, no desenvolvimento da história, caem".

o desenvolvimento da filosofia na história "tem de corresponder" (??) ao desenvolvimento da filosofia lógica

<Tem-se aqui um pensamento muito profundo e correto, materialista em essência (a história real é a base, o fundamento, o ser, que a consciência *segue*).>
Leucipo (Leucipp) diz que os átomos são invisíveis "por causa da pequenez de sua corporalidade" (369) – Hegel, porém, objeta que isso é uma "*Ausrede*"* (ibidem), que não se pode ver o "*Eins*"**, que "*das Prinzip des Eins*" é "*ganz ideell*"*** (370), que Leucipo não é "empirista", mas idealista.

<?? ***interpretação forçada*** pelo idealista Hegel, com certeza, uma interpretação forçada.>

<(|Puxando Leucipo para sua lógica, Hegel estende-se a respeito da importância, da "magnitude" do princípio (368) do *Fürsichsein*, vendo-o em Leucipo. Cheira, em parte, a forçar a interpretação.|****
Há, contudo, também um grão de verdade: o matiz (o "momento") da separação; o corte da gradualidade; o momento do aplainar das contradições; o corte do contínuo – o átomo, o uno. (Ver 371 i. f.): – "Uno e continuidade são opostos" ...

* "Escapatória."

** "Uno."

*** "O princípio do uno" é "totalmente ideal".

**** O texto entre traços verticais está riscado no manuscrito.

Não se pode *aplicar* a lógica de Hegel numa forma dada; não *se pode tomá-la* como dado. É preciso ***retirar*** dela os matizes lógicos (gnosiológicos), limpando-a da *Ideenmystik**: isso é ainda um grande trabalho).>

materialismo (Hegel tem medo da palavra: alto lá!) *versus* atomística

"A atomística contrapõe-se, portanto, em geral, à representação de uma criação e de uma manutenção do mundo por um ser alheio. Na atomística, a pesquisa da natureza sente-se pela primeira vez libertada por não ter nenhum fundamento para o mundo. Pois, se a natureza é representada por um outro como criação e mantida, é representada, assim, como não sendo em si, como tendo seu conceito fora de si, ou seja, ela tem um fundamento que lhe é alheio, como tal ela não tem nenhum fundamento, ela é concebível apenas a partir da vontade de um outro – tal como é, ela é contingente, sem necessidade e sem o conceito em si própria. Na representação da atomística, porém, está a representação do em si da natureza em geral, ou seja, o pensamento encontra-se a si próprio nela" ... (372-373).

NB

Ao expor *Diogenes Laertius*, IX, § 31-33 – a atomística de Leucipo, do "turbilhão" (*Wirbel* – δίνην)** dos átomos –, Hegel não vê nisso nada de interesse ("nenhum interesse" ... "exposição vazia", "representações obscuras, confusas" – p. 377 i. f.). Cegueira de Hegel, unilateralidade do idealista!!

* Mística das ideias.

** Diogenes Laertius, p. 235, "*vertiginem*" (tradução latina; transliteração do grego: *dínēn* – N. E.).

Demócrito

Hegel *behandelt** Demócrito inteiramente *stiefmütterlich***, em todo p. 378-380! O espírito do materialismo é intolerável para o idealista!!! São citadas as palavras de Demócrito (p. 379):

"Segundo a opinião (νόμῳ***), há o quente; segundo a opinião, há o frio; segundo a opinião, há a cor, o doce e o amargo; segundo a verdade (ἐτεῇ****), há apenas os indivisíveis e o vazio" (*Sextus Empiricus, Adversus Mathematicos*, VII, § 135)[20].

E chega-se à conclusão:

... "Vemos, assim, que Demócrito expressou mais determinadamente a diferença dos momentos do ser em si e do ser para outro" ... (380).

Com isso, "abrem-se as portas" ao "mau idealismo", àquele "*meine* Empfindung, *mein*" ...*****.

... "É posta uma diversidade – sensível, sem conceito – do sentir, na qual não há nenhuma razão e a respeito da qual esse idealismo não se preocupa mais."

"mau idealismo" (*minha* sensação) ver Mach[21]

Hegel *versus* E. Mach...

A filosofia de Anaxágoras

Anaxágoras. Νοῦς****** – "a causa do mundo e de toda a ordem", e Hegel explica:

* Trata.

** Como uma madrasta.

*** Transliteração: *nomph.* (N. E.)

**** Transliteração: *éteē.* (N. E.)

***** "*Minha* sensação, *meu*."

****** Intelecto (transliteração: *nous* – N. E.).

NB:
o conceito genérico
é “a essência da
natureza”, é a ***lei***...

... “o pensamento objetivo ... razão no mundo, também na natureza – ou como nós falamos de gêneros na natureza, são eles o universal. Um cão é um animal; esse é o gênero dele, seu substancial; ele próprio é isso. Essa lei, esse entendimento, essa razão é ela própria imanente à natureza, é a essência da natureza; não é formada a partir de fora, como os homens fazem uma cadeira” (381-382).

“Νοῦς é ... o mesmo que alma” (Aristóteles sobre Anaxágoras) – p. 394.

<e...* a explicação desse ***salto***, do geral na natureza para a *alma*; do objetivo para o subjetivo; do materialismo para o idealismo. *C'est ici que ces extrêmes se touchent (et se transforment!)***.>

A propósito das homeomerias[22] de Anaxágoras (partículas do mesmo gênero que os corpos inteiros), escreve Hegel:

transformação
(seu significado)

“Transformação deve ser tomada num duplo sentido: segundo a existência e segundo o conceito” ... (403-404). Por exemplo, diz-se que se pode retirar a água – as pedras permanecem; pode-se retirar a cor azul, permanece a vermelha etc.

“Isso é, porém, apenas segundo a existência; segundo o conceito, elas são apenas uma pela outra, é a necessidade interna.” Como num corpo vivo, não se pode tirar o coração sem que, com isso, os pulmões morram etc.

* Há uma palavra no manuscrito de Lênin que não foi possível decifrar.

** É aqui que esses extremos se tocam (e se transformam!).

"De igual modo, a natureza só existe na unidade, tal como o cérebro apenas é em unidade com os outros órgãos" (404) sendo que uns concebem a transformação no sentido da existência de pequenas partículas qualitativamente determinadas e do crescimento (*respective* diminuição) <união e separação delas>. A outra concepção (Heráclito): a transformação de *um* em *outro* (403).

> A existência e o conceito devem-se diferenciar em Hegel aproximadamente assim: o fato (o ser) tomado separadamente, retirado da conexão, e a conexão (o conceito), a correlação, o encadeamento, a lei, a necessidade.

415: ... "O conceito é o que as coisas são em e para si próprias" ...
Fala que a grama é fim para o animal, este, para o ser humano etc. etc., Hegel conclui:
"É um círculo que em si se encerra, mas cujo acabamento é igualmente um transitar para outro círculo – um turbilhão, cujo centro, ao qual ele regressa, reside imediatamente na periferia de um círculo superior que o absorve" ... (414).
Até agora, os antigos teriam dado pouco: "Universal é uma determinação magra; cada um sabe a respeito do universal, mas não sabe a respeito dele como essência" (416).

NB: o "universal" como "essência"

"desenvolvimento da natureza do conhecimento"

... "Aqui começa, porém, um desenvolvimento mais determinado da relação da consciência com o ser, o desenvolvimento da natureza do conhecimento como um conhecimento do verdadeiro" (417). "O espírito prosseguiu até expressar a essência como pensamento" (418).

"Esse desenvolvimento do universal, em que a essência passa totalmente para o lado da consciência, nós o vemos na tão desacreditada sabedoria universal dos sofistas" (418).

((Fim do volume 1)) <O volume 2 começa com os sofistas.>

Volume 14. Segundo volume da *História da filosofia*

A filosofia dos sofistas

A propósito dos sofistas[23], Hegel entrega muito bem mastigada a ideia de que na sofística existe um elemento comum a qualquer cultura (*Bildung*) em geral, incluindo a nossa, a saber: o avançar de *argumentos* (*Gründe*) *und Gegengründe** – o "raciocínio que reflete [sobre si]" –, o encontrar em tudo pontos de vista muito diferentes ((subjetivismo – ausência de objetivismo)). Ao falar de Protágoras e de sua célebre tese (o homem é a medida de todas as coisas), Hegel o aproxima de *Kant*:

Protágoras e Kant

..."O homem é a medida de tudo – o homem é, portanto, o sujeito em geral; o ente, portanto, não apenas é, mas é para o meu saber – a consciência é, no objetivo, essencialmente aquilo que produz o conteúdo, o pensamento subjetivo é aí essencialmente ativo. E é isso o que vai chegar até a filosofia mais recente; Kant diz que nós conhecemos apenas fenômenos, isto é, que aquilo que nos aparece como objetivo, como realidade, deve ser considerado apenas em sua ligação com a consciência e que, sem essa ligação, não é"... (31)**.

* E contra-argumentos.

** Hegel, *Werke*, v. 14 (Berlim, Duncker und Humblot, 1833).

O segundo "momento" seria o objetivismo (*das Allgemeine**), "ele é posto por mim, mas é também em si objetivamente universal, sem que seja posto por mim" ... (32).

o relativismo do sofista

*Diese "Relativität"*** (32). "Tudo apenas tem verdade relativa" (33), segundo Protágoras.

Kant e os sofistas e o fenomenalismo *à la* Mach[24] NB

... "O fenômeno de Kant não é senão que, fora, haveria um ímpeto, um **x**, um desconhecido, que só por meio de nosso sentimento, através de nós, recebe essas determinações. Ainda que um fundamento objetivo esteja dado para que chamemos isso de frio e aquilo de quente, do mesmo modo que, embora possamos dizer que eles encerram em si diversidade, calor e frio apenas existem em nossa sensação, e na medida em que há coisas etc. ... de modo que a experiência foi chamada de fenômeno" (34).

não só relativismo

"O mundo não é fenômeno pelo fato de ser para a consciência [e] de, portanto, seu ser ser apenas relativo para a consciência, mas por ser [um fenômeno] também em si."

ceticismo

... "Por meio de Górgias, esse ceticismo chegou a uma profundidade de longe maior" ... (35).

NB

... "Sua ***dialética***" ... a de Górgias, o sofista <muitas vezes: p. 36; idem, p. 37>.

Hegel sobre o "bom senso"

Tiedemann disse que Górgias foi mais longe que o "bom senso" humano. E Hegel ri: **qualquer** filosofia vai ***mais longe*** que o "bom senso", pois o bom senso não é filosofia. Até Copérnico, era *contra* o bom senso dizer que a Terra gira.

* O universal.

** Esta "relatividade".

"Este" (*der gesunde Menschenverstand**) "é o modo de pensar de uma época, no qual estão contidos todos os preconceitos dessa época" (36).

bom senso = preconceitos de seu tempo

Górgias (p. 37): 1) nada existe. Nada é
2) mesmo que existisse, seria incognoscível
3) mesmo que fosse cognoscível, a comunicação do conhecido seria impossível.
... "Górgias está consciente de que eles" (eles, o ser e não ser, sua recíproca destruição) "são momentos que desaparecem; a representação desprovida de consciência também tem essa verdade, mas não sabe nada a respeito disso" ... (40).

<"Momentos que desaparecem"= ser e não ser.
Isso é uma bela definição da dialética!!>

... "Górgias tem α) uma polêmica correta contra o realismo absoluto, o qual, ao representar, opina que tem a própria coisa, quando tem apenas um relativo; β) cai no mau idealismo dos tempos mais recentes: 'O pensado é sempre subjetivo, portanto não é o ente; por meio do pensamento, transformamos um ente em pensado'" ... (41).

Górgias, "realismo absoluto" (e Kant)

(Também adiante (p. 41 i. f.), *Kant* é nomeado mais uma vez.)

---

* O bom senso.

dialética no próprio objeto

Acrescentar sobre Górgias: ele aplica um "ou-ou" às questões básicas. "Isso não é, porém, uma verdadeira dialética; seria fundamental demonstrar que o objeto estava sempre necessariamente numa determinação, que ele não era em si e para si. O objeto apenas se resolve naquelas determinações; mas disso não decorre nada contra a natureza do próprio objeto" (39)*.

Acrescentar, ainda, sobre Górgias:
Ao expor sua concepção de que não se pode transmitir, comunicar o ente:

NB

"O discurso pelo qual o ente deve ser exteriorizado não é o ente; o que é comunicado não é o ente, mas apenas o discurso" (Sextus Empiricus, *Adversus Mathematicos*, VII, § 83-84); *p. 41* – Hegel escreve:

ver Feuerbach[25]

"O ente também não é apreendido como sendo, mas a apreensão dele faz com que seja universal".
... "Esse singular não pode de modo nenhum ser dito"...

<Qualquer palavra (discurso) já *generaliza*
ver Feuerbach[26].>

Os sentidos mostram a realidade; o pensamento e a palavra – o universal.

As últimas palavras do § sobre os sofistas: "Os sofistas, portanto, também fizeram da dialética, da filosofia universal, objeto seu; e foram pensadores profundos" ... (42).

* Esta anotação e a seguinte sobre a filosofia de Górgias foram feitas por Lênin um pouco mais tarde, ao realizar o sumário da seção seguinte, sobre Sócrates.

A filosofia de Sócrates

Sócrates – "personalidade histórica mundial" (42), "a mais interessante" (ibidem) na filosofia antiga –, "subjetividade do pensamento" (42) <"liberdade da autoconsciência" (44)>.

"Reside aqui a ambiguidade da dialética e da sofística: o objetivo desaparece": o subjetivo é contingente ou haveria nele ("*an ihm selbst*"*) o objetivo e o universal? (43)**.

"O pensamento verdadeiro pensa de modo tal que seu conteúdo é não apenas não subjetivo, mas objetivo" (44) – e em Sócrates e Platão veríamos não apenas a subjetividade ("recondução da decisão à consciência é comum a ele" – a Sócrates – "e aos sofistas"), mas também a objetividade.

NB

"A objetividade tem aqui" (em Sócrates) "o sentido da universalidade que é em si e para si, não o de objetividade exterior" (45) – idem 46: "Não objetividade exterior, mas universalidade espiritual" ...

E 2 linhas depois:

Kant

"O ideal kantiano é um aparecimento, não o em si objetivo" ...

espirituoso!

Sócrates chamou seu método de *Hebammenkunst**** – (p. 64) (que viria da mãe) ((a mãe de Sócrates = parteira)) – ajudar o pensamento a nascer.

* "Nele próprio."

** No manuscrito, após este parágrafo, encontra-se a mencionada anotação sobre a filosofia de Górgias.

*** *Arte da parteira.*

*Werden = Nichtsein und Sein**

Exemplo de Hegel: cada um saberia o que é *Werden*, mas nos admira se, analisando (*reflektirend*), descobrimos que "ele é ser e não ser" – uma "diferença tão enorme" (67).

Mênon ("*Meno*" *Plato's*)[27] comparou Sócrates à enguia-elétrica (*Zitteraal*), que faz ficar "*narkotisch*"** aquele que com ela entra em contato (69): também ele estaria "*narkotisch*" e ***não poderia*** responder***.

*très bien dit!!*****

... "o que para mim deve ser a verdade, o correto, é o espírito de meu espírito. O que o espírito cria, assim, a partir de si próprio, o que assim vale para ele, precisa ser a partir dele, como o universal, como o espírito ativo como universal, não a partir de suas paixões, seus interesses, seus gostos, seus arbítrios, seus fins, suas inclinações etc. Isso também é decerto algo de interior, 'implantado em nós pela natureza', mas é apenas de modo natural algo próprio de nós" ... (74-75).

Um idealismo inteligente está mais perto do materialismo inteligente que um materialismo estúpido.
Idealismo dialético em vez de inteligente; metafísico, não desenvolvido, morto, grosseiro, imóvel, em vez de estúpido.

---

* Devir = não ser e ser.

** "Narcotizado."

*** No manuscrito, depois deste parágrafo, encontra-se a segunda anotação sobre a filosofia de Górgias.

**** Muito bem dito!!

Elaborar:
Plekhánov escreveu sobre filosofia (dialética), provavelmente, umas mil páginas (Beltov + contra Bogdánov + contra os kantianos + questões fundamentais etc. etc.)[28]. Entre elas, *sobre* a grande *Lógica*, a ***propósito*** dela, de *sua* ideia (ou seja, da dialética como ciência filosófica ***propriamente dita***) *nil**!!

NB

Protágoras: "O homem é a medida de todas as coisas". Sócrates: "O homem, como ser pensante, é a medida de todas as coisas" (75).
Nos *Memorabilien***, Xenofonte descreveu Sócrates melhor, mais precisa e fielmente que Platão[29] (p. 80-81).

Matiz!

Os Socráticos
A propósito dos sofismas do "monte" e do "calvo", Hegel repete a passagem da quantidade à qualidade e inversamente: dialética (p. 139-140).
143-144: Em detalhes sobre o fato de que "a linguagem expressa essencialmente apenas universal em geral; mas aquilo a que se visa é o particular, o singular. Não se pode, por isso, dizer na linguagem aquilo a que se visa".
("Isso"? A palavra mais universal)

NB
na linguagem existe somente ***universal***

* Nada!!
** "Memoráveis."

<Quem é isso? *Eu*. Todos os homens são eu. ***Das Sinnliche***?* Isso é um ***universal*** etc. etc. "Esse"?? Cada um é "Esse".>

Por que não se pode nomear o singular? Um dos objetos dessa espécie (mesas) distingue-se dos restantes justamente por meio de um isso.

"Que, em geral, o universal seja feito valer no filosofar, de tal modo que mesmo só o universal possa ser dito e o 'esse', o visado, de modo nenhum o possa ser – é uma consciência e um pensamento a que a cultura filosófica de nossos tempos ainda não chegou de modo nenhum."
Nele, Hegel inclui também o "ceticismo dos tempos modernos" <de Kant?> e daqueles que dizem "que a certeza sensível tem a verdade".
Porque *das Sinnliche* "é um universal" (143).

NB ‖

Com isso, Hegel atinge todo o materialismo, exceto o dialético. NB

Nomear o nome? – mas o nome é uma casualidade, e não exprime a ***Sache selbst***** (como exprimir o singular?) (144).

* ***O*** sensível?

** Própria coisa.

Hegel "acreditava", pensava seriamente, que o materialismo como filosofia era impossível, pois a filosofia é a ciência do pensamento, do ***universal***, mas o universal é o pensamento. Aqui repetiu o erro do mesmo idealismo subjetivo a que sempre chamou "mau" idealismo. O idealismo objetivo (e ainda mais o absoluto) chegou em zigue-zague (e por meio de uma cambalhota) **ao limite** do materialismo e, em certa medida, até mesmo *transformou-se* nele.

Hegel e o materialismo dialético

Os cirenaicos[30] consideravam que a sensação era o verdadeiro, "não *o que* está nela, não o conteúdo da sensação, mas ela própria como sensação" (151). "O princípio principal da escola cirenaica é, portanto, a sensação, que deve ser o critério do verdadeiro e do bem" ... (153).
"A sensação é o singular indeterminado" (154), e, caso se incluísse o pensamento, o universal surgiria e seria extinta a "mera subjetividade".

a sensação na teoria do conhecimento dos cirenaicos

(Fenomenólogos *à la* Mach e cia. tornam-se ***inevitavelmente*** idealistas a respeito da questão do *universal*, da "lei", da "necessidade" etc.)

NB
os cirenaicos e Mach e cia.

Sobre o ceticismo e subjetivismo dos cirenaicos, ver Ueberweg-Heinze, § 38, p. 122 (10. ed.)[31], e igualmente sobre eles no *Teeteto* de Platão[32]

Outro cirenaico, Hegesias, "conheceu" "exatamente essa não conformidade entre sensação e universalidade" ... (155).

Misturam a sensação como princípio da teoria do conhecimento e como princípio da ética. Isso NB. Hegel, porém, *apartou* a teoria do conhecimento.

A filosofia de Platão

A propósito do plano de Platão de os filósofos governarem o Estado[33]:

Os fins particulares na história criam a "ideia" (a lei da história)

... "O solo da história é diferente do solo da filosofia" ...
... "É preciso saber o que é agir: agir é atividade do sujeito como tal para fins particulares. Todos esses fins são apenas meios de produzir a ideia, porque *ela* é o poder absoluto" (193).

"pureza" (= falta de vida?) dos conceitos universais

A respeito da doutrina de Platão sobre as ideias:
... "porque a intuição sensível nada nos mostra de modo puro, tal como é em si" (*Phaedo*[34]) – p. 213 –, por isso o corpo seria um obstáculo para a alma.

<NB dialética do conhecimento NB>

O significado do *universal* é contraditório: ele é morto, ele é impuro, incompleto etc. etc., mas é também apenas um ***degrau*** para o conhecimento do ***concreto***, pois nós nunca conhecemos plenamente o concreto. A soma *infinita* de conceitos, leis etc. universais dá o *concreto* em sua plenitude.

→

NB

O movimento do conhecimento para o objeto só pode sempre se processar dialeticamente: afastar-se para melhor acertar – *reculer pour mieux sauter* (*savoir?*)*. Linhas convergentes e divergentes: círculos que se tocam. *Knotenpunkt*** = prática do ser humano e da história humana. <Prática = critério da coincidência de um dos infinitos aspectos do real.>

* Recuar para melhor saltar (saber?).

** Ponto nodal.

Esses *Knotenpunkte* representam uma unidade das contradições, quando o ser e o não ser, como momentos que desaparecem, coincidem por um momento nos momentos dados do movimento (= da técnica, da história etc.).

Ao analisar a dialética de Platão, Hegel procura uma vez mais mostrar a diferença entre a dialética subjetiva, sofística, e a objetiva:
"Que tudo é uno, dizemos nós a respeito de cada coisa: 'Ela é esse uno e, do mesmo modo, mostramos nela também a multiplicidade, muitas partes e propriedades' – mas, com isso, diz-se: 'Ela é una segundo uma consideração totalmente diferente daquela por que é múltipla'; não juntamos esses pensamentos. Assim, a representação e o discurso vão e vêm de um para o outro. Esse vaivém, organizado com consciência, é a dialética vazia, que não unifica os opostos e não chega à unidade" (232).

"dialética vazia" em Hegel

NB

"dialética vazia"

Platão no "Sofista"[35]:

"O que é difícil e verdadeiro é mostrar que aquilo que é outro é o mesmo e que aquilo que é o mesmo é outro, e, de fato, segundo uma e a mesma consideração" (233).

NB

"Mas nós precisamos ter essa consciência de que, precisamente, o conceito não é nem apenas o imediato em verdade – embora seja o simples, ele é de uma simplicidade espiritual, é essencialmente o pensamento que retorna a si (imediato é apenas esse vermelho etc.) – nem apenas o que se reflete em si, a coisa da consciência; ele também é em si, ou seja, é essência objetiva" ... (245).

NB
objetivismo

<O conceito não é algo imediato (apesar de o conceito ser uma coisa “simples”, é uma simplicidade “espiritual”, a simplicidade da ideia) – imediata é apenas a sensação “do vermelho” (“isso é vermelho”) etc. O conceito não é “apenas coisa da consciência”, mas o conceito é a ***essência do objeto*** (*gegenständliches Wesen*), é algo *an sich*, “em si”.>

... “Essa consciência a respeito da natureza do conceito, Platão não a exprimiu de modo tão determinado” ... (245).

idealismo e mística em *Hegel* (e em Platão)

Hegel se debruça detalhadamente sobre a “filosofia da natureza” de Platão, uma mais que absurda mística das ideias do tipo de que “a essência das coisas sensíveis são ... os triângulos” (265), entre outros absurdos místicos. Isso é muito característico! O místico-idealista-espiritualista Hegel (como ademais toda a filosofia oficial, clerical-idealista de nosso tempo) exalta e rumina a mística – o idealismo na história da filosofia, ignorando e tratando com desprezo o materialismo. Ver Hegel sobre Demócrito – *nil!!* Sobre Platão, uma longa baboseira mística.

Ao falar da república de Platão e da opinião corrente de que seria uma quimera, Hegel repete seu dito favorito:

o real é racional[36]

... “O que é real é racional. Mas é preciso saber diferenciar o que de fato é real; na VIDA comum tudo é real, mas há uma diferença entre mundo fenomênico e efetividade” ... (274).

A filosofia de Aristóteles

Seria falsa a opinião corrente de que a filosofia de Aristóteles seria "*realismo*" (299), (idem p. 311 "empirismo"), em contraste com o *idealismo* de Platão. ((Aqui Hegel mais uma vez puxa nitidamente muita coisa *para* o idealismo.))

Ao expor a polêmica de Aristóteles com a doutrina de Platão sobre as ideias, Hegel ***dissimula*** seus traços materialistas (ver ***322-323*** e outras)[37].

NB
NB

Deixou escapar: "A elevação de Alexandre" (Alexandre da Macedônia, discípulo de Aristóteles) ... "a deus ... não é de estranhar ... deus e o homem não estão em geral tão longe assim um do outro" ... (305).

((apenas inverter))
justamente!

Hegel vê o idealismo de Aristóteles em sua ideia de deus (326). ((Naturalmente, isso é idealismo, mas ele é mais objetivo e *mais remoto, mais geral*, que o idealismo de Platão, e por isso na filosofia da natureza é com mais frequência = materialismo.))

Hegel bagunça completamente a crítica das "ideias" de Platão em Aristóteles

A crítica de Aristóteles às "ideias" de Platão é uma crítica do ***idealismo como idealismo em geral***: pois é de onde se tomam os conceitos, as abstrações, assim como a "lei" e a "necessidade" etc. O idealista Hegel eludiu covardemente o solapamento *das bases* do idealismo por Aristóteles (em sua crítica das ideias de Platão).

Quando *um* idealista critica as bases do idealismo de *outro* idealista, sempre sai ganhando o *materialismo*. Ver Aristóteles *versus* Platão etc., Hegel *versus* Kant etc.

NB

"Leucipo e Platão dizem que há sempre movimento, mas não dizem por quê" (Aristóteles, *Metaphysik*, XII, 6 e 7) – p. 328.

Aristóteles ***tão*** lastimavelmente apresenta deus *contra* o materialista Leucipo e o idealista Platão. Aqui há ecletismo em Aristóteles. Por sua vez, Hegel *esconde* a fraqueza em favor da ***mística***!

NB
É dialética não só a transição da matéria à consciência, mas também da sensação ao pensamento etc.

Adepto da dialética, Hegel não pôde compreender a transição *dialética* ***da*** matéria ***ao*** movimento, ***da*** matéria ***à*** consciência – sobretudo a segunda. Marx corrigiu o erro (ou a fraqueza?) do místico.

Em que a transição dialética se distingue da não dialética? No salto. Na contradição. Na interrupção da gradualidade. Na unidade (identidade) do ser e do não ser.

A seguinte passagem mostra de modo particularmente claro como Hegel oculta a fraqueza do idealismo de Aristóteles:

"Aristóteles pensa os objetos e, na medida em que eles são pensamentos, estão em sua verdade; é esta sua οὐσία*.

ingênuo!!

Isso não quer dizer que os objetos da natureza sejam, por isso, eles próprios seres pensantes. Os objetos são pensados por mim subjetivamente; depois, meu pensamento é também o conceito da coisa, e este é a substância da coisa. Na natureza, o conceito não existe como pensamento nessa liberdade, mas tem carne e sangue; tem, porém, uma alma, e esta é seu conceito. Aristóteles reconhece o que as coisas são

* Entidade (transliteração: *ousia* – N. E.).

em si e para si; e esta é sua οὐσία. O conceito não é para si próprio, mas está limitado pela exterioridade. A definição habitual da verdade é a seguinte: 'Verdade é concordância da representação com o objeto'. Mas a própria representação é apenas uma representação, eu ainda não estou de modo nenhum em concordância com minha representação (seu conteúdo); eu represento uma casa, vigas, mas ainda não sou isso – eu e a representação da casa somos coisas diferentes. Só no pensamento há verdadeira concordância do objetivo e do subjetivo. *Eu sou isso* (destaque de Hegel). Aristóteles encontra-se, portanto, no ponto de vista mais elevado; não se pode querer conhecer nada mais profundo" (332-333).

"Na natureza" os conceitos não existem "nesta liberdade" (na liberdade do pensamento e da fantasia *humanas*!!). "Na natureza", eles, os conceitos, têm "carne e sangue". – Isso é excelente! Mas isso é exatamente materialismo. Os conceitos humanos são a *alma* da natureza – isso é apenas uma maneira mística de dizer que nos conceitos humanos a natureza se reflete *de modo peculiar* (isso NB: *de modo peculiar* e ***dialético!!***).

P. 318-337 ***apenas*** sobre a metafísica de Aristóteles!! ***Dissimula-se*** tudo de essencial que ele diz contra o idealismo de Platão!!
É particularmente dissimulada a questão da existência ***fora*** do homem e da humanidade!!!
= a questão do materialismo!

(ver *Feuerbach*: ler o evangelho dos sentidos em conexão = pensar[38])

Aristóteles é um empirista, mas que *pensa* (340). "*O empírico, apreendido em sua síntese, é o conceito especulativo* ..." (341). (Itálico de Hegel.)

NB

> A coincidência dos conceitos com a "síntese", a soma, o resumo da empiria, das sensações, dos sentidos, é *indubitável* para os filósofos de todas as orientações. *De onde* vem essa coincidência? De deus (eu, ideia, pensamento etc. etc.) ou da natureza? Engels tem razão em seu modo de colocar a questão[39].

Kant

... "Forma subjetiva, que constitui a essência da filosofia de Kant" ... (341).

A propósito da teleologia de Aristóteles:

"fim" e causa, lei, conexão, razão

... "A natureza tem em si própria seus meios, e esses meios são também fim. Esse fim na natureza é seu λόγος, o verdadeiro racional" (349).

... "Entendimento não é apenas pensar com consciência. Nele está contido também todo conceito verdadeiro, profundo, da natureza, da vitalidade" ... (348).

> A razão (o entendimento), o pensamento, a consciência *sem natureza*, sem correspondência com ela é falsidade = materialismo!

É repulsivo ler como Hegel louva Aristóteles por "conceitos verdadeiramente especulativos" (373 sobre a "alma" e muitas outras coisas), alargando-se numa tolice manifestamente idealista (= mística).
São dissimulados ***todos*** os pontos de *vacilação* de Aristóteles entre o idealismo e o materialismo!!!

A propósito das opiniões de Aristóteles acerca da "alma", Hegel escreve:
"De fato, todo universal é real como particular, singular, como sendo para outro" (375) – por outras palavras, isso seria a alma.

desabafou sobre o "realismo"

Aristóteles. *De anima*, II, 5:
"A diferença" (entre *Empfinden* e *Erkennen**) "é, porém, a de que o que faz a sensação está fora. A causa disso é que a atividade que sente vai ao singular, enquanto o saber, ao contrário, vai ao universal; esse está, porém, em certa medida, na própria alma como substância. Por isso, cada um pode por si próprio pensar quando quer, ... mas sentir não depende dele, é necessário que o que é sentido esteja dado".

sentir e conhecer

Aristóteles aproxima-se muito do materialismo

A chave aqui é o "*außen ist*"** – está ***fora*** do ser humano, é independente dele. Isso é materialismo.
E Hegel começa a *wegschwatzen**** esse fundamento, base, essência do materialismo:

* Sentir e conhecer.

** "Está fora."

*** Deixar pelo caminho em sua conversa.

"Esse é um ponto de vista totalmente correto da sensação", escreve Hegel, explicando que na sensação estaria indubitavelmente contida a "passividade", sendo "indiferente se subjetiva ou objetivamente – em ambos, o momento da passividade está contido ... Com esse momento da passividade, Aristóteles não deixa de alcançar o idealismo; a sensação é sempre, por algum lado, passiva. É o mau idealismo que acha que a passividade e a espontaneidade do espírito residem em dada determinidade ser interior ou exterior – como se na sensação houvesse liberdade; sensação é esfera da limitação"... !! (377-378).

NB!!

o idealista foi pego nessa!

((O idealista tapa a brecha que conduz ao materialismo. Não, não é *gleichgültig** que seja *fora* ou *dentro*. É precisamente esse o cerne da questão! "*Fora*" é materialismo. "*Dentro*" = idealismo. E com a palavrinha "*passividade*" silenciando a palavra ("**fora**") em Aristóteles, Hegel descreveu de outra maneira o mesmo ***fora***. Passividade significa exatamente fora!! Hegel substitui o idealismo da sensação pelo idealismo do pensamento, mas **também por idealismo**.))

NB

..."O idealismo subjetivo diz: não há coisas exteriores, elas são ser determinado do nosso próprio eu. No que diz respeito à sensação, há de se concordar com isso. No sentir, eu sou passivo, a sensação é subjetiva; é ser, estado, determinidade em mim, não é liberdade. Se a sensação é exterior ou se está em mim é indiferente, ela é"...

NB
escapatória ao
materialismo

* Indiferente.

Segue-se a célebre comparação da alma com a cera, que obriga Hegel a se contorcer como o diabo diante da cruz e a gritar que isso "tão frequentemente deu margem a mal-entendido" (378-379).
Aristóteles diz (*De anima*, II, 12):
"A sensação seria a recepção das formas sentidas sem a matéria" ... "tal como a cera apenas recebe em si a marca do anel de sinete de ouro, sem o próprio ouro, mas puramente sua forma".

NB
alma = ***cera***

Hegel escreve: ... "na sensação, chega-nos apenas a forma, sem a matéria. É de outra maneira quando nos comportamos na prática, ao comer e ao beber. No âmbito prático, em geral, comportamo-nos como indivíduos singulares, e como indivíduos singulares numa existência, mesmo uma existência material, comportamo-nos para com a matéria e mesmo de modo material. É apenas na medida em que somos materiais que podemos nos comportar assim; ocorre que nossa existência material entra em atividade" (379).

"de outra maneira" na prática

covarde escapatória ao materialismo

((Aproximação imediata do materialismo – e tergiversações.))
A propósito da "cera", Hegel se zanga e brada que "qualquer um entende isso" (380), "não se vai além do aspecto tosco da comparação" (379) etc.
"A alma não deve ser de modo algum cera passiva e receber de fora as determinações"... (380).

ha-ha!!

... "Ela" (*die Seele*) "transforma a forma do corpo exterior em sua própria" ...

Aristóteles. De anima, III, 2:

Aristóteles

... "A atividade daquilo cujo sentido se toma e da sensação é, precisamente, uma e a mesma; mas seu ser não é o mesmo"... (381).

Hegel esconde as fraquezas do idealismo

E Hegel comenta:
... "É um corpo que produz som e um sujeito que ouve; o ser é de duas espécies" ... (382).

Mas a questão do ser *fora* do homem ele deixa de lado!!! Escapatória sofística ***ao*** materialismo!

Falando do pensamento, da razão (νους), Aristóteles diz (*De anima*, III, 4):

tabula rasa

... "Não há sensação sem o corpo, o *νουç*, porém, é separável" ... (385) ... "o νούς é como um livro em cujas folhas nada está realmente escrito" – e Hegel zanga-se de novo: "outro famigerado exemplo" (386), atribui-se a Aristóteles exatamente o contrário do que ele pensava etc. etc. ((e a questão do ser ***independentemente*** do entendimento e do homem é dissimulada!!)) – tudo para demonstrar: "Aristóteles, assim, não é um realista".

ha-ha!

ha-ha! tem medo!!

Aristóteles:

Aristóteles e o **materialismo**

"Por isso, quem não sente não conhece nem entende nada; se conhece (θεωρή*) algo, é necessário que o conheça também como uma representação, pois as representações são como sensações, mas sem matéria" ...

* Transliteração: *theōrē*. (N. E.)

... "Se, assim, o entendimento, quando abstrai de toda a matéria, pensa objetos reais, ainda é algo particularmente a ser investigado" ... (389), e Hegel *arranca* de Aristóteles que "νούς e νοητόν* são a mesma coisa" (390) etc. Um exemplo das deturpações idealistas de um idealista!! Falsifica Aristóteles *como* um idealista dos séculos XVIII-XIX!!

falsificação de Aristóteles

Filosofia dos estoicos

A propósito do "critério da verdade" dos ***estoicos***[40] – a "representação concebida" (444-446) –, Hegel diz que a consciência apenas compara representação com representação (***não*** *com o objeto*: "a verdade é a concordância do objeto com a consciência" = "a célebre definição da verdade") e, consequentemente, aquilo a que chega seria "*logos* objetivo, racionalidade do mundo" (446).

"O pensamento não dá senão a forma da universalidade e da identidade consigo; assim, tudo pode, pois, concordar com meu pensamento" (449). "As razões são um nariz de cera, há boas razões para tudo" ... (469). "Que razões devem valer como boas depende de fins, interesses" ... (ibidem)

Hegel contra os estoicos e seus critérios

tem "argumentos" para tudo

Filosofia de Epicuro

Ao falar de Epicuro (342-271 a. C.), Hegel põe-se ***imediatamente*** (antes de expor os pontos de vista) em posição de combate contra o materialismo e declara:

* Intelecto e inteligível (transliteração: *nous* e *noēton* – N. E.).

Calúnias contra o materialismo Por quê??

"Entretanto, já é (!!) óbvio por si (!!) que, se o ser sentido é considerado verdadeiro, com isso é superada em geral a necessidade do conceito, tudo se desfaz sem interesse especulativo e, mais ainda, é a visão comum das coisas que é afirmada; de fato, não se vai além da visão do senso comum ou, antes, é tudo rebaixado ao senso comum"!! (473-474).

NB

<*Calúnias* contra o materialismo!! A "necessidade do conceito" não é minimamente "superada" pela doutrina da ***fonte*** do conhecimento e do conceito!! A não concordância com o "senso" é o podre capricho de um idealista.>

Epicuro chamou de *Kanonik** a doutrina do conhecimento e do critério da verdade. Depois de expô-la brevemente, Hegel escreve:

"Ela é tão simples que não pode haver nada mais simples – é abstrata, mas também muito trivial; e está mais ou menos na consciência habitual que começa a refletir. São representações psicológicas comuns; estão totalmente corretas. A partir das sensações, fabricamos representações a título de universal; por esse fato, ele torna-se permanente. As representações são elas próprias (*bei der* δόξα, *Meinung***) postas à prova por sensações para que se veja se são permanentes, se elas se repetem. No conjunto, isso está correto, mas é totalmente superficial; é o primeiro começo, a mecânica da representação com respeito às primeiras percepções" ... (483).

!!!!

!!!

* No manuscrito, a palavra *Kanonik* ("canônica") está ligada por uma seta à palavra "ela", no princípio do parágrafo seguinte.

** Na opinião (transliteração do grego: *doxa*. Em alemão, δόξα é *Meinung* – N. E.).

<O “primeiro começo” foi esquecido e deturpado pelo idealismo. O materialismo ***dialético***, no entanto, foi o único a *ligar* o “começo” à continuação e ao fim.>

NB: p. ***481*** – sobre o significado das *palavras* segundo Epicuro:
“Cada coisa tem, pelo nome que lhe foi primeiro atribuído, sua evidência, sua energia, sua nitidez” (Epicuro: **Diogenes Laertius**, X, § 33). E Hegel: “O nome é algo universal, pertence ao pensamento, torna o múltiplo simples” (481).

Epicuro: objetos fora de nós

“A respeito do modo objetivo, em geral, por meio do qual o que está fora penetra em nós – a ligação do nosso eu ao objeto, pela qual, precisamente, surgem representações –, Epicuro erigiu a seguinte metafísica: ‘Da superfície das coisas parte um fluxo constante que não é observável para a sensação; e isso porque, em razão do preenchimento contraposto, a própria coisa permanece sempre cheia e o preenchimento no sólido conserva durante muito tempo as mesmas ordem e disposição dos átomos. E o movimento dessas superfícies que se soltam é extremamente rápido no ar, porque não é preciso que aquilo que é solto tenha profundidade.’ ‘A sensação não contradiz tal representação, caso se atenda’ (*zusehe**) ‘a como as imagens produzem seus efeitos; elas produzem uma concordância, uma simpatia do exterior para nós. Delas transita, portanto, algo que, em nós, seria como algo exterior.’ ‘E, pelo fato de a efluência penetrar em nós, sabemos do determinado de uma sensação; o determinado reside no objeto e flui, assim, para dentro de nós’” (p. 484-485, *Diogenes Laertius*, X, § 48-49).

NB
a teoria do conhecimento de Epicuro

* Observe.

Genialidade da conjectura de Epicuro (300 anos a. C., isso é, mais de 2 mil anos antes de Hegel) a respeito, por exemplo, da luz e de sua velocidade.

<Hegel ***ocultou*** (NB) por completo* o ***principal***: (***NB***) o ser das coisas ***fora*** da consciência do ser humano e ***independentemente*** dele.>

Hegel dissimula tudo isso e diz apenas:

um modelo de deturpação e calúnia do materialismo por um idealista

... "Esse é um modo totalmente trivial de representar a sensação. Epicuro tomou o critério mais fácil, e ainda hoje habitual, do verdadeiro, na medida em que ele não é visto: o de que o que é visto, ouvido, não o contradiga. Pois, de fato, não se consegue ver e ouvir tais coisas de pensamento como átomos, soltar-se superfícies e semelhantes |embora se consiga, decerto, ver e ouvir algo diferente|**; mas o visto – e representado, imaginado – têm muito bem lugar um ao lado do outro. Deixados um separado do outro, não se contradizem, pois a contradição só sobrevém na ligação" ... (485-486).

<Hegel *eludiu* a teoria do conhecimento de Epicuro e pôs-se a falar ***de outra coisa***, algo a que Epicuro não se refere *aqui* e ***que é compatível*** com o materialismo!!>

* Aqui o manuscrito de Lênin passa para um novo caderno, na capa do qual está escrito "Hegel"; no início da primeira página, lê-se: "História da filosofia de Hegel, ***continuação*** (2º volume) sobre Epicuro (v. 14, Berlim, 1833, p. 485)".

** As palavras entre traços verticais figuram no texto de Hegel, mas não no sumário.

P. (486):
O erro, segundo Epicuro, decorre de uma *interrupção* no movimento (no movimento do objeto para nós, para a sensação ou para a representação?).
"Não é possível", escreve Hegel, "uma" (teoria do conhecimento) "mais magra" (486).
<Tudo será *dürftig**, se deturpado e roubado.>
A alma seria, segundo Epicuro, "certa" ordenação dos átomos. "Isso Locke também (!!!) disse ... Isso são palavras vazias" ... (488) ((não, são geniais conjecturas e indicações do *caminho* para a *ciência*, não para esses padres)).

Este *auch*** é maravilhoso!!!! Epicuro (341-270 a. C.), Locke (***1632-1704***) *Differenz**** = 2 mil anos

NB. **NB**. (489) idem (490):
Epicuro atribui aos átomos "***krummlinigte***" ***Bewegung*******, e isso seria "arbítrio e aborrecimento" (489) em Epicuro ((e "deus" nos idealistas???)).

E os elétrons?

"Ou então Epicuro nega, em geral, todo o conceito e o universal como essência" ... (490), apesar de seus átomos "terem eles próprios, justamente, essa natureza de pensamentos" ... "toda a inconsequência dos empiristas"... (491).

absurdo! mentira! calúnia!

NB

<Com isso, ***elude-se*** a essência do ***materialismo*** e da dialética materialista.>
"Fim último do mundo, sabedoria do criador ... não estão dados em Epicuro; tudo são acontecimentos, determinados pela coincidência contingente (??), exterior (??), das configurações dos átomos"... (491).

condói-se por deus!! canalha idealista!!

* *Magro.*
** *Também.*
*** Diferença.
**** ***Movimento "curvilíneo"***.

!!

E Hegel simplesmente ***insulta*** Epicuro: "Seus pensamentos a respeito dos aspectos singulares da natureza [são] em si lamentáveis" ...

e a "maneira" das ciências da natureza! e seu êxito!!

E logo a seguir uma *polêmica* contra a "*Naturwissenschaft*" *heute**, que, tal como Epicuro, julgaria "por analogia", "explicaria" (492) – por exemplo, a luz "como vibrações do éter" ... "Isso é bem à maneira da analogia de Epicuro" ... (493).
((A ***ciência da natureza*** atual *versus* Epicuro – contra <u>(NB)</u> Hegel.))

Epicuro e a ciência da natureza atual

Em Epicuro, "a coisa, o princípio, não é senão o princípio de nossa ciência da natureza habitual ... (495), que continua a ser a maneira que está na base de nossa ciência da natureza" ... (496).
<Só está correta a referência ao desconhecimento da dialética em geral e da dialética dos conceitos. A crítica ao ***materialismo***, contudo, é uma emenda.>

<u>!NB!</u>

"Dessa maneira", (da filosofia de Epicuro) "é preciso dizer, em geral, que ela tem igualmente um lado ao qual se pode atribuir valor. Aristóteles e os que o precederam partiram, na filosofia da natureza, de um pensamento universal *a priori* e desenvolveram

<u>NB!!</u>

o conceito a partir dele. Esse é um lado; o outro lado é o da necessidade de que a experiência seja elevada à universalidade, de que as leis sejam encontradas;

<u>NB</u>

isso quer dizer que o que decorre da ideia abstrata se encontra com a representação universal, para a qual a experiência, a observação, prepararam. O *a priori* é,

<u>NB</u>

por exemplo, em Aristóteles, totalmente excelente, mas não é suficiente, porque lhe falta o lado da vinculação, da conexão com a experiência, a observação.

* "Ciência da natureza" hoje.

Esse reconduzir do particular ao universal é a descoberta das leis, das forças naturais etc. Pode-se dizer, por isso, que Epicuro é o inventor da ciência empírica da natureza, da psicologia empírica. Contrapostos aos fins e aos conceitos do entendimento estoicos estão a experiência, o presente sensível. Além, está o entendimento limitado abstrato, sem verdade em si, e, portanto, também sem o presente e a efetividade da natureza; eis esse sentido da natureza, mais verdadeiro que qualquer hipótese" (496-497).

NB

NB

(**ISSO É CHEGAR QUASE DIRETAMENTE AO MATERIALISMO DIALÉTICO.**)

O significado de Epicuro: luta contra a ***Aberglauben**** ***dos gregos e dos romanos*** – e a dos padres atuais?? toda essa bobagem sobre uma lebre ter atravessado ou não o caminho correndo etc. (e deus nosso senhor?).

Hegel sobre os lados positivos do materialismo

"E dela" (da filosofia de Epicuro) "saíram, particularmente, as representações que negaram por completo o suprassensível" (498).

NB

Mas isso só seria bom para "*endlichen*"**... "**Fica pelo caminho a superstição, assim como uma conexão fundada em si e o mundo do ideal**" (499).

Isso **NOTA BENE**.

por que (os clássicos) apreciaram o idealismo?

* *Superstição.*

** "Algo de finito."

para Hegel, a "alma" é **também** um preconceito

P. 499: Epicuro a respeito da *alma*: os átomos mais ***finos*** (NB), **seu movimento** mais **rápido** (NB), sua ***ligação*** (NB) etc. etc. com o corpo (***Diogenes Laertius***, X, § 66; 63-64) – é muito ingênuo e muito bom! –, mas Hegel se zanga e **vocifera**: "palavreado", "palavras vazias", "nem um pensamento sequer" (500).

Os deuses, segundo Epicuro, são "*das Allgemeine*"* (506) em geral – "eles consistem, em parte, no número" como número, ou seja, abstração do sensível...

NB
os deuses = o que tem a forma humana acabado, ver ***Feuerbach***[41]

"Em parte, eles" (os deuses) "são **o que tem a forma humana bem-acabada**, que surge pela igualdade das imagens a partir da confluência contínua das imagens iguais num e no mesmo" (507).

A filosofia dos céticos

NB

Ao falar do **ceticismo**, Hegel aponta sua aparente "invencibilidade" (*Unbezwinglichkeit*) (538):

Bien dit!!

"De fato, alguém que queira pura e simplesmente ser um cético não pode ser vencido ou não pode ser levado à filosofia positiva – não mais que se possa levar a ficar de pé alguém que está paralítico de todos os membros".

"A filosofia positiva pode ter a respeito dele" (*den denkenden Skeptizismus***) "esta consciência: ela tem em si própria o negativo do ceticismo, e este não lhe está contraposto nem fora dela; antes, é um momento dela, mas tem o negativo em sua verdade, como o ceticismo não o tem" (539).

* "O universal."

** Do ceticismo pensante.

(Relação da filosofia com o ceticismo:)
"A filosofia é dialética, essa dialética é a transformação: a ideia como ideia abstrata é o inerte, o ente, mas ela só é verdadeiramente na medida em que se apreende como viva; isso quer dizer que ela é em si dialética para superar aquele repouso, aquela inércia. A ideia filosófica é, pois, em si, dialética, e não por contingência; o ceticismo, pelo contrário, exerce sua dialética por contingência – pela maneira como a matéria, o conteúdo, diretamente se lhe apresenta, mostra que ele seria em si o negativo" ...

NB
a dialética do ceticismo é "contingente"

É preciso distinguir o velho (*antigo*) ceticismo do *novo* (é nomeado apenas Schulze de Göttingen) (540).
Ataraxie (serenidade?) como ideal dos céticos:
"Um dia, num barco, durante uma tempestade, Pirro mostrou a seus companheiros, que tremiam, um porco que permanecia por ali totalmente indiferente e continuava tranquilamente a comer, com estas palavras: o sábio teria também de ficar em semelhante *ataraxia*" (*Diogenes Laertius*, IX, 68) – p. 551-552.

anedota nada má sobre os céticos

"O ceticismo não é uma dúvida. A dúvida é o exato contrário da quietude, que é o resultado dele" (552).

NB
o ceticismo não é dúvida

... "O ceticismo, pelo contrário, é diferente diante de um como diante de outro" ... (553)
Schulze/Enesidemo afirma como ceticismo que todo o sensível seria verdade (557), mas os céticos não disseram isso; seria preciso *sich danach richten**, pôr-se de acordo com o sensível, mas isso não seria a verdade. O ceticismo novo ***não*** duvida da realidade das coisas. O ceticismo velho duvida da realidade das coisas.

NB

* Reger-se por isso.

tudo em ***Sexto Empírico*** (séc. II d. C.)

Os tropos (maneiras de dizer, argumentos etc.) dos céticos[42]:

a. A diversidade da organização dos animais (558). Diferentes sensações: a quem tem icterícia (*dem Gelbsüchtigen*) o branco parece amarelo etc.

b. A diversidade dos homens. "Idiossincrasias" (559). Em quem acreditar? Na maioria? Néscio: não se pode perguntar a todos (560).

NB

A diversidade das filosofias: uma referência absurda, Hegel indigna-se: ... "gente assim vê tudo numa filosofia, exceto, justamente, a filosofia" ... "Por mais diversos que os sistemas filosóficos sejam entre si, eles não são tão diversos quanto branco e doce, verde e áspero; mas eles concordam em que são filosofias, e é isso que não é visto" (561).

NB

NB

... "Todos os tropos vão contra o É, mas o verdadeiro também não é este seco É, e sim essencialmente próprio processo" ... (562).

c. A diversidade da organização dos instrumentos dos sentidos: os diversos órgãos dos sentidos percepcionam de modo diverso (numa tábua pintada algo parece *erhaben** à vista, mas não ao toque).

d. A diversidade das circunstâncias no sujeito (paixão, serenidade etc.).

e. A diversidade das distâncias etc.

a Terra em volta do Sol ou vice-versa etc.

f. A mistura (um cheiro sob sol forte e sem ele etc.)

g. A composição das coisas (o vidro – estilhaçado não é transparente etc.).

* Em relevo.

h. A "*relatividade* das coisas".
i. A frequência, a raridade dos fenômenos etc.; o hábito.
k. Os costumes, as leis etc., sua diversidade...
<(10) São todos ***velhos*** tropos> e Hegel: isto é tudo "empírico" – "não passa ao conceito" ... (566). Isso seria "trivial" ..., mas...
"Mas, de fato, contra o dogmatismo do senso comum eles são totalmente acertados" ... (567).
Os 5 **novos** tropos (que já seriam muito superiores, conteriam *dialética*, diriam respeito aos *conceitos*) – também segundo Sexto.
{a. A diversidade das opiniões ... ***dos filósofos***...
b. O cair no infinito (uma coisa depende da outra etc., infinitamente).
c. A relatividade (das premissas).
d. O pressuposto. Os dogmáticos apresentam pressupostos não demonstrados.
e. A reciprocidade. O círculo (vicioso)...}

"Esses tropos céticos de fato *dizem respeito* àquilo que se designa por uma filosofia dogmática (ela própria tem, por natureza, de se espalhar por todas essas formas), não no sentido de que ela tem um conteúdo positivo, mas no de que afirma algo determinado como o absoluto" (575). ‖ NB

Hegel contra o absoluto! Temos aqui um embrião de materialismo dialético. ‖ ***NB***

o "criticismo" é o "pior dogmatismo"

"Para o criticismo – que, em geral, não sabe de nada em si, de não" (*sic*!! não *nichts**) "de absoluto –, todo saber a respeito daquilo que é em si como tal é considerado dogmatismo; sendo ele, então, o pior dogmatismo, na medida em que decreta que o eu, a unidade da autoconsciência, contraposto ao ser, é em si e para si e que, fora, o em si igualmente o é e que ambos não podem de maneira nenhuma encontrar-se" (576).

Bien dit!!!

"Esses tropos acabam por dar em uma filosofia dogmática, que tem essa maneira de instalar um princípio numa proposição determinada como determinidade. Tal princípio é sempre condicionado; e, assim, tem em si dialética, um destruir de si próprio" (577). "Esses tropos são profundas armas contra a filosofia do entendimento" (ibidem).

dialética = "destruir de si próprio"

Sexto, por exemplo, descobriria a dialética do conceito de *ponto* (*der Punkt*). O ponto não tem dimensão? Quer dizer que ele está *fora* do espaço!! Ele é a fronteira do espaço no espaço, a negação do espaço e ao mesmo tempo tem uma "cota-parte no espaço" – "mas, com isso, é também algo dialético em si" (579).

NB

"Esses tropos ... contra as ideias **especulativas** não têm efeito, porque elas têm em si próprias o **dialético** e a **superação** do finito" (580).

NB

Fim do volume 14 (p. 586).

* A observação de Lênin se deve ao fato de, no texto alemão, a palavra "absoluto" ser precedida pela negação *nicht* (não) em vez de *nichts* (nada).

Volume 15. Terceiro volume da *História da filosofia* (fim da filosofia grega, filosofia medieval e moderna até Schelling, p. 1-692) (Berlim, 1836*)

Neoplatônicos[43]

... "Retorno a deus" ... (5), "a autoconsciência é o ser absoluto" ... "o espírito do mundo" ... (7), "a religião cristã" ... (8). E um ***palavreado sem fim*** sobre deus ... (8-18).

<Mas esse idealismo filosófico, que conduz "séria" e abertamente a deus, é mais honesto que o agnosticismo atual, com sua hipocrisia e covardia.>

As ideias (de Platão) e deus nosso senhor

a. *Fílon* (cerca do nasc. de C.), um judeu sábio, místico, "encontra Platão em Moisés" etc. (19). "Conhecer deus" (21) é o principal etc. Deus é o λόγος**, "o complexo de todas as ideias", "o puro ser" (22) ("segundo Platão") (22) ... As ideias são "anjos" (mensageiros de deus) ... (24). O mundo sensível, porém, "como em Platão" = οὐκ ὄν*** = não ser *(25)*.

b. *Cabala*[44], *gnósticos*[45] – – – idem

c. *Filosofia alexandrina* – (= ecletismo) (= platônicos, pitagóricos, aristotélicos) (33, 35).

Os ecléticos – ou homens incultos ou espertos (*die klugen Leute*****) – tiram o bem de toda parte, mas...

* Hegel, *Werke*, v. 15 (Berlim, Duncker und Humblot, 1836).

** Logos.

*** Transliteração: *oúk on*. (N. E.)

**** As pessoas inteligentes.

sobre os ecléticos

– apesar de reunirem tudo o que é bom, "apenas não têm a consequência do pensamento e, portanto, do próprio pensar".
Desenvolveram Platão...

as ideias de Platão e deus nosso senhor

"O universal platônico, que está no pensar, recebe, portanto, a significação de que é, como tal, a própria essência absoluta" (33) ...*

HEGEL SOBRE OS DIÁLOGOS DE PLATÃO[46]

	p.	
	(230)**	*Sofista*
	(238)	*Filebo*
	(240)	***Parmênides***
(*Timeu*)	(248)	

* O manuscrito interrompe-se aqui, as páginas seguintes do caderno estão em branco.

** Hegel, *Werke*, v. 14, cit.

SUMÁRIO DO LIVRO DE HEGEL
LIÇÕES SOBRE A FILOSOFIA DA HISTÓRIA[1]

Hegel, *Obras*, v. 9 (Berlim, 1837). *Lições sobre a filosofia da história*[2] (Edição de E. Gans)

Materiais: apontamentos das lições de 1822-1831.
Manuscrito de Hegel ***até a p. 73*** etc.

P. 5* ... "Discursos ... são ações entre homens" ... (por conseguinte, esses discursos não são palavrório).
7 – franceses e ingleses são mais cultos (têm "mais cultura ... *nacional*"), mas nós, alemães, mais discorremos sobre sutilezas relativas a como se *deve* escrever a história que a escrevemos. — espirituoso e inteligente!
9 – a história ensina "que povos e governos nunca aprenderam coisa alguma com a história: cada tempo é ***demasiado individual*** para isso": — muito inteligente!
"O que, porém, a experiência e a história ensinam é que povos e governos nunca aprenderam coisa alguma com a história e não agiram segundo as lições que dela se poderia tirar. Cada tempo tem circunstâncias tão peculiares, e um estado tão individual, que apenas partindo dele próprio se deve decidir." — NB — NB

p. 12 – "a razão governa o mundo..."

20: substância da matéria – a gravidade.
>> do espírito – a liberdade. — remendo!

* Hegel, *Werke*, v. 9 (Berlim, Duncker und Humblot, 1837).

22. "A história universal é o progresso da consciência da liberdade, que devemos conhecer em sua necessidade" ...

24 – (aproximação ao materialismo histórico). O que move os seres humanos? Sobretudo, o "*Selbstsucht*"* – as razões do amor etc. são mais raras e seu círculo é mais estreito. Mas, afinal, o que resulta desse entrelaçamento das paixões etc.? Das necessidades etc.?

28 "nada de grande se completa no mundo sem paixão" ... a paixão é o lado subjetivo, "na medida em que é o lado formal da energia"...

28 i. f. – A história não começa com um fim consciente... O importante é o que

NB

29 ... *para os homens* aparece *inconscientemente* como resultado de suas ações...

29 ... *Nesse sentido,* "a razão rege o mundo".

30

30 ... Na história, das ações dos homens realiza-se "ainda (resulta) algo diferente daquilo a que eles visam como fim e alcançam, do que eles sabem e querem imediatamente".

NB (ver Engels[3])

30 ... "Eles" (*die Menschen***) "realizam seus interesses, mas se efetua algo ainda mais longínquo, que reside também interiormente, mas não em sua consciência nem em sua intenção".

"grandes homens"

32 ... "São estes os grandes homens na história, cujos fins particulares próprios contêm o substancial, o qual é vontade do espírito universal" ...

* Interesse próprio.

** Os homens.

36 – são muito respeitáveis a religiosidade e a virtude de um pastor, de um camponês etc. (exemplos!! NB), mas... "o direito do espírito universal passa por cima de todas as justificações particulares"...
<Não raras vezes aqui em Hegel sobre o deus nosso senhor, a religião, a moral, em geral, são um absurdo idealista arquibanal.
97: "a abolição gradual da escravatura é melhor que a repentina" ...>
50. A constituição de um Estado, com sua religião... filosofia, pensamentos, cultura, "potências exteriores" (clima, vizinhos...), compõe " uma substância, um espírito"...
51. Na natureza, o movimento é apenas em círculo (!!) – na história, cria-se algo novo...
62. A linguagem é mais rica no estado não desenvolvido, primitivo, dos povos – a linguagem empobrece com a civilização e a formação da gramática.

?!

67: "A história universal move-se num solo mais elevado que aquele em que a moral tem lugar (*Stätte*)"...
73: Um quadro notável da história: uma soma de paixões, ações etc. individuais ("em toda parte, algo nos toca e, por isso, em toda parte, excita-se nosso interesse a favor ou contra"), ora a massa de um interesse geral, ora uma quantidade de "***pequenas forças***" ("uma convocação infinita de pequenas forças que, a partir de algo que aparece como insignificante, produzem algo enorme").

muito bom

*Sehr wichtig!** ver *abaixo* essa passagem ***completa*****

* Muito importante!

** Essas palavras foram escritas a lápis azul, aparentemente mais tarde. Adiante, Lênin cita o extrato "Hegel sobre a história universal"; ver, neste volume, p. 320.

O resultado? O resultado – "*cansaço*".

P. 74 – *fim da introdução.*

P. 75 – "**Base geográfica da história universal**" (título característico): (75-101).

NB
ver Plekhánov[4]

75 – "Sob o ameno céu jônio" foi mais fácil surgir um Homero – mas não é só essa causa. – "Não sob sujeição turca" etc.

!!!

82 – A imigração para a América suprime a "insatisfação" "e a continuação da condição civil atual é garantida" ... (mas esta *Zustand** é "riqueza e pobreza" ***81***) ...

82. Na Europa, não há esse escoamento: se houvesse florestas na Alemanha, não teria havido Revolução Francesa.

102: 3 formas da história universal: 1) despotismo, 2) democracia e aristocracia, 3) monarquia.

Divisão: mundo oriental – grego – romano – mundo germânico. Fraseologia vazia sobre a moralidade etc. etc.

China. Capítulo 1 (113 a 139). Descrição do *caráter* chinês, das instituições etc. *Nil, nil, nil!***

Índia – *até* 176 – Até...

Pérsia (e Egito) até *231*. Por que o reino (império) persa caiu, e os da China e da Índia não? *Dauer**** ainda não é *vortreffliches*****. – "As imperecíveis montanhas não são mais primorosas que a rosa rapidamente desfolhada em sua vida volátil" (229).

* Condição (social).

** Nada, nada, nada!

*** Duração.

**** Algo de excelente.

A Pérsia caiu porque aqui começou a "intuição espiritual" (230), mas os gregos se mostraram superiores, "um princípio" de organização "mais elevado", "liberdade autoconsciente" (231).

232: "O mundo grego" ... o princípio da "individualidade pura" – o período de seu desenvolvimento, seu florescimento e sua queda, "*o encontro com o órgão ulterior da história universal*" (233) – Roma com sua "substância" (ibidem).

a história universal como um todo e os povos singulares – seus "órgãos"

234: Condições geográficas da Grécia: a variedade da natureza (diferentemente da uniformidade do Oriente).

242: Colônias na Grécia. Acumulação de riqueza. A ela estão "sempre" ligadas a necessidade e a pobreza...

Riqueza e pobreza

246. "O natural que é explicado pelos homens, seu interior, o essencialmente dele, é o começo do divino em geral" (a propósito da mitologia dos gregos).

Hegel e Feuerbach[5]

251: "Um homem comporta-se, no que se refere a suas necessidades, para com a natureza exterior de um modo prático; na medida em que se satisfaz por meio dela, a consome, agindo nela na qualidade de mediador. Os objetos da natureza são, nomeadamente, poderosos e oferecem múltipla resistência. Para submetê-los, o homem interpõe outras coisas da natureza, vira assim a natureza contra a própria natureza e inventa instrumentos para esse fim. Essas invenções humanas pertencem ao espírito, e deve-se prezar mais tal instrumento que o objeto da natureza ... A honra da invenção humana para submissão da natureza é atribuída aos deuses" (nos gregos).

em Hegel, embriões de materialismo histórico

Hegel e Marx

264: A democracia na Grécia estava ligada à pequena dimensão dos Estados. O *discurso*, o discurso vivo ligava os cidadãos, criava *Erwärmung**.

?? "Por isso", na Revolução Francesa, nunca houve constituição republicana.

Hegel e as "contradições" na história

322-323: "Ele" (*Cäsar***) "eliminou a contradição interna" (ao eliminar a república, que já era uma "sombra") "e suscitou uma nova. Pois a dominação do mundo, até então, tinha chegado apenas à coroa dos Alpes; César, porém, abriu um novo palco: ele fundou a arena que deveria ser daí em diante o centro da história universal".

E depois, a propósito do assassinato de César:

as ***categorias*** do possível e do contingente *versus* a efetividade e a confirmação na história

... "Em geral, uma revolução do Estado é, por assim dizer, sancionada no parecer dos homens, quando se repete" (Napoleão, os Bourbon) ... "Pela repetição, aquilo que no começo aparece apenas como contingente e possível torna-se efetivo e confirmado" (323).

"O cristianismo" (328-346). Palavrório idealista clerical sobre a grandeza do cristianismo (com citações do Evangelho!!). Infame, fétido!

420-421: Por que a Reforma se limitou a algumas nações? Entre outras coisas – "as nações eslavas eram *agrícolas*" (421), mas isso traz consigo a "relação de senhores e servos", menor "*Betriebsamkeit*"*** etc. E as nações românicas, por quê? seu *caráter* (*Grundcharakter***** 421 i. f.).

* Ardor.

** Júlio César. (N. E.)

*** "Industriosidade."

**** Caráter fundamental.

429: ... "A liberdade polonesa não era outra coisa senão a liberdade dos barões contra o monarca ... O povo tinha, assim, o mesmo interesse contra os barões que o rei ... Quando se fala de liberdade, é preciso sempre voltar a atenção se não é de interesses privados propriamente ditos que se está tratando" (430).

NB
relações de classe

439: Sobre a Revolução Francesa... Por que é que os franceses passaram "logo do teórico ao prático", mas os alemães não? Entre os alemães, a Reforma "já tinha melhorado tudo", eliminado "a indizível injustiça" etc.

!!

441: Pela primeira vez (na Revolução Francesa), chegou-se a isto: "O homem se assenta sobre a cabeça, ou seja, sobre o pensamento, e constrói a efetividade segundo ele"... "Esse foi ... um magnifico nascer do Sol" ...

Ao examinar mais adiante o "curso da revolução na França" (441), Hegel sublinha na liberdade em geral a liberdade *da propriedade, da indústria* (ibidem).

... A promulgação das leis? A vontade *de todos*...

ver Marx *und* Engels[6]

"Um pequeno número deve *representar* um grande número, mas frequentemente apenas o *reprime*" ... (442). "Não é em menor grau uma grande inconsequência a dominação da maioria sobre a minoria" (ibidem).

?

444: ... "Por seu conteúdo, um acontecimento" (a Revolução Francesa) "é histórico-universal"... "Liberalismo" (444), "instituições liberais" (443) espalham-se pela Europa.

p. 446 – fim.

446: "A história universal não é senão o desenvolvimento do conceito de liberdade"...

<***NB***: o mais importante é a *Einleitung**, na qual há muito de excelente na **colocação** da questão.>

<No geral, a filosofia da história oferece muito, muito pouco; e é compreensível, porque justamente aqui, justamente neste domínio, nesta ciência, Marx e Engels deram o maior passo adiante. É aqui que Hegel está mais envelhecido e antiquado.
(Ver p. seguinte**)>

Hegel sobre a história universal

"Se, finalmente, encararmos agora a história universal com base na categoria a partir da qual ela deve ser encarada, temos diante de nós um quadro infinito da vitalidade humana, da atividade nas mais diversas condições, de fins de toda espécie, dos mais diversos acontecimentos e destinos. Em todos esses acontecimentos e contingências vemos à frente: agir e ocupação humanos; por toda parte, algo de nosso e, por isso, por toda parte, excitação de nosso interesse a favor ou contra. Ora se atrai pela beleza, pela liberdade e pela riqueza, ora pela energia, ora o vício sabe ele próprio tornar-se significativo. Em geral, é a massa abarcante de um interesse geral que se move adiante com dificuldade, mas ainda mais frequente, uma convocação infinita de pequenas forças que, a partir de algo que aparece como insignificante, produzem algo enorme; por toda parte, o espetáculo mais colorido, e, quando uma coisa desaparece, logo outra entra em seu lugar.

* Introdução. (N. E.)

** Na página seguinte do manuscrito, começa o tópico "Hegel sobre a história universal". (N. E.)

Porém, o resultado mais próximo dessa consideração, por mais atraente que ela seja, é o *cansaço* que se segue após o decorrer do mais variado espetáculo de lanterna mágica; e mesmo que nós concedamos a cada representação singular seu mérito, levanta-se, no entanto, em nós a questão sobre qual é o fim de todos os acontecimentos singulares, e cada uma se esgota em seu fim particular ou, ao contrário, não há que se pensar *um* fim último para todas essas histórias; por trás do sonoro alarido dessa superfície não estão o trabalho e o fomento de uma obra, de uma obra interior, silenciosa, secreta, em que a força essencial de todos aqueles aparecimentos transitórios é conservada? Se não se traz de início também o pensamento, o conhecimento da razão para a história universal, deve-se, pelo menos, trazer a firme fé invencível de que a razão está em si própria e, pelo menos, a de que o mundo do intelecto e da vontade autoconsciente não está entregue ao mero acaso, mas tem que se mostrar na luz da ideia que se sabe a si própria" (73-74)*.
((NB: no prefácio, p. XVIII, a editora, ou seja, o editor Ed. Gans, indicou que ***até a p. 73*** é uma "*Ausarbeitung*"** do manuscrito escrito por Hegel em 1830.))

* Hegel, *Werke*, v. 9, cit.

** "Reelaboração."

PLANO DA DIALÉTICA (LÓGICA) DE HEGEL[1]

<Índice da *Pequena Lógica* (*Enciclopédia*)>

I. A doutrina do ser.

- A) Qualidade
  - a) ser;
  - b) ser determinado;
  - c) ser para si.
- B) Quantidade
  - a) quantidade pura;
  - b) magnitude (*Quantum*);
  - c) grau.
- C) Medida.

II. A doutrina da essência.

- A) A essência como fundamento da existência
  - a) identidade – diferença – fundamento;
  - b) a existência;
  - c) a coisa.
- B) O aparecimento
  - a) o mundo do aparecimento;
  - b) conteúdo e forma;
  - c) relação.
- C) A efetividade
  - a) relação de substancialidade;
  - b) » de causalidade;
  - c) ação recíproca.

III. A doutrina do conceito.

A) O conceito subjetivo
- a) conceito;
- b) juízo;
- c) silogismo.

B) O objeto
- a) mecanismo;
- b) quimismo;
- c) teleologia.

C) A ideia
- a) vida;
- b) conhecer;
- c) ideia absoluta.

> O conceito (o conhecimento) revela no ser (nos aparecimentos imediatos) a essência (lei da causa, da identidade, da diferença etc.) – é esse realmente o ***curso geral*** de todo o conhecer (toda a ciência) humano em geral. Esse é o curso tanto da ***ciência da natureza*** como da ***economia política*** <e da história>. A dialética de Hegel é, **nessa medida**, a generalização da história do pensamento. Parece uma tarefa extraordinariamente grata seguir isso mais concretamente, mais detalhadamente, na *história das ciências singulares*. Na lógica, a história do pensamento **deve**, no geral, coincidir com as leis do pensamento.

Salta aos olhos que às vezes Hegel vai do abstrato ao concreto (*Sein* (abstrato) – ***Dasein*** (concreto) – *Fürsichsein*), às vezes o inverso (conceito subjetivo – objeto – verdade (Ideia absoluta)). Não será essa a inconsequência do idealista (aquilo que Marx chamou de *Ideenmystik*** em Hegel)? Ou há razões mais profundas? (por exemplo, *ser* = *nada* – ideia do devir, do desenvolvimento.) Inicialmente *surgem* impressões, depois destaca-se *algo*, depois desenvolvem-se os conceitos da *qualidade* # (as determinações da coisa ou do aparecimento) e da *quantidade*. Depois, o estudo e a reflexão dirigem o pensamento para o conhecimento da identidade – da diferença – do fundamento – da essência *versus* aparecimento – da causalidade etc. Todos esses momentos (passos, graus, processos) do conhecimento se orientam do sujeito para o objeto, comprovando-se pela prática e chegando, por meio dessa comprovação, à verdade (= ideia absoluta).

<"*Sein*" abstrato só como ***momento*** no πάντα ρεῖ*>

Qualidade e sensação (*Empfindung*) são uma e a mesma coisa, diz Feuerbach. O primeiro e original é a sensação, e ***nela*** também é inevitável a ***qualidade***...

Se Marx não deixou uma "*Lógica*" (com letra maiúscula), deixou a lógica de *O capital*, e isso deveria ser utilizado profundamente nesta questão. Em *O capital* aplica-se a uma ciência a lógica, a dialética, a teoria do conhecimento <não são necessárias três palavras: é uma coisa só> do materialismo, que tomou tudo o que há de valioso em Hegel e fez esse valioso avançar.

* Tudo flui (transliteração do grego: *panta rei* – N. E.).

** Mística de ideias.

Mercadoria – dinheiro – capital
|
> produção do *Mehrwert** absoluto
> produção do *Mehrwert* relativo.

<A história do capitalismo e a análise dos ***conceitos*** que a resumem.>

O início – o "ser" mais simples, habitual, maciço, imediato: a mercadoria singular ("*Sein*" na economia política). Sua análise como a de uma relação social. Uma análise *dupla*, dedutiva e indutiva – lógica e histórica (as formas do valor).

‖ Comprovação mediante os fatos *respective* mediante a prática existe aqui em *cada* passo da análise.

Ver com a questão da essência *versus* aparecimento
– preço e valor – procura e oferta
versus Wert
(= *kristallisierte Arbeit*)**
– salário e preço da força de trabalho.

* Mais-valor.

** Valor (= trabalho cristalizado).

SOBRE A QUESTÃO DA DIALÉTICA[1]

A bipartição do uno e do conhecimento em suas partes contraditórias (ver a citação de Fílon sobre Heráclito no princípio da terceira parte ("Do conhecer") do *Heráclito* de Lassalle*) é a ***essência*** (uma das "essencialidades", uma das particularidades ou dos traços fundamentais, se não a fundamental) da dialética. É justamente assim que também Hegel apresenta a questão (Aristóteles em sua *Metafísica* ***debate-se*** constantemente em torno disso e luta contra Heráclito *respective* as ideias heraclitianas[2]).
A exatidão desse aspecto do conteúdo da dialética deve ser comprovada por meio da história da ciência. Geralmente (por exemplo, em Plekhánov), dá-se insuficiente atenção a esse aspecto da dialética: a identidade dos opostos é tomada como somatório de ***exemplos*** <"por exemplo, o grão"; "por exemplo, o comunismo primitivo". Isso também em Engels. Mas "a fim de popularizar">, não como ***lei do conhecimento*** (*e* lei do mundo objetivo).
Na matemática + e –. Diferencial e integral.
» mecânica ação e reação.
» física eletricidade positiva e negativa.
» química ligação e dissociação dos átomos.
» ciência social luta de classes.

* Ver Vladímir I. Lênin, *Obras escolhidas em seis tomos*, v. 6 (Lisboa/Moscou, Avante!/Progresso, 1989), p. 293. (N. E.)

A identidade dos opostos (sua "unidade", talvez seja mais correto dizer? embora a diferença dos termos identidade e unidade aqui não seja particularmente essencial. Em certo sentido, ambos são corretos) é o reconhecimento (a descoberta) de tendências contraditórias, *mutuamente exclusivas*, opostas em ***todos*** os fenômenos e os processos da natureza (o espírito e a sociedade *inclusos*). A condição do conhecimento de todos os processos do mundo em seu "*automovimento*", em seu desenvolvimento espontâneo, em sua vida viva, é seu conhecimento como unidade de opostos. Desenvolvimento é "luta" dos opostos. As duas concepções fundamentais (ou as duas possíveis? ou as duas observáveis na história?) de desenvolvimento (evolução) são: desenvolvimento como diminuição e aumento, como repetição, *e* desenvolvimento como unidade de opostos (a bipartição do uno em opostos mutuamente exclusivos e a relação recíproca entre eles).
Na primeira concepção do movimento, o ***auto***movimento permanece na sombra, sua força ***motora***, sua fonte, seu motivo (ou essa fonte é transportada para fora – deus, sujeito etc.).
Na segunda concepção, a atenção principal dirige-se justamente para o conhecimento da *fonte* do ***"auto"***movimento.
A primeira concepção é morta, pálida, seca.
A segunda, viva. ***Apenas*** a segunda dá a chave para o "automovimento" de tudo o que é; só ela dá a chave para os "saltos", para a "interrupção da gradualidade", para a "transformação no oposto", para a eliminação do velho e o aparecimento do novo.

A unidade (coincidência, identidade, igualdade
de ação) dos opostos é condicional, temporária,
transitória, relativa. A luta dos opostos mutuamente
exclusivos é absoluta, como absolutos são o
desenvolvimento, o movimento.
<***NB:*** a diferença entre o subjetivismo (ceticismo
e sofística etc.) e a dialética consiste, entre outras
coisas, no fato de que na dialética (objetiva) também
é relativa a diferença entre relativo e absoluto. Para
a dialética objetiva, *no* relativo *há* o absoluto. Para o
subjetivismo e a sofística, o relativo é apenas relativo
e exclui, o absoluto.>
Marx analisa em *O capital* primeiro a *relação* mais
simples, habitual, fundamental, mais maciça,
mais cotidiana, que se encontra bilhões de vezes
na sociedade burguesa (mercantil): a troca de
mercadorias. A análise revela nesse fenômeno
simplicíssimo (nessa "célula" da sociedade burguesa)
todas as contradições (*respective* os germes de todas
as contradições) da sociedade contemporânea. A
exposição subsequente mostra o desenvolvimento
(*tanto* o crescimento *quanto* o movimento) dessas
contradições e dessa sociedade, no Σ* de suas partes
singulares, de seu começo a seu fim.
É desse tipo que deve ser o método da exposição
(*respective* estudo) da dialética em geral (pois a
dialética da sociedade burguesa em Marx é apenas
um caso particular da dialética). Começar com o mais
simples, habitual, maciço etc., com uma *proposição*
qualquer: as folhas da árvore são verdes; Ivan é um

* Somatório.

homem; Jutchka é uma cadela etc. Já existe aqui (como observou Hegel de modo genial) *dialética*: o **singular é** o *universal* (ver Aristóteles, *Metaphysik*, trad. de Schwegler. *Bd.* II, *S.* 40, 3. *Buch*, 4. *Kapitel*, 8-9: "*denn natürlich kann man nicht der Meinung sein, daß es ein Haus* – uma casa em geral – *gebe außer den sichtbaren Häusern*", "ού γάρ άν ΰείημεν είναι τίνα οίκίαν παρά τάς τινας οικίας"*). Isso significa que os opostos (o singular é oposto ao universal) são idênticos: o singular não existe senão na conexão que conduz ao universal. O universal existe apenas no singular, por meio do singular. Todo singular é (de uma maneira ou de outra) universal. Todo universal é (uma partícula ou um aspecto ou a essência) do singular. Todo universal só aproximadamente abarca todos os objetos singulares. Todo singular entra incompletamente no universal etc. etc. Todo singular está ligado por milhares de transições a outro **tipo** de singulares (coisas, aparecimentos, processos) etc. Já existem ***aqui*** elementos, germes do conceito da *necessidade*, da conexão objetiva da natureza etc. O contingente e o necessário, o aparecimento e a essência já existem aqui, pois ao dizer que Ivan é um homem, Jutchka é uma cadela, *isto* é uma folha de árvore etc., nós *colocamos* de lado uma série de atributos como *contingentes*, separamos o essencial do que aparece e opomos um ao outro.

* Aristóteles, *Metafísica*, trad. de Schwegler, v. 2, p. 40, livro 3, capítulo 4, 8-9: "Pois, naturalmente, não se pode ser de opinião de que haja uma casa [...] além das casas visíveis", "de fato, não podemos, porventura, admitir que haja uma casa qualquer ao lado das casas [singulares, determinadas] (transliteração do grego: *oú gar an ueiēmen einai tina oikian pará tás tinas oikias* – N. E.)".

Desse modo, em *qualquer* proposição podem-se (e devem-se), como numa "célula", revelar os germes de *todos* os elementos da dialética, mostrando, desse modo, que todo conhecimento do ser humano em geral tem como propriedade a dialética. A ciência da natureza, contudo, mostra-nos (e mais uma vez é preciso mostrar isso em *qualquer* exemplo simplicíssimo) a natureza objetiva em suas próprias qualidades, transformação do singular no universal, do contingente no necessário, transições, fluíres, conexão mútua dos opostos. A dialética é ***ainda*** a teoria do conhecimento (de Hegel e) do marxismo: foi a esse "aspecto" da coisa (isso não é um "aspecto" da coisa, mas a *essência* da coisa) que não deu atenção Plekhánov, sem falar de outros marxistas.

* * *

Tanto Hegel (ver *Lógica*) quanto Paul Volkmann (ver seus *Erkenntnistheoretische Grundzüge*, S.[3]), o moderno "epistemólogo" da ciência da natureza, eclético, inimigo do hegelianismo (que ele não compreendeu!), apresentam o conhecimento sob a forma de uma série de círculos.

"Círculos" na filosofia: <é obrigatória a cronologia de *pessoas*? Não!>
Antiga: de Demócrito a Platão e à dialética de Heráclito.
Renascimento: Descartes *versus* Gassendi (Espinosa?).
Moderna: Holbach – Hegel (através de Berkeley, Hume, Kant). Hegel – Feuerbach – Marx.

A dialética como conhecimento *vivo*, multilateral (sendo que o número de aspectos aumenta eternamente), com uma infinidade de matizes de qualquer abordagem, aproximação à realidade (com um sistema filosófico que cresce de cada matiz até se tornar um todo) – é este o conteúdo, incomensuravelmente rico em comparação com o materialismo "metafísico", cujo *mal* fundamental é a incapacidade de aplicar a dialética à *Bildertheorie**, ao processo e ao desenvolvimento do conhecimento. O idealismo filosófico *apenas* é um disparate do ponto de vista do materialismo grosseiro, simples, metafísico. Pelo contrário, do ponto de vista do materialismo *dialético*, o idealismo filosófico é um desenvolvimento (uma inflação, um inchaço) *unilateral*, excessivo, *überschwengliches* (Dietzgen[4]) de um dos traços, aspectos, limites do conhecimento para um absoluto, *separado* da matéria, da natureza, divinizado. O idealismo é uma padralhice**. Certo. No entanto, o idealismo filosófico ("***mais corretamente***" e "***além disso***") é um *caminho* para a padralhice *por meio de* ***um dos matizes*** ***do conhecimento*** infinitamente complexo (dialético) do ser humano.

NB este aforismo

O conhecimento do ser humano não é (*respective* não segue) uma linha reta, mas uma linha curva, que se aproxima infinitamente de uma série de círculos, de uma espiral. Qualquer fragmento, pedaço, bocadinho dessa linha curva pode ser transformado

* Teoria das imagens.

** O sufixo russo -вщина (*-vschina*) pode corresponder, de modo aproximado, ao sufixo -ice do português. Assim, поповщина (*popovschina*) se refere ao que é próprio de padres, em sentido depreciativo. (N. E.)

(unilateralmente transformado) numa linha autônoma, completa, reta, que (se por trás das árvores não se vir a floresta), então, conduz ao pântano, à padralhice (em que o interesse de classe das classes dominantes a ***fixa***). Retilinidade e unilateralidade, imobilidade e ossificação, subjetivismo e cegueira subjetiva, *voilà* as raízes epistemológicas do idealismo. E a padralhice (= idealismo filosófico) tem, naturalmente, raízes *gnosiológicas*, ela não é desprovida de terreno, ela é indiscutivelmente uma *flor estéril*, mas uma flor estéril que cresce na árvore viva do vivo, frutuoso, verdadeiro, poderoso, onipotente, objetivo, absoluto conhecimento humano.

NOTAS

SUMÁRIO DO LIVRO DE HEGEL *CIÊNCIA DA LÓGICA*

1 O "Sumário do livro de Hegel *Ciência da lógica*" consta de três cadernos, com páginas numeradas sequencialmente, de 1 a 115, e intitulados, respectivamente, *Hegel: Lógica I*, *Hegel: Lógica II* e *Hegel: Lógica III*. Na capa do primeiro caderno, Lênin escreveu também o título geral da série: *Cadernos sobre filosofia: Hegel, Feuerbach e Vária*; no verso da capa, anotou o conteúdo dos volumes das *Obras* de Hegel, conforme a lista aqui reproduzida.
O sumário dessa obra fundamental de Hegel ocupa lugar central entre os feitos por Lênin em 1914 e 1915. Nele, Lênin revela o idealismo e o caráter historicamente limitado da lógica hegeliana e defende também que, de forma mística, Hegel segue de perto "o reflexo do movimento do mundo objetivo no movimento dos conceitos" (p. 189). Ao mesmo tempo, examina as leis, as categorias e os elementos fundamentais da dialética, seu nexo com a prática, a correlação da dialética, da lógica e da teoria do conhecimento, o caráter dialético do desenvolvimento da filosofia, das ciências da natureza e da técnica. O sumário contém um importante fragmento dos elementos da dialética (ver p. 232-5). Escrito entre setembro e dezembro de 1914, foi publicado pela primeira vez em 1929, na *Ленинский сборник*/ *Leninski sbornik* [Coletânea Lenin], v. 9. Publica-se de acordo com o manuscrito.– p. 99 (N. E. R. A.)

2 Trata-se da primeira edição alemã das *Obras* de Hegel (Berlim, Duncker und Humblot, 1833). Os volumes 1 a 18 saíram de 1832 a 1845; o 19 (adicional), em duas partes, foi publicado em 1887. – p. 102 (N. E. R. A.)

3 *Wissenchaft der Logik* (*Ciência da lógica*): nesta importante obra, Hegel parte do princípio idealista da identidade entre o ser e o pensar para estudar as categorias lógicas como momentos da ideia absoluta, na qual o filósofo via a essência da realidade. Em *Ciência da lógica*, a dialética idealista de Hegel é exposta de maneira sistemática, como autodesenvolvimento dos conceitos. A obra compreende três livros: o primeiro (*A doutrina do ser*) foi publicado no início de 1812; o segundo (*A doutrina da essência*), em 1813; e o terceiro (*A doutrina do conceito*), em 1816, em Nuremberg. Em 1831, Hegel começou a preparar uma nova edição, mas só

conseguiu rever o primeiro livro e escrever o prefácio à segunda edição (datado de 7 de novembro de 1831). – p. 102 (N. E. R.)

4 *Vida viva*: conceito hegeliano (*lebendiges Leben*) que teve repercussões diferentes em personalidades russas tão distantes quanto Lênin e Fiódor Dostoiévski, que faz referência a ele em *Memórias do subsolo* (trad. Boris Schnaiderman, São Paulo, Editora 34, 2000). – p. 104 (N. E.)

5 Ver Aristóteles, *Metafísica,* livro 1, capítulo 1. – p. 105 (N. E. R.)

6 *Parmênides*: diálogo de Platão, tendo por título o nome do principal representante da escola eleata (ver a nota 9 do "Sumário do livro de Hegel *Lições sobre a história da filosofia*", incluído neste volume, p. 348). Desenvolve-se no diálogo a dialética idealista, aplicada aqui por Platão a sua doutrina das ideias. Em *Lições sobre a história da filosofia*, Hegel diz que o diálogo é a "mais célebre obra-prima da dialética platônica" e, ao mesmo tempo, assinala que em *Parmênides* essa dialética se reveste de um caráter mais negativo que positivo, porque Platão, ao referir-se às contradições, não sublinha suficientemente sua unidade. Lênin assinala esse passo: ver, neste volume, p. 310 – p. 113 (N. E. R.)

7 Trata-se da conhecida afirmação de Kant: "Tive, portanto, que pôr em suspenso o *saber* para dar lugar para a *fé*". Ver Immanuel Kant, "Prefácio", em *Crítica da razão pura* (trad. Fernando Costa Mattos, Petrópolis, Vozes, 2012). Essa formulação exprime o caráter contraditório do sistema de Kant, seu desejo de "conciliar" o inconciliável: a fé e o saber, a ciência e a religião. No sumário, Lênin escreve adiante: "Kant rebaixa o saber para limpar o terreno para a fé" (ver, neste volume, p. 182). – p. 115 (N. E. R. A.)

8 Ver Friedrich Engels, *Ludwig Feuerbach e o fim da filosofia alemã clássica*, em Karl Marx e Friedrich Engels, *Obras escolhidas em três tomos*, v. 3 (Lisboa/Moscou, Avante!/Progresso, 1985), p. 390. – p. 117 (N. E. R.)

9 Ao falar da categoria do ser, não é por acaso que Hegel menciona os eleatas (ver a nota 9 do "Sumário sobre *Lições sobre a história da filosofia*", p. 348). Embora considere que a lógica é o desenvolvimento da ideia absoluta numa forma pura, vê na história da filosofia o processo histórico desse desenvolvimento. Por isso, segundo Hegel, cada categoria da lógica já deve ter sido historicamente expressa por determinado sistema filosófico (o ser, pelos eleatas; o nada, pelo budismo; o devir, por Heráclito; e assim sucessivamente). Hegel escreve: "O que é primeiro na ciência teve de ser mostrado *historicamente* como *primeiro*". Lênin copia essa tese e observa: "Soa muito materialista!". E, em outro passo, escreve: "Aparentemente, Hegel toma seu autodesenvolvimento dos conceitos, das categorias, em conexão com toda a história da filosofia. Isso acrescenta um lado *novo* a toda a *Lógica*". (Ver, neste volume, p. 119 e 128). – p. 118 (N. E. R.)

10 "*Abstrakte und abstruse Hegelei*" ("hegelianice abstrata e abstrusa"): expressão de Friedrich Engels em *Ludwig Feuerbach e o fim da filosofia alemã clássica*, cit., p. 386. – p. 121 (N. E. R.)

11 Ibidem, p. 389. – p. 122 (N. E. R.)

12 A ideia da infinitude da matéria e do processo de seu conhecimento é desenvolvida por Lênin no livro *Materialismo e empiriocriticismo* (Lisboa/Moscou, Avante!/ Progresso, 1982). – p. 126 (N. E. R.)

13 *Überschwenglich* (desmesurado, excessivo, desmedido; algo é *überschwenglich* quando, por sua exuberância ou seu excesso, transcende determinados limites): termo usado por Joseph Dietzgen na caracterização da relação entre a verdade absoluta e a relativa, a matéria e o espírito etc. (ver, por exemplo, neste volume, p. 336). Lênin utiliza esse termo em vários de seus trabalhos ao explicar a concepção materialista da dialética dos conceitos. – p. 128 (N. E. R. A.)

14 Lênin também fala das mônadas de Leibniz no conspecto do livro de Feuerbach *Exposição, desenvolvimento e crítica da filosofia de Leibniz*. Ver *Obras escolhidas em seis tomos*, v. 6 (Lisboa/Moscou, Avante!/ Progresso, 1986), p. 80-2. – p. 128 (N. E. R.)

15 *Antinomia*: contradição entre dois enunciados demonstráveis logicamente na mesma medida. Kant defendia que a razão humana incorre inevitavelmente numa antinomia, numa contradição consigo própria, quando tenta sair dos limites da experiência sensível e conhecer o mundo como um todo. Kant enumerava quatro antinomias: 1) o mundo começa no tempo e no espaço e o mundo é infinito; 2) qualquer substância complexa é composta por coisas simples, e no mundo não há nada simples; 3) no mundo, existe a liberdade, e tudo obedece apenas às leis da natureza; 4) existe determinado ser necessário (deus) como parte ou causa do mundo e não existe nenhum ser absolutamente necessário. Essas antinomias serviram de importante argumento ao agnosticismo kantiano, pois, segundo Kant, indicavam à razão os limites de suas possibilidades e, desse modo, preservavam a fé dos atentados da razão. Ao mesmo tempo, na doutrina das antinomias, Kant constatava a objetividade das contradições no pensar cognoscitivo, o que contribuiu para o desenvolvimento da dialética. Já Hegel assinalou o caráter formal e limitado das antinomias de Kant, criticando-as. A dialética materialista, ao explicar cientificamente o conhecimento humano, buscou mostrar como as antinomias se resolvem no processo de consecução da verdade objetiva. – p. 130 (N. E. R.)

16 Aparentemente, Lênin refere-se às considerações de Engels no *Anti-Dühring* sobre o infinito matemático e o caráter dialético das demonstrações nas matemáticas superiores. Ver Friedrich Engels, *Anti-Dühring: a revolução da ciência segundo o senhor Eugen Dühring* (trad. Nélio Schneider, São Paulo, Boitempo, 2015), p. 81-2 e 164-5. – p. 131 (N. E. R.)

17 Alusão ao dístico "Questão de direito", dos *Xenien* [Epigramas] de Goethe e Schiller: "Já há muitos anos que me sirvo de meu nariz para cheirar/ Terei eu, então, realmente também um direito a ele que se possa demonstrar?" – p. 132 (N. E. R.)

18 Lênin parece referir-se às afirmações de Engels a respeito do cálculo diferencial e integral no *Anti-Dühring*, cit., p. 165-7 e 170-2). – p. 132 (N. E. R.)

19 Lênin se refere a uma observação de Feuerbach na obra *Vorläufige Thesen zur Reform der Philosophie* [Teses provisórias sobre a reforma da filosofia], de 1842. – p. 137 (N. E. R.)

20 Trata-se da obra de Kant *Kritik der Urteilskraft* (também conhecida em português por *Crítica da faculdade de julgar* e *Crítica do julgamento)*, de 1790. Eds. bras: *Crítica da faculdade do juízo* (trad. Valério Rohden e António Marques, São Paulo, Forense Universitária, 2012); *Crítica da faculdade de julgar* (trad. Fernando Costa Mattos, Petrópolis, Vozes, 2016) – p. 145 (N. E. R. A.)

21 A palavra *hinüberretten* ("salvar") foi tomada do prefácio à segunda edição do *Anti-Dühring*, em que Engels escreveu: "Marx e eu fomos praticamente os únicos que tomaram da filosofia idealista alemã a dialética consciente e a salvaguardaram na concepção materialista da natureza e da história". Ver Friedrich Engels, *Anti--Dühring*, cit., p. 37. – p. 152 (N. E. R.)

22 Lênin refere-se à publicação das seguintes obras: *Ciência da lógica,* de Hegel (os primeiros dois livros saíram em 1812 e 1813); *Manifesto do Partido Comunista,* de Marx e Engels (escrito no fim de 1847 e publicado em fevereiro de 1848); *A origem das espécies,* de Darwin (publicado em 1859). – p. 153 (N. E. R. A.)

23 Doutrina idealista (doutrina da finalidade): segundo a qual não só os atos dos seres humanos, mas também todo o desenvolvimento da ciência e da história, tanto no conjunto como nos detalhes, estão orientados para uma finalidade predeterminada; muitas vezes, proclama-se que a finalidade suprema e última do desenvolvimento é deus. – p. 156 (N. E. R.)

24 Esta passagem encontra-se no capítulo "Força e entendimento, fenômeno [aparecimento] e mundo suprassensível". Ver G. W. F. Hegel, *Fenomenologia do espírito* (trad. Paulo Meneses, Petrópolis/Bragança Paulista, Vozes/São Francisco, 2008), 2 v., p. 95-117. – p. 165 (N. E. R.)

25 A caracterização das concepções de Karl Pearson e de seu livro *The Grammar of Science* [A gramática da ciência], aqui mencionada, consta da obra de Lênin *Materialismo e empiriocriticismo*, cit. – p. 166 (N. E. R.)

26 Lênin aparentemente se refere às passagens de *Lições sobre a essência da religião* em que Feuerbach manifesta a opinião de que deus é a natureza "abstrata", "separada de sua materialidade e sua corporeidade"; Lênin assinalou essas passagens em seu sumário do livro de Feuerbach (ver, por exemplo, *Obras escolhidas em seis tomos*, v. 6, cit., p. 62). – p. 167 (N. E. R.)

27 Lênin chama a primeira parte da *Enciclopédia das ciências filosóficas* de "pequena lógica" para diferenciá-la da "grande" *Ciência da lógica*. Na carta a Marx de 21 de setembro de 1874, Engels fala da popularidade da *Enciclopédia* de Hegel; ao ler a edição alemã da correspondência de Marx e Engels em quatro volumes, Lênin fez o sumário dessa carta e transcreveu a passagem correspondente. Kuno Fischer expõe a lógica de Hegel em sua *História da filosofia moderna*; Lênin assinala as deficiências da sua exposição (ver, neste volume, p. 187). – p. 169 (N. E. R.)

28 Ver Gueórgui Valentínovitch Plekhánov, "К шестидесятой годовщине смерти Гегеля/ K chestidessiátoi godovschínie smérti Guéguelia" [Para o sexagésimo aniversário da morte de Hegel], de 1891. – p. 173 (N. E. R.)

29 Ver Friedrich Engels, *Ludwig Feuerbach e o fim da filosofia alemã clássica*, cit., p. 389). – p. 180 (N. E. R.)

30 A respeito de sua "imitação de Hegel", Marx escreveu, no posfácio à segunda edição do Livro I de *O capital*, que, em resposta ao desprezo de que Hegel era alvo por parte da "Alemanha culta", "declarei-me publicamente como discípulo daquele grande pensador e, no capítulo sobre a teoria do valor, cheguei a coquetear aqui e ali com seus modos peculiares de expressão". Ver Karl Marx, *O capital: crítica da economia política*, Livro I: *O processo de produção do capital* (trad. Rubens Enderle, São Paulo, Boitempo, 2013), p. 91. Adiante (ver, neste volume, p. 191), Lênin sublinha a importância da lógica de Hegel para a compreensão de *O capital*. – p. 189 (N. E. R.)

31 Lênin opõe a concepção dialética do movimento às ideias metafísicas de Viktor Mikháilovitch Tchernov, a quem criticou no livro *Materialismo e empiriocriticismo*. Aqui, trata-se das explanações de Tchernov a respeito da essência do movimento mecânico em seu trabalho *Marxismo e filosofia transcendental*, em que se opõe a Engels a propósito dessa questão. Lênin mostrou como era insustentável a objeção de Tchernov no sumário de *Lições sobre a história da filosofia*, de Hegel (ver, neste volume, p. 264). – p. 211 (N. E. R.)

32 No sumário da seção anterior de *Ciência da lógica*, fala-se do papel da prática e da técnica no processo do conhecimento (ver, neste volume, p. 199-202). – p. 212 (N. E. R.)

33 Gauss solucionou a dita equação na obra *Disquisitiones arithmeticae* [*Investigações aritméticas*], de 1801. – p. 220 (N. E. R.)

34 Lênin refere-se à nota de Hegel com exemplos de duas partes da obra *Anfangsgründe aller mathematischen Wissenschaften* [Princípios de ciências matemáticas], de

Christian Wolff: *Anfangsgründe der Baukunst* [Princípios da arquitetura] e *Anfangsgründe der Fortifikation* [Princípios da fortificação]. – p. 221 (N. E. R.)

35 Nas *Teses sobre Feuerbach,* Marx, apontando o caráter contemplativo do materialismo precedente, escreve que "o lado ativo, em oposição ao materialismo, [foi] abstratamente desenvolvido pelo idealismo – que, naturalmente, não conhece a atividade real, sensível, como tal". Ver Karl Marx e Friedrich Engels, *A ideologia alemã* (trad. Rubens Enderle, Nélio Schneider e Luciano Cavini Martorano, São Paulo, Boitempo, 2007), p. 533. – p. 222 (N. E. R.)

36 No livro 3 de sua obra *De vitis, dogmatibus et apophthegmatibus clarorum philosophorum* [Vidas e doutrinas dos filósofos ilustres], Diógenes Laércio fala da elaboração da dialética por Platão. Essa obra consta de dez livros e representa uma importante fonte para o estudo das concepções dos filósofos gregos antigos. – p. 234 (N. E. R.)

37 Trata-se de Diógenes de Sínope, representante da escola cínica, que recebeu a alcunha de "Cão" em consequência de seu modo de vida pobre e do desprezo pelas exigências da moral pública. – p. 236 (N. E. R.)

38 Ou seja, a velocidade da luz, velocidade máxima de qualquer movimento possível. Lênin fala de alguns processos para calcular a velocidade da luz na nota sobre o livro de Ludwig Darmstaedter *Handbuch zur Geschichte der Naturwissenschaften und der Technik* [Manual de história das ciências da natureza e da técnica]. Ver *Obras escolhidas em seis tomos,* v. 6, cit., p. 336. – p. 240 (N. E. R.)

39 Ver Friedrich Engels, *Ludwig Feuerbach e o fim da filosofia alemã clássica,* cit., p. 390. – p. 246 (N. E. R.)

40 Lênin refere-se à nota 2 do quinto capítulo do Livro I de *O capital,* na qual Marx inclui a seguinte citação da primeira parte da *Enciclopédia* de Hegel: "A razão é tão astuciosa quanto poderosa. Sua astúcia consiste principalmente em sua atividade mediadora, que, fazendo com que os objetos ajam e reajam uns sobre os outros de acordo com sua própria natureza, realiza seu propósito sem intervir diretamente no processo". Ver Karl Marx, *O capital,* Livro I, cit., p. 257. – p. 248 (N. E. R.)

Sumário do livro de Hegel *Lições sobre a história da filosofia*

1 O "Sumário do livro de Hegel *Lições sobre a história da filosofia*" aparentemente foi escrito no início de 1915, logo depois de Lênin terminar o sumário do livro de Hegel *Ciência da lógica.* Seu conteúdo distribui-se por dois cadernos, intitulados (*Vária* +) *Hegel* e *Hegel.*

Nessas anotações, Lênin assinala traços do método de Hegel, como a conexão do histórico e do lógico, a exigência de "estrito historicismo", a atenção preponderante à história da dialética, entre outros. Ao mesmo tempo, critica as premissas idealistas da concepção histórico-filosófica de Hegel e mostra como ele, ao expor a história da filosofia, ignora ou falsifica o desenvolvimento do materialismo. Publicado pela primeira vez em 1929, na *Ленинский сборник/ Léninski sbórnik* [Coletânea Lênin], v. 9. – p. 251 (N. E. R.)

2 A obra *Lições sobre a história da filosofia* foi publicada pela primeira vez em 1833-1836, depois da morte de Hegel. Serviram de fonte notas do próprio filósofo e de seus alunos, trabalhadas por Karl Ludwig Michelet. Nelas, Hegel tentou pela primeira vez apresentar a história da filosofia como processo regido por leis de movimento gradual em direção à verdade absoluta. – p. 253 (N. E. R.)

3 A *Introdução à história da filosofia* já teve algumas edições em português e é, até o momento, o único livro de *Lições sobre a história da filosofia* publicado no idioma. Ver, por exemplo, as traduções de: Antônio Pinto de Carvalho (São Paulo, Nova Cultural, 1989, col. Os pensadores); Artur Morão (Lisboa, Edições 70, 1991); e Heloísa da Graça Burati (São Paulo, Rideel, 2005). – p. 253 (N. E.)

4 Pitagóricos: seguidores da doutrina idealista objetiva de Pitágoras, filósofo grego antigo. Formavam uma liga filosófica, religiosa e política que, no século VI a. C., tinha seções em várias cidades do sul da península Itálica. Os pitagóricos consideravam que os números eram a essência dos fenômenos da natureza e formavam uma "ordem cósmica", protótipo da "ordem" social aristocrática. O número dez, por exemplo, era tido como sagrado, base do cálculo e imagem do universo. – p. 255 (N. E. R. A.)

5 *De caelo* (*Do céu*): nome latino atribuído à obra de Aristóteles pertencente ao grupo das obras sobre filosofia da natureza; compreende quatro livros, divididos em capítulos. Nas edições dos tempos modernos, esses livros são designados por números romanos, e os capítulos, por números árabes. – p. 256 (N. E. R.)

6 *De anima* (*Da alma*): nome latino atribuído ao tratado de Aristóteles pertencente ao grupo de textos sobre filosofia da natureza. O tratado é composto por três livros, divididos em capítulos. Sobre a concepção de alma dos pitagóricos, Aristóteles escreveu: "Alguns deles diziam que a alma era a poalha; outros, pelo contrário, que a alma é aquilo que a move". A comparação da alma com o céu foi extraída do diálogo de Platão *Timeu*. – p. 257 (N. E. R.)

7 *Metaphysik* (*Metafísica*): conjunto de tratados de Aristóteles sobre a "filosofia primeira", que examina o ser como tal, as causas primeiras e os princípios das coisas. Andrônico de Rodes (século I a. C.), editor e comentador das obras de Aristóteles, inseriu esse grupo de tratados depois dos trabalhos sobre física, razão pela qual

foram posteriormente intitulados *Metafísica* (literalmente: "obras que vão depois das de física"). Em seu sumário da *Metafísica*, Lênin sublinhou a importância da crítica que ela faz da doutrina idealista de Platão a respeito das ideias e assinalou "as ***exigências***, as buscas", de Aristóteles e sua aproximação do materialismo e da dialética. Ver Vladímir Ilitch Lênin, *Obras escolhidas em seis tomos*, v. 6 (Lisboa/Moscou, Avante!/Progresso, 1986), p. 308-10. – p. 257 (N. E. R.)

8 A conjectura sobre o éter, formulada pela antiga filosofia grega antiga, teve novo desenvolvimento nos tempos modernos. No século XVII, desenvolveu-se a ideia do éter como meio material especial que enche todo o espaço e é portador da luz, da força da gravidade etc. Mais tarde, foram introduzidos conceitos de tipos diferentes de éter, independentes uns dos outros (elétrico, magnético etc.). Em razão do êxito da teoria ondulatória da luz, o conceito de éter luminífero (Christian Huygens, Augustin-Jean Fresnel e outros) alcançou amplo desenvolvimento; posteriormente, surgiu a hipótese do éter único. Entre o fim do século XIX e o início do XX, aos poucos evidenciou-se sua contradição com os fatos. O caráter insustentável da hipótese do éter como meio mecânico universal foi demonstrado pela teoria da relatividade; os elementos racionais contidos na hipótese do éter encontraram expressão na teoria quântica do campo (conceito de vácuo). – p. 258 (N. E. R. A.)

9 Escola eleática ou eleata (fim do século VI a. C.-século V a. C.): escola filosófica cujo nome deriva da cidade de Eleia, na Itália meridional. As concepções de Xenófanes, fundador da escola, tinham elementos de materialismo, mas nas de Parmênides e Zenão dominava o idealismo. Os eleatas se opunham às concepções dialéticas de vários filósofos gregos antigos, principalmente Heráclito, a respeito do caráter mutável da base primeira das coisas e do caráter contraditório do desenvolvimento da natureza. A doutrina do ser único, eterno, imóvel, invariável, homogêneo e contínuo foi expressa na frase "O ser é e o não ser não é", de Parmênides, que também negava a importância dos sentidos como fontes do conhecimento. Ao mesmo tempo, certas teses dos eleatas, particularmente as demonstrações do caráter contraditório do movimento formuladas por Zenão (as chamadas aporias de Zenão), influenciaram o desenvolvimento da dialética antiga, tendo colocado o problema de como exprimir em conceitos lógicos o caráter contraditório do movimento. – p. 258 (N. E. R. A.)

10 *Determinação* é o conceito alargado de um objeto que caracteriza seus aspectos e nexos essenciais com o mundo circundante, a lei de seu desenvolvimento. Neste caso, a definição é uma determinação abstrata, lógico-formal, que só considera os traços exteriores do objeto. – p. 258 (N. E. R.)

11 Lênin cita palavras de Engels no prefácio à segunda edição do *Anti-Dühring: a revolução da ciência segundo o senhor Eugen Dühring* (trad. Nélio Schneider, São Paulo, Boitempo, 2015), p. 40. Adiante, expõe essa passagem em detalhe (ver, neste volume, p. 270). – p. 259 (N. E. R.)

12 Trata-se do parágrafo 39 do livro 6 da obra de Diógenes Laércio *Vidas, doutrinas e sentenças dos reputados em filosofia* (ver nota 36 de "Sumário do livro de Hegel *Ciência da lógica*", p. 346) e do parágrafo 8 do livro 3 da obra de Sexto Empírico *Pyrrhoniae Hypotyposes* (Hipotiposes pirrônicas). Na segunda edição de *Lições sobre a história da filosofia* de Hegel, essa continuação da anedota foi omitida. – p. 262 (N. E. R.)

13 Trata-se da obra de Pierre Bayle *Dictionnaire historique et critique* [Dicionário histórico e crítico], cuja primeira edição foi publicada em 1697. – p. 263 (N. E. R.)

14 Lênin se refere à tradução francesa do primeiro volume da obra de Theodor Gomperz *Griechische Denker*, escrita em 1896. Ed. bras.: Os *pensadores da Grécia – história da filosofia antiga*, v. 1: *Filosofia pré-socrática* (trad. José Ignacio Coelho Mendes Neto, São Paulo, Ícone, 2011). – p. 264 (N. E. R.)

15 Lênin se refere ao primeiro parágrafo da já citada obra de Viktor Mikháilovitch Tchernov *Marxismo e filosofia transcendental*. – p. 264 (N. E. R.)

16 Heráclito (c. 530 a. C.-470 a. C.) viveu antes de Zenão de Eleia (c. 490 a. C.-430 a. C.). Hegel examina Heráclito depois dos eleatas porque considerava a filosofia dele, especialmente a dialética, superior à de Zenão e seus afins. Segundo Hegel, se na filosofia dos eleatas se encarnou a categoria do ser, a filosofia de Heráclito foi a expressão histórica de uma categoria mais elevada, concreta e verdadeira, a do devir. Esse é um exemplo de como Hegel "adapta" a história da filosofia às categorias de sua lógica. Ao mesmo tempo, ele notou que a história da filosofia como ciência é regida por leis. Uma mudança cronológica desse tipo é legítima porque liberta das casualidades históricas o desenvolvimento de um aspecto ou uma categoria do saber filosófico. No fragmento "Sobre a questão da dialética", ao referir-se aos "círculos" na filosofia, Lênin escreve: "Antiga: de Demócrito a Platão e à dialética de Heráclito". Antes, faz a seguinte observação: "É obrigatória a cronologia de pessoas? Não!" (ver, neste volume, p. 335). – p. 266 (N. E. R. A.)

17 A obra *De mundo* (*Do mundo*), incluída nas *Obras* de Aristóteles, foi na realidade escrita por autor desconhecido entre o século I a. C. e o século I d. C. e depois atribuída ao filósofo antigo. – p. 267 (N. E. R. A.)

18 *Symposion* (*O banquete*): diálogo de Platão dedicado à essência do amor, de grandes qualidades literárias. Paralelamente a outras questões filosóficas, desenvolve-se nele a doutrina idealista objetiva das ideias como essências espirituais absolutas, imutáveis e imóveis, cujo mundo se opõe ao mundo transitório e mutável das coisas sensíveis. Pela boca do médico Erixímaco, Platão se pronuncia contra o ponto de vista dialético de Heráclito. – p. 268 (N. E. R. A.)

19 Ver o prefácio à segunda edição de *Anti-Dühring*, cit., p. 35-40. – p. 270 (N. E. R.)

20 Trata-se da obra de Sexto Empírico *Contra os matemáticos*, que consta de onze livros, seis dos quais são dedicados à crítica da gramática, da retórica, da geometria, da aritmética, da astronomia e da música, e cinco (*Contra os dogmáticos*), à crítica da lógica, da física e da ética. – p. 273 (N. E. R.)

21 A crítica da doutrina idealista subjetiva de Mach a respeito das sensações é feita por Lênin no capítulo 1 do livro *Materialismo e empiriocriticismo*, parágrafos 1 e 2. Ver Vladímir Ilitch Lênin, *Materialismo e empiriocriticismo* (Lisboa/Moscou, Avante!/Progresso, 1982), p. 30-50. – p. 273 (N. E. R.)

22 Homeomerias: termo que Aristóteles atribuiu aos elementos materiais menores designados por Anaxágoras, os quais, por sua vez, eram compostos por uma multiplicidade inumerável de partículas que continham o infinito de todas as qualidades existentes ("tudo está contido em tudo"). Esses elementos, em si inertes, eram postos em movimento pelo νοῦς (mente, razão), que Anaxágoras concebia na forma de uma matéria fina e leve. Toda geração e corrupção era explicada pela união e pela separação dos elementos (chamados "sementes" ou "coisas" em seus escritos que se conservaram). – p. 274 (N. E. R. A.)

23 Sofistas (do grego *sophia*, "sabedoria"): designação (a partir da segunda metade do século V a. C.) dos filósofos profissionais e dos professores de filosofia e de retórica. Os sofistas não constituíam uma escola única; o traço comum era sua convicção da relatividade das ideias, das normas éticas e das avaliações humanas, expressa por Protágoras no postulado: "O homem é a medida de todas as coisas; das que são enquanto são, das que não são enquanto não são". – p. 277 (N. E. R. A.)

24 Fenomenalismo: variedade do idealismo subjetivo que divorcia o fenômeno (aparecimento) da essência e o entende apenas como conjunto das sensações de um ser humano. Foram fenomenalistas, por exemplo, os machianistas. Na crítica marxista do fenomenalismo, desempenhou importante papel o livro de Lênin *Materialismo e empiriocriticismo*. – p. 278 (N. E. R. A.)

25 Ver Ludwig Feuerbach, *Princípios da filosofia do futuro* (trad. Artur Morão, Lisboa, Edições 70, 1988). – p. 280 (N. E. R.)

26 Lênin se refere à seguinte tese de Feuerbach: "No começo da fenomenologia, não temos perante nós senão a contradição entre a palavra, que é universal, e a coisa, que é sempre uma [coisa] singular" (*Princípios da filosofia do futuro*, § 28). – p. 280 (N. E. R.)

27 *Mênon*: diálogo de Platão dirigido contra os sofistas. É considerada uma das obras iniciais do filósofo; examina o conceito de virtude e esboça a "teoria da reminiscência". – p. 282 (N. E. R.)

28 Lênin se refere aqui às seguintes obras filosóficas de Gueórgui Valentínovitch Plekhánov: *К развитию монистического взгляда на историю*/ *K razvitiu* *monistitchéskogo vzgliada na istóriiu* [Sobre o desenvolvimento da concepção monista da história] (1895); *Materialismus militans: Ответ господину Богданову/ Ótvet gospódinu Bogdánovu* [Materialismo militante: resposta ao senhor Bogdánov] (1908-1910); aos artigos contra os kantianos: "Бернштейн и материализм/ Bernshtein i materializm" [Bernstein e o materialismo] (1898), "К. Шмидт против К. Маркса и Ф. Энгельса/ K. Schmidt protiv K. Marksa i F. Énguelsa" [Konrad Schmidt contra Karl Marx e Friedrich Engels] (1898), "Cant против Канта, или духовное завещание г. Бернштейна/ Cant protiv Kanta, ili dukhovnoie zavieschaniie g. Bernshteina" [Cant contra Kant, ou o testamento espiritual do senhor Bernstein] (1901) e outros, que foram depois editados em livro com o título *Критика наших критиков/ Krítika nachikh krítikov* [Crítica de nossos críticos] (1906); e *Questões fundamentais do marxismo*, de 1908 (São Paulo, Hucitec, 1978). – p. 283 (N. E. R.)

29 Trata-se da obra de Xenofonte *Apologia de Sócrates*, escrita sob a forma de memórias sobre a conduta de Sócrates antes, durante e depois do processo judicial em que foi acusado de "não reconhecer os deuses que o Estado reconhece, de introduzir novas divindades e de corromper a juventude". A finalidade da obra de Xenofonte era justificar Sócrates. O discurso de Sócrates no julgamento é também descrito na obra de Platão *Apologia de Sócrates*. – p. 283 (N. E. R.)

30 Cirenaicos: escola da filosofia grega antiga, fundada no século V a. C. em Cirene (na atual Líbia) por Aristipo. Os cirenaicos reconheciam a existência objetiva das coisas, mas as consideravam incognoscíveis e afirmavam que só se podia falar com certeza das sensações subjetivas. À teoria sensualista do conhecimento acrescentavam a ética sensualista – doutrina da satisfação sensual como base do comportamento humano. A escola cirenaica produziu vários representantes do ateísmo antigo. – p. 285 (N. E. R.)

31 Trata-se do parágrafo "Aristuppus von Kyrene und die kyrenaische oder hedonische Schule" [A escola aristípica e cirenaica ou hedonista] da primeira parte do livro de Friedrich Ueberweg *Grundriss der Geschichte der Philosophie* [Esboço da história da filosofia], 1909, preparado por Max Heinze. – p. 285 (N. E. R.)

32 *Teeteto*: um dos principais diálogos de Platão, em que o filósofo expõe sua teoria idealista do conhecimento e critica as concepções de Heráclito, Demócrito e outros materialistas gregos antigos, atribuindo-lhes um relativismo absoluto. Um dos participantes no diálogo é o matemático Teodoro, representante da escola cirenaica, com quem Platão estudara matemática durante a viagem que fez depois da morte de Sócrates. – p. 285 (N. E. R. A.)

33 Pronunciando-se contra a democracia antiga, em particular a ateniense, Platão procurava fundamentar teoricamente a forma aristocrática do Estado escravista. Segundo Platão, no "Estado ideal" a sociedade deveria dividir-se em três estados sociais: filósofos ou governantes, a quem pertenceria plenamente o poder estatal; guardiões (guerreiros); e lavradores e artesãos. No Livro I de *O capital*, Marx afirma sobre o "Estado ideal" de Platão: "A República de Platão, na medida em que nela a divisão do trabalho é desenvolvida como o princípio formador do Estado, não é mais que a idealização ateniense do sistema de castas do antigo Egito". Ver Karl Marx, *O capital: crítica da economia política*, Livro I: *O processo de produção do capital* (trad. Rubens Enderle, São Paulo, Boitempo, 2013), p. 301. – p. 286 (N. E. R.)

34 *Phaedo* (*Fédon*): diálogo de Platão em que se descrevem as últimas horas de vida de Sócrates. Nele, expõe-se a doutrina de Platão sobre as ideias ("teoria da reminiscência") e a imortalidade da alma. Supõe-se que o diálogo tenha sido escrito entre 380 a. C. e 370 a. C., quando Platão já conhecia a filosofia pitagórica, cuja influência se fez sentir no *Fédon*. – p. 286 (N. E. R.)

35 *Sofista*: diálogo de Platão em que este critica as concepções dos sofistas e dos eleatas e desenvolve a concepção idealista objetiva da dialética e sua doutrina das ideias. – p. 287 (N. E. R.)

36 A tese de Hegel "O que é racional é efetivo; e o que é efetivo é racional", desenvolvida no prefácio a *Princípios da filosofia do direito* (trad. Orlando Vitorino, São Paulo, Martins Fontes, 1997), é analisada por Engels em *Ludwig Feuerbach e o fim da filosofia alemã clássica*, em Karl Marx e Friedrich Engels, *Obras escolhidas em três tomos*, v. 3 (Lisboa/Moscou, Avante!/Progresso, 1985), p. 379-83. – p. 288 (N. E. R.)

37 Lênin analisa também em seu sumário da *Metafísica* de Aristóteles a crítica deste último à doutrina das ideias de Platão. Ver *Obras escolhidas em seis tomos*, v. 6, cit., p. 305-13. – p. 289 (N. E. R.)

38 Ver Ludwig Feuerbach, *Wider den Dualismus von Leib und Seele, Fleisch und Geist* [Contra o dualismo de corpo e alma, carne e espírito] (Frankfurt am Main, Neuer Frankfurter, 1909). – p. 292 (N. E. R.)

39 Lênin se refere à exposição da questão da origem do pensamento e da consciência feita por Engels no *Anti-Dühring*, cit., p. 67. – p. 292 (N. E. R.)

40 Estoicos: partidários de uma corrente filosófica fundada em Atenas por Zenão de Cício no início do século III a. C. e que existiu até o século VI. A história do estoicismo divide-se em três períodos: antigo, médio e moderno. As concepções do estoicismo quanto à natureza formaram-se sob a influência das doutrinas de Heráclito, de Aristóteles e, em parte, de Platão. Os estoicos distinguiam no mundo dois princípios: o passivo, a matéria sem qualidade; e o ativo, a razão, o logos, deus, o "fogo criador" que penetra toda matéria. Na teoria do conhecimento, os estoicos partiam de premissas sensualistas, considerando que as representações sensíveis são a fonte de todo o conhecimento; viam o critério do conhecimento autêntico na representação "cataléptica" ("abarcante"), que é uma impressão fiel e completa do objeto. A condicionalidade causal dos acontecimentos era entendida mediante o fatalismo e a teleologia, o que repercutia em sua doutrina ética, que punha em primeiro plano o conceito do dever e considerava que o bem supremo era a própria virtude: a vida em consonância com a natureza, com a "razão universal". – p. 297 (N. E. R.)

41 Lênin compara a ideia de Epicuro com a tese de Feuerbach de que a essência de deus não é outra coisa senão a essência deificada do ser humano. Lênin assinala ideia análoga, por exemplo, no sumário de *Lições sobre a essência da religião*. Ver *Obras escolhidas em seis tomos*, v. 6, cit., p. 67. – p. 304 (N. E. R.)

42 Tropos: argumentos com os quais os céticos antigos tentaram demonstrar a completa relatividade das percepções sensoriais e a impossibilidade de conhecer as coisas. Os primeiros dez tropos foram formulados, segundo parece, pelo cético antigo Enesidemo de Cnossos (fim do século I a. C.-início do século I d. C.); posteriormente, o filósofo romano Agripa (séculos I-II) acrescentou cinco novos tropos. – p. 306 (N. E. R.)

43 Neoplatônicos: seguidores de uma doutrina filosófica baseada no idealismo de Platão. O neoplatonismo (Plotino à frente), nos séculos III-V, era uma combinação das doutrinas estoica, epicurista e cética com a filosofia de Platão e Aristóteles. Sua influência se refletiu nas doutrinas dos mais destacados teólogos medievais e também em algumas correntes da filosofia burguesa. – p. 309 (N. E. R.)

44 Cabala: doutrina religiosa mística medieval, mescla de ideias do gnosticismo, pitagorismo e neoplatonismo. Surgiu no século II entre seguidores do judaísmo; na Idade Média, propagou-se também entre os adeptos do cristianismo e do islamismo. A ideia fundamental dessa doutrina é a atribuição de significados místicos a cada palavra e a cada número das escrituras do Antigo Testamento. – p. 309 (N. E. R. A.)

45 Gnósticos: seguidores de uma corrente filosófica e religiosa eclética dos séculos I-II, para os quais o conhecimento se obtém por meio da revelação. Junto com um modo de vida ascético, esse conhecimento conduz à salvação do ser humano do "pecados" do mundo material. A doutrina dos gnósticos contradizia os dogmas da Igreja cristã, que se pronunciou contra ela. – p. 309 (N. E. R. A.)

46 Lênin fez esta anotação em alemão a lápis no verso da capa do caderno que continha o sumário do livro de Hegel *Lições sobre a filosofia da história*. Trata-se da lista dos diálogos de Platão, com referências às páginas do volume 14 da primeira edição das *Obras* de Hegel, que contém o segundo livro de *Lições sobre a história da filosofia*.

Filebo é um dos diálogos tardios de Platão, dedicado ao exame da ideia de bem. Em *Timeu*, Platão desenvolve fundamentalmente sua doutrina da natureza. Sobre os diálogos *Sofista* e *Parmênides*, ver a nota 35, antes, e a nota 6 do "Sumário do livro de Hegel *Ciência da lógica*". – p. 310 (N. E. R. A.)

SUMÁRIO DO LIVRO DE HEGEL *LIÇÕES SOBRE A FILOSOFIA DA HISTÓRIA*

1 O "Sumário do livro de Hegel *Lições sobre a filosofia da história*" foi feito por Lênin, aparentemente, depois de terminar o "Sumário do livro de Hegel *Lições sobre a história da filosofia*", no primeiro semestre de 1915. Encontra-se escrito num caderno à parte, intitulado *Hegel*. O "Sumário do livro de Hegel *Lições sobre a filosofia da história*" é consideravelmente mais curto que os dois anteriores; Lênin deteve-se principalmente na introdução, em que haveria "muito de excelente na **colocação** da questão" (ver, neste volume, p. 320). Sem examinar em detalhe a concepção idealista hegeliana do desenvolvimento histórico, porque "é aqui que Hegel está mais envelhecido e antiquado" (idem), Lênin anota principalmente os "embriões do materialismo histórico" em Hegel (ibidem, p. 311), assim como sua apreciação de vários acontecimentos históricos (a Reforma na Alemanha, a Revolução Francesa e outros). Publicado pela primeira vez em 1930 na *Ленинский сборник/ Léninski sbórnik* [Coletânea Lenin], v. 12. Publica-se aqui segundo o manuscrito. – p. 311 (N. E. R. A.)

2 *Lições sobre a filosofia da história* de Hegel foi publicado pela primeira vez em 1837, postumamente. Suas fontes foram apontamentos de Hegel (em especial para a maior parte da introdução, escrita por ele em 1830), bem como apontamentos de alunos seus, trabalhados por Eduard Gans. Em 1840, Karl Hegel, filho do filósofo, publicou uma segunda edição ampliada. A obra assinala a necessidade de pôr a claro que o processo histórico é regido por leis, sendo sua essência entendida por Hegel, de modo idealista, como progresso na consciência da liberdade. – p. 313 (N. E. R.)

3 Lênin parece referir-se à obra de Friedrich Engels *Ludwig Feuerbach e o fim da filosofia alemã clássica*. – p. 314 (N. E. R.)

4 Lênin refere-se às afirmações feitas por Gueórgui Plekhánov, em várias de suas obras, sobre a influência do meio geográfico no desenvolvimento das forças produtivas. As passagens respectivas no trabalho de Plekhánov *Questões fundamentais do marxismo* foram assinaladas em Vladímir Ilitch Lênin, *Obras escolhidas em seis tomos*, v. 6 (Lisboa/Moscou, Avante!/Progresso, 1986), p. 439-40. – p. 316 (N. E. R. A.)

5 Lênin refere-se, aparentemente, a certa coincidência das teses de Hegel e de Feuerbach, que abordam de posições opostas a questão da origem da religião. Ver, por exemplo, Vladímir Ilitch Lênin, *Obras escolhidas em seis tomos*, v. 6, cit., p. 67. Ver também a tese de Feuerbach: "No ser divino, ele [o ser humano] objetiva apenas sua própria essência". – p. 317 (N. E. R. A.)

6 Lênin se refere à seguinte afirmação de Marx em *A guerra civil na França*: "Em lugar de escolher uma vez a cada três ou seis anos quais os membros da classe dominante que irão atraiçoar o povo no Parlamento, o sufrágio universal serviria ao povo, constituído em comunas". Ver Karl Marx, *A guerra civil na França* (trad. Rubens Enderle, São Paulo, Boitempo, 2011), p. 58. – p. 319 (N. E. R.)

Plano da dialética (lógica) de Hegel

1 O fragmento "Plano da dialética (lógica) de Hegel" foi encontrado no caderno *Filosofia*, depois do sumário do livro de Georges Noël *A lógica de Hegel* e antes das notas sobre a resenha do livro de Arthur Erich Haas *O espírito do helenismo na física moderna* e do livro de Theodor Lipps *Ciência da natureza e visão do mundo*. Ver Vladímir Ilitch Lênin, *Obras escolhidas em seis tomos*, v. 6 (Lisboa/Moscou, Avante!/ Progresso, 1986).
O fragmento foi escrito na fase final do trabalho filosófico de Lênin, entre os anos 1914 e 1915, e contém teses importantes da teoria dialético-materialista do conhecimento – em particular, sobre a correlação entre a dialética, a lógica e a teoria do conhecimento. Alguns acréscimos ao texto do manuscrito revelam que Lênin parece ter voltado a ocupar-se dele posteriormente. Publicado pela primeira vez em 1930, na *Ленинский сборник/ Léninski sbórnik* [Coletânea Lenin], v. 12. Publica-se segundo o manuscrito. – p. 323 (N. E. R. A.)

Sobre a questão da dialética

1 O fragmento "Sobre a questão da dialética" foi escrito no caderno *Filosofia*, entre o sumário do livro de Lassalle sobre a filosofia de Heráclito e o sumário da *Metafísica* de Aristóteles; no entanto, as referências à *Metafísica* existentes neste fragmento permitem supor que ele foi escrito depois de Lênin ter lido a obra de Aristóteles.
Trata-se de uma espécie de síntese do trabalho de Lênin sobre a problemática filosófica estudada entre 1914 e 1915. Nela, Lênin analisa a lei dialética da unidade e da luta dos contrários, as concepções metafísica e dialética do desenvolvimento, as categorias do absoluto e do relativo, do abstrato e do concreto, do universal, do particular e do singular, do lógico e do histórico e outras, revelando o caráter dialético do processo do conhecimento e mostrando as raízes epistemológicas e de classe do idealismo. Publicado pela primeira vez em 1925 na revista *Bolchevik*, n. 5-6. Publica-se aqui segundo o manuscrito. – p. 329 (N. E. R.)

2 Ver também o conspecto de Lênin sobre a *Metafísica* de Aristóteles. Em Vladímir Ilitch Lênin, *Obras escolhidas em seis tomos*, v. 6 (Lisboa/Moscou, Avante!/Progresso, 1986), p. 308. – p. 331 (N. E. R.)

3 Lênin refere-se ao livro de Paul Volkmann *Erkenntnistheoretische Grundzüge der Naturwissenschaften und ihre Beziehungen zum Geistesleben der Gegenwart* [Fundamentos epistemológicos das ciências da natureza e suas relações com a vida espiritual do presente]. O passo mencionado encontra-se na p. 35 da segunda edição do livro que Lênin leu. Ele assinalou também passagens análogas ao fazer o "Sumário do livro de Hegel *Ciência da Lógica*" e o "Sumário do livro de Hegel *Lições sobre a história da filosofia*" – ver, neste volume, p. 245 e 253. – p. 335 (N. E. R.)

4 Ver a nota 13 no "Sumário do livro de Hegel *Ciência da Lógica*", p. 343 deste volume. – p. 336 (N. E. R.)

POSFÁCIO

OS *CADERNOS FILOSÓFICOS* E A REVOLUÇÃO DE OUTUBRO[1]

Michael Löwy

A edição dos *Cadernos filosóficos* de Lênin no ano seguinte ao do centenário da Revolução Russa é uma excelente ocasião para pensar a relação entre dialética e revolução... Lênin dizia que sem teoria revolucionária não pode haver prática revolucionária. Poderíamos acrescentar que sem dialética revolucionária não há estratégia revolucionária. Existe um fio vermelho que conduz das notas de Lênin sobre a *Grande Lógica* de Hegel (1914-1915) a seu espetacular discurso em abril de 1917, ao chegar, após longos anos de exílio, à estação finlandesa de Petrogrado. Como reagiram, naquele mês, partidários e adversários do dirigente bolchevique a essa explosiva proclamação revolucionária?

"Um homem que diz semelhantes besteiras não é perigoso" (Stankiévitch, trudovique).

"É um delírio, é o delírio de um louco!" (Bogdánov, menchevique).

"Esses são sonhos insensatos..." (Plekhánov, menchevique).

"Durante muitos anos, o lugar de Bakúnin na Revolução Russa permaneceu desocupado; agora, ele foi tomado por Lênin" (Goldenberg, ex-bolchevique).

1 Uma primeira versão deste artigo foi publicada, em tradução de meu saudoso amigo Reginaldo di Piero, sob o título "Da *Grande Lógica* de Hegel à estação finlandesa de Petrogrado", em meu livro *Método dialético e teoria política* (São Paulo, Paz e Terra, 1975).

"Nesse dia (4 de abril), o camarada Lênin não encontrou partidários declarados nem mesmo em nossas fileiras" (Zaléjsky, bolchevique).

"No que concerne ao esquema geral do camarada Lênin, ele nos parece inaceitável, na medida em que apresenta como acabada a revolução democrático-burguesa e conta com uma transformação imediata dessa revolução em revolução socialista" (Kámeniev, em editorial do *Правда/ Pravda*, órgão do partido bolchevique, 8 de abril de 1917).

Eis a recepção unânime que foi dada, pelos representantes oficiais do marxismo russo, às teses heréticas que Lênin tinha exposto, primeiro à multidão localizada na praça da estação finlandesa de Petrogrado, do alto de um carro blindado, e, no dia seguinte, diante dos delegados bolcheviques e mencheviques do Soviete: as "Teses de abril"*. Em suas célebres memórias, Sukhánov (menchevique que se tornou funcionário soviético) confessa que a fórmula política central de Lênin – todo o poder aos sovietes – "repercutiu como um raio num céu azul" e "paralisou e confundiu os mais instruídos de seus fiéis discípulos". Segundo Sukhánov, um dirigente bolchevique teria mesmo declarado que "esse discurso [de Lênin] não tinha agravado as divergências no seio da social-democracia; pelo contrário, as tinha suprimido, porque só podia haver acordo entre bolcheviques e mencheviques diante da posição de Lênin"![2] O editorial de 8 de abril do *Pravda* confirmou por um momento essa impressão de unanimidade antileninista; segundo Sukhánov,

> parecia que os fundamentos marxistas do partido bolchevique permaneciam sólidos e inabaláveis, que a massa do partido se levantava contra Lênin para defender os princípios elementares do socialismo científico de outrora; infelizmente, nós nos enganávamos!"[3]

Como explicar a extraordinária tempestade que as palavras de Lênin levantaram e esse coro de reprovação geral que se abateu sobre elas? A descrição

* As chamadas "Teses de abril" foram publicadas em 7 (20) de abril no *Pravda* sob o título "Sobre as tarefas do proletariado na presente revolução". Ver Vladímir Ilitch Lênin, "Sobre as tarefas do proletariado na presente revolução (Teses de abril)", em Tariq Ali (org.), *Manifesto Comunista/ Teses de abril* (trad. Daniela Jinkings, São Paulo, Boitempo, 2017). (N. E.)

2 Nikolai N. Sukhánov, *La Révolution russe de 1917* (Paris, Stock, 1965), p. 139-40 e 142.

3 Ibidem, p. 143.

ingênua, mas reveladora, de Sukhánov sugere a resposta: *Lênin rompeu precisamente* com o "socialismo científico de outrora", com certa forma de compreender "os princípios elementares" do marxismo, forma que era, em certa medida, comum a todas as correntes da social-democracia marxista na Rússia. A perplexidade, a confusão, a indignação ou o desprezo com que foram recebidas as "Teses de abril" ao mesmo tempo por dirigentes mencheviques e bolcheviques não são senão o sintoma do corte radical com a tradição do "marxismo ortodoxo" da Segunda Internacional – nos referimos à corrente hegemônica, não a esquerda radical, como Rosa Luxemburgo, Trótski etc. Tradição cujo materialismo mecânico-determinista-evolucionista se cristalizava num silogismo político rigoroso e paralisante.

> A Rússia é um país atrasado, bárbaro, semifeudal.
> Ela não está madura para o socialismo.
> A revolução russa é uma revolução burguesa.
> Q. E. D.

Raramente uma modificação teórica foi mais rica em consequências históricas que a inaugurada por Lênin em seu discurso na estação finlandesa de Petrogrado. Quais foram as *fontes metodológicas* dessa modificação? Qual é a *differentia specifica* de seu método em relação aos cânones da ortodoxia marxista "de outrora"?

Eis a resposta do próprio Lênin, num escrito polêmico dirigido *precisamente contra Sukhánov*, de janeiro de 1923: "Todos eles se dizem marxistas, mas entendem o marxismo de maneira extremamente pedante. Não compreenderam de modo nenhum aquilo que é decisivo no marxismo, a saber: sua dialética revolucionária"[4]. *Sua dialética revolucionária*: eis, *in nuce*, o ponto geométrico da *ruptura* de Lênin com o marxismo da Segunda Internacional e, em certa medida, com *sua própria consciência filosófica "de outrora"*. Ruptura que começa logo após a Primeira Guerra Mundial, se nutre de uma volta às fontes hegelianas da dialética marxista e resulta no desafio monumental, "louco" e "delirante" da noite de 3 de abril de 1917.

4 Vladímir Ilitch Lênin, "Sobre a nossa revolução (a propósito das notas de N. Sukhánov)", em *Obras escolhidas em três tomos*, v. 3 (Lisboa/Moscou, Avante!/Progresso, 1977), p. 378.

O "VELHO BOLCHEVISMO" OU O "MARXISMO DE OUTRORA": LÊNIN ANTES DE 1914

Uma das primeiras fontes do pensamento filosófico de Lênin antes de 1914 foi *A sagrada família*, de Marx e Engels (1844)*, que ele leu e resumiu num caderno de notas em 1895**. Ele se interessou particularmente pelo item intitulado "Batalha crítica contra o materialismo francês", que designa como "um dos de maior valor no livro"[5]. Ora, esse capítulo é precisamente *o único* escrito de Marx em que ele "adere" de maneira *não crítica* ao materialismo francês do século XVIII, apresentado como a "base lógica" do comunismo. As citações extraídas desse capítulo de *A sagrada família* são um dos testes que permitem identificar o materialismo "metafísico" numa corrente marxista.

Por outro lado, é um fato evidente e bem conhecido que Lênin era, nessa época, *do ponto de vista filosófico*, amplamente tributário de Plekhánov. Sendo *politicamente* muito mais flexível e radical que seu mestre, que se tornou, depois da ruptura de 1903, o principal teórico do menchevismo, Lênin aceitava algumas premissas ideológicas fundamentais do marxismo "pré-dialético" de Plekhánov e seu corolário estratégico, o caráter *burguês* da revolução russa. Sem essa "base comum", se pode dificilmente compreender que, apesar de sua crítica severa e intransigente do "continuísmo" dos mencheviques com relação à burguesia liberal, ele pôde aceitar, de 1905 a 1910, várias tentativas de reunificação das duas facções da social-democracia russa. Aliás, é no momento de sua maior reaproximação política com Plekhánov (contra o liquidacionismo, em 1908-1909) que ele escreve *Materialismo e empiriocriticismo*, obra em que a influência filosófica do "pai do marxismo russo" é visível e legível.

O que é notável e totalmente característico para o Lênin de antes de 1914 é que a autoridade marxista da qual ele se valia frequentemente em suas polêmicas contra Plekhánov não era outra senão... Karl Kautsky. Por exemplo,

* Karl Marx e Friedrich Engels, *A sagrada família, ou a crítica da crítica crítica: contra Bruno Bauer e consortes* (trad. Marcelo Backes, São Paulo, Boitempo, 2003). (N. E.)

** Vladímir Ilitch Lênin, "Conspecto do livro de Marx e Engels *A sagrada família*", em *Obras escolhidas em seis tomos*, v. 6 (Lisboa/Moscou, Avante!/Progresso, 1989), p. 23-53. (N. E.)

5 Ibidem, p. 44.

ele vê num artigo de Kautsky sobre a revolução russa (1906) "um golpe direto dirigido a Plekhánov" e sublinha com entusiasmo a coincidência entre as análises kautskianas e bolcheviques: "A revolução burguesa efetuada pelo proletariado e pelo campesinato apesar da instabilidade da burguesia é uma tese essencial da tática bolchevique, inteiramente confirmada por Kautsky"[6].

Uma análise rigorosa do principal texto político de Lênin desse período, *Duas táticas da social-democracia na revolução democrática* (1905)*, mostra com uma nitidez extraordinária a *tensão* no pensamento de Lênin entre seu realismo revolucionário geral e os limites que lhe impõe a construção estreita do marxismo supostamente "ortodoxo". Por um lado, encontram-se aí análises brilhantes e penetrantes sobre a incapacidade da burguesia russa de levar a bom termo uma revolução democrática, a qual não pode ser realizada senão por uma aliança operário-camponesa exercendo sua ditadura revolucionária; ele fala mesmo do *papel dirigente* do proletariado nessa aliança e, em alguns momentos, parece prestes a atingir a ideia de uma transição ininterrupta em direção ao socialismo: "Essa ditadura não poderá tocar *(sem toda uma série de graus intermediários de desenvolvimento revolucionário)* os fundamentos do capitalismo"[7]. Por esse pequeno parêntese, Lênin abre uma janela em direção à paisagem desconhecida da revolução socialista, mas é para fechá-la logo e voltar ao espaço fechado, circunscrito pelos limites da ortodoxia. Esses limites são encontrados nas numerosas fórmulas das *duas táticas*, em que Lênin reafirma categoricamente o caráter burguês da revolução russa e condena como "reacionária" a ideia de "procurar a salvação da classe operária em alguma coisa que não seja o desenvolvimento do capitalismo"[8].

6 Idem, "Préface à la traduction russe de la brochure de K. Kautsky: Les forces motrices et les perspectives de la Révolution Russe", em *Oeuvres*, v. 2 (Paris, Éditions Sociales, 1966), p. 432-3.

* Em *Obras escolhidas em seis tomos*, v. 1 (Lisboa/Moscou, Avante!/Progresso, 1984), p. 169-275. (N. E.)

7 Ibidem, p. 204 (grifos nossos).

8 Ibidem, p. 198; Ver também p. 196: "Os marxistas estão absolutamente convencidos do caráter burguês da revolução russa. O que significa isso? lsso significa que as transformações democráticas no regime político e as transformações econômico-sociais, que se converteram numa necessidade para a Rússia, não só não implicam por si o minar do capitalismo, o minar da dominação burguesa, mas, pelo contrário, desbravarão pela primeira vez, realmente, o terreno para um desenvolvimento vasto e rápido, europeu e não asiático, do capitalismo e, pela primeira vez, tornarão possível a dominação da burguesia como classe".

O principal argumento que ele apresenta para apoiar essa tese é o tema "clássico" do marxismo "pré-dialético": a Rússia não está madura para uma revolução socialista:

> O grau de desenvolvimento econômico da Rússia (condição objetiva) e o grau de consciência e de organização das massas do proletariado (condição subjetiva, indissoluvelmente ligada à objetiva) tornam impossível a liberação completa e imediata da classe operária. Só as pessoas mais ignorantes podem não tomar em consideração o caráter burguês da revolução democrática que está se processando.[9]

O objetivo determina o subjetivo, a economia é a condição da consciência: eis, em duas palavras, Moisés e os dez mandamentos do evangelho materialista da Terceira Internacional, que esmagava com seu peso a genial intuição política de Lênin.

A fórmula que era a quintessência do bolchevismo de antes da guerra, do "velho bolchevismo", reflete em seu âmago todas as ambiguidades do primeiro leninismo: "A ditadura revolucionária do proletariado e do campesinato". A inovação profundamente revolucionária de Lênin (que o distinguia de maneira radical da estratégia menchevique) é exprimida pela fórmula flexível e realista do *poder operário e camponês*, fórmula "algébrica" (*Trótski dixit*) em que o peso específico de cada classe não é determinado *a priori*. Em compensação, a expressão aparentemente paradoxal "ditadura democrática" é a prova da ortodoxia, a presença visível dos limites impostos pelo "marxismo de outrora": a revolução não é senão "democrática", quer dizer, *burguesa* – premissa que, como escreve Lênin numa passagem reveladora, "decorre inevitavelmente de toda a concepção de mundo marxista"[10] –, quer dizer, da filosofia marxista tal como a concebiam Kautsky, Plekhánov e outros ideólogos do que se convencionou chamar na época "a social-democracia revolucionária"[11].

9 Ibidem, p. 179.

10 Ibidem, p. 242.

11 A única (ou quase) exceção a essa regra foi Trótski, o primeiro, em *Balanço e perspectivas* (1906), a ultrapassar o dogma do caráter burguês-democrático da revolução russa futura. Entretanto, ele estava politicamente neutralizado por seu conciliacionismo organizacional. Ver Leon Trótski, *Balanço e perspectivas* (Lisboa, Antídoto, 1979).

Outro tema das *duas táticas* que testemunha o obstáculo metodológico que constituía o caráter *analítico* desse marxismo é a rejeição explícita e formal da Comuna de Paris como modelo para a revolução russa. Segundo Lênin, a Comuna se enganou porque não soube "distinguir os elementos da revolução democrática e da [revolução] socialista", porque confundiu "as tarefas da luta pela república com as tarefas da luta pelo socialismo". Por conseguinte, ela foi "um governo *como o nosso* [futuro governo revolucionário provisório] *não deve ser*"[12]. Veremos adiante que esse é precisamente um dos núcleos pelos quais Lênin empreenderá, em abril de 1917, a revisão dilacerante do "velho bolchevismo".

O "CORTE" DE 1914

"É uma adulteração do Estado-maior alemão!", clamou Lênin quando lhe mostraram o exemplar do *Vorwarts* (órgão da social-democracia alemã) com a notícia do voto socialista pelos créditos de guerra em 4 de agosto de 1914. Essa célebre anedota (assim como sua recusa obstinada em crer que Plekhánov tinha se pronunciado pela "defesa nacional" da Rússia tsarista) ilustra ao mesmo tempo as ilusões que Lênin tinha sobre a social-democracia (marxista), seu espanto diante da falência da Segunda Internacional e o abismo que se cria entre ele e os "ex-ortodoxos" tornados social-chauvinistas.

A catástrofe de 4 de agosto foi, para Lênin, a evidência fulgurante de que havia algo de podre no reino da Dinamarca da "ortodoxia" marxista oficial. A bancarrota política dessa ortodoxia o conduz, portanto, a uma profunda revisão das premissas filosóficas do marxismo kautsko-plekhanovista. "A falência da Segunda Internacional, nos primeiros dias da guerra, incita Lênin a refletir sobre os fundamentos teóricos de uma tão profunda traição."[13] Seria necessário um dia reconstituir o itinerário que levou Lênin do trauma de agosto de 1914 à *Lógica* de Hegel, apenas um mês depois. Simples vontade

12 Vladímir Ilitch Lênin, "Duas táticas da social-democracia na revolução democrática", cit., p. 225.

13 Roger Garaudy, *Lénine* (Paris, PUF, 1969), p. 39.

de retornar às fontes do pensamento marxista? Ou intuição lúcida de que o calcanhar de aquiles metodológico do marxismo da Segunda Internacional era a incompreensão da dialética?

Qualquer que seja ele, não há dúvida de que sua visão da dialética marxista foi profundamente transformada. São testemunhas não só o texto dos *Cadernos filosóficos* em si, mas também a carta que ele enviou em 4 de janeiro de 1915, apenas terminada a leitura de *Ciência da lógica* (em 17 de dezembro de 1914), ao secretário de redação das edições Granat para perguntar se havia "ainda tempo de fazer (a seu *Karl Marx*) algumas correções na seção sobre a dialética"[14]. E não foi absolutamente um "entusiasmo passageiro", pois, sete anos mais tarde, num de seus últimos escritos, *Sobre o significado do materialismo militante* (1922), ele chamava os editores e os colaboradores da revista teórica do partido ("sob a bandeira do marxismo") a "ser uma espécie de sociedade de amigos materialistas da dialética hegeliana". Ele reforça a necessidade de um "estudo sistemático da dialética de Hegel do ponto de vista materialista" e propõe mesmo "publicar na revista fragmentos das principais obras de Hegel, interpretá-las de modo materialista, comentando-as com a ajuda de exemplos da aplicação da dialética por Marx"[15].

Quais eram as tendências (ou pelo menos as tentações do marxismo da Segunda Internacional) que seu caráter prédialético lhe dava?

1. Primeiro, a tendência a apagar a distinção entre o materialismo dialético de Marx e o materialismo "antigo", "vulgar", "metafísico" de Helvetius, Feuerbach etc. Plekhánov, por exemplo, chega a escrever essa coisa espantosa, a saber, que as teses de Marx sobre Feuerbach "não rejeitam absolutamente as ideias fundamentais da filosofia de Feuerbach; elas somente as modificam [...]. As concepções materialistas de Marx e Engels se desenvolveram no mesmo sentido indicado pela lógica interna da filosofia de Feuerbach"! Aliás, Plekhánov critica Feuerbach e os

14 Ibidem, p. 40.

15 Vladímir Ilitch Lênin, "Sobre o significado do materialismo militante", em *Obras escolhidas em seis tomos*, v. 5 (Lisboa/Moscou, Avante!/Progresso, 1986), p. 334-5. lsso é muito atual quando se tenta novamente, valendo-se de Lênin, tratar o velho Hegel como "*chien crevé*"...

materialistas franceses do século XVIII por terem uma concepção muito... idealista no domínio da história[16].

2. A tendência, decorrente da primeira, de reduzir o materialismo histórico a um determinismo econômico mecanicista em que o "objetivo" é sempre a causa do "subjetivo". Por exemplo, Kautsky insiste incansavelmente na ideia de que "a dominação do proletariado e a revolução social não podem se produzir antes que as condições preliminares, tanto econômicas quanto psicológicas, de uma sociedade socialista não sejam suficientemente realizadas". Quais são essas "condições psicológicas"? Segundo Kautsky, "a inteligência, a disciplina, um talento de organização". Como essas condições serão criadas? "É a tarefa histórica do capital" realizá-las. Moral da história: "Não é senão onde o sistema de produção capitalista atingiu um alto grau de desenvolvimento que as condições econômicas permitem a transformação pelo poder público da propriedade capitalista dos meios de produção em propriedade social"[17].
3. A tentação de reduzir a dialética a um evolucionismo darwinista, em que as diferentes etapas da história humana (escravidão, feudalismo, capitalismo, socialismo) se sucedem segundo uma ordem rigorosamente determinada pelas "leis da história". Kautsky, por exemplo, definiu o marxismo como "o estudo científico das leis da evolução do organismo social"[18]. De fato, ele tinha sido darwinista antes de se tornar marxista, e não é sem razão que seu discípulo Brill definiu seu método como um "materialismo biológico-histórico"...

16 Gueórgui Valentínovitch Plekhánov, *Les Questions fondamentales du marxisme* (Paris, Éditions Sociales, 1953), p. 32-3 [ed. bras.: *As questões fundamentais do marxismo*, São Paulo, Hucitec, 1978]. Ver também p. 25: "A teoria do conhecimento de Marx provém em linha reta da teoria do conhecimento de Feuerbach ou, se quisermos, ela é a de Feuerbach mesmo, mas somente aprofundada de forma geral por Marx".

17 Karl Kautsky, *La Revolution sociale*, em Paul Louis, *Cent cinquante ans de pensée socialiste* (Paris, M. Rivière, 1953), p. 28-9, 31.

18 Idem, *La Question agraire* (Paris, V. Giard & E. Brière, 1900) [ed. bras.: *A questão agrária*, trad. C. Iperoig, São Paulo, Flama, s.d.]. Plekhánov, em compensação, criticou, ao menos em princípio, o evolucionismo vulgar, apoiando-se precisamente em *Ciência da lógica* de Hegel. Ver Gueórgui Valentínovitch Plekhánov, *Les Questions fondamentales du marxisme*, cit., p. 36.

4. Uma concepção abstrata e uma ciência naturalista das "leis da história", ilustrada de maneira marcante pela maravilhosa frase que Plekhánov pronunciou ao receber as notícias da Revolução de Outubro: "Mas é uma violação de todas as leis da história!".
5. Uma tendência à recaída no método *analítico*, apreendendo somente objetos "distintos e separados" fixos em sua diferença: Rússia-Alemanha, revolução burguesa-revolução socialista, partido-massas, programa mínimo-programa máximo etc.

Está claro que Kautsky e Plekhánov tinham lido e estudado Hegel cuidadosamente, mas eles o "absorveram" e "digeriram" no âmago de seu sistema teórico, como precursor do evolucionismo ou do determinismo histórico.

Em que medida as notas de Lênin sobre (ou a respeito de) a *Lógica* de Hegel constituem um desafio ao marxismo prédialético?

1. Primeiro, Lênin destaca o abismo filosófico que separa o materialismo "imbecil", quer dizer, "metafísico", "não desenvolvido", "morto", "grosseiro", do materialismo marxista, que está mais próximo, em compensação, do idealismo "inteligente", quer dizer, dialético. Por conseguinte, ele critica Plekhánov severamente por não ter escrito nada sobre a *Grande Lógica* de Hegel – "quer dizer, *no fundo*, sobre a dialética como ciência filosófica" – e por ter criticado o kantismo do ponto de vista do materialismo vulgar mais que "*à la* Hegel"[19].
2. Ele se apropria de uma compreensão dialética da causalidade: "Causa e consequência, *ergo*, são apenas momentos da interdependência mundial, do elo (universal), do interencadeamento dos acontecimentos [...]". Ao mesmo tempo, ele aprova a *démarche* dialética pela qual Hegel dissolve a "oposição firme e abstrata" do subjetivo e do objetivo e destrói sua unilateralidade[20].
3. Ele destaca a diferença capital entre a concepção evolucionista vulgar e a concepção dialética do desenvolvimento: uma, "o desenvolvimento

19 Ver, neste volume, p. 190, 282-3 e 335.

20 Ibidem, p. 171 e 195.

como diminuição e aumento, como repetição", morreu pobre, seca; a outra, o desenvolvimento como unidade dos contrários, é a única que "dá a chave mestra" da "interrupção na gradualidade", da "transformação no oposto", da abolição do antigo e do nascimento do novo[21].

4. Ele critica, com Hegel, a "absolutização do conceito de *lei*, sua simplificação, [...] sua fetichização" (e acrescenta: "NB para a física moderna!"). Ele escreve mesmo que "a lei, qualquer lei, é estreita, incompleta, aproximada"[22].
5. Ele vê na categoria da totalidade, no "desdobramento da totalidade dos momentos da efetividade", a *essência mesma do conhecimento dialético*[23]. Vê-se o uso que Lênin faz imediatamente desse princípio metodológico na brochura escrita por ele nessa época, *A falência da Segunda Internacional*; ele submete a uma crítica severa os apologistas da "defesa nacional" - que tentam negar o caráter imperialista da grande guerra devido ao "fator nacional" da guerra dos sérvios contra a Áustria -, destacando que a dialética de Marx "proíbe justamente o exame isolado, quer dizer, unilateral e deformado, do objeto estudado"[24]. lsso é de uma importância *capital*, porque, como dizia Lukács, o reino da categoria dialética da totalidade é o portador do princípio revolucionário na ciência.

O isolamento, a fixação, a separação e a oposição abstrata dos diferentes momentos da realidade são dissolvidos, por um lado, mediante a categoria da totalidade e, por outro, pela constatação, em Lênin, de que "a dialética é a doutrina sobre como [...] a razão humana não deve tomar esses contrários por mortos, rígidos, mas por vivos, condicionados, móveis, transformando-se uns nos outros"[25].

21 Ibidem, p. 332.

22 Ibidem, p. 162-3.

23 Ibidem, p. 169; ver também p. 196, 206 e 214.

24 Vladímir Ilitch Lênin, "La faillite de la II Internationale", em *Oeuvres*, v. 21 (Paris, Éditions Sociales, 1976), p. 241.

25 Ver, neste volume, p. 122.

Bem entendido, o que nos interessa aqui é menos o estudo do conteúdo filosófico dos cadernos "em si" que o de suas *consequências políticas*. Não é difícil encontrar o fio que leva das premissas metodológicas dos *Cadernos filosóficos* às teses de Lênin em 1917: da categoria da totalidade à teoria do elo mais fraco da corrente imperialista; da conversão dos contrários à transformação da revolução democrática em revolução socialista; da concepção dialética da causalidade à recusa de definir o caráter da revolução russa somente pela "base econômica atrasada" do país; da crítica do evolucionismo vulgar à "interrupção na gradualidade" em 1917 etc. etc. O mais importante, contudo, é pura e simplesmente que a leitura crítica, a leitura materialista de Hegel, *liberou* Lênin da construção estreita do marxismo pseudo-ortodoxo da Segunda Internacional, do *limite teórico* que esse marxismo impunha a seu pensamento. O estudo da lógica hegeliana foi o instrumento pelo qual Lênin desimpediu o caminho teórico que conduz à estação finlandesa de Petrogrado.

Em março-abril de 1917, Lênin, livre do obstáculo representado pelo marxismo pré-dialético, pôde, *sob o impulso dos acontecimentos*, se desembaraçar rapidamente de seu *corolário político*: o princípio abstrato e fixo segundo o qual "a revolução russa não pode ser senão burguesa – a Rússia não está economicamente madura para uma revolução socialista". Uma vez ultrapassado esse Rubicão, ele começa a estudar o problema sob um ângulo *prático, concreto e realista*: quais medidas, constituindo *de fato* uma transição para o socialismo, podemos fazer com que sejam aceitas pela maioria do povo, quer dizer, pelas massas operárias e *camponesas*?

AS "TESES DE ABRIL" DE 1917

Na verdade, as "Teses de abril" nasceram em março, mais precisamente entre os dias 11 e 26; quer dizer, entre a terceira e a quinta das "Cartas de longe". A análise rigorosa desses dois documentos nos permite apreender o movimento mesmo do pensamento de Lênin. À questão capital – a revolução russa pode tomar medidas de transição para o socialismo? –, Lênin responde em dois momentos: no primeiro (Carta 3), ele questiona a resposta tradicional; no segundo (Carta 5), dá uma resposta nova.

A Carta 3 contém dois momentos justapostos numa contradição não resolvida. Lênin descreve algumas medidas concretas no terreno do controle da produção e da distribuição que ele acredita indispensáveis para o progresso da revolução. Ele sublinha primeiro que essas medidas não são *ainda* o socialismo, ou a ditadura do proletariado; elas não ultrapassam os limites da "ditadura democrática revolucionária do proletariado e dos camponeses pobres". Contudo, logo acrescenta esta frase paradoxal que sugere claramente uma dúvida sobre o que acaba de afirmar, quer dizer, um questionamento explícito das teses "clássicas":

> Do que se trata agora não é de classificá-las teoricamente [essas medidas]. Seria o maior dos erros tentar colocar as tarefas práticas, complexas, urgentes e em rápido desenvolvimento da revolução sobre o leito de Procusto de uma "teoria" estreitamente entendida [...].[26]

Quinze dias mais tarde, na quinta carta, o abismo foi ultrapassado, o corte político, consumado: as medidas mencionadas (controle da produção e da repartição etc.),

> em seu conjunto e em seu desenvolvimento [...] seriam a *transição para o socialismo*, que na Rússia é irrealizável diretamente, de um só golpe, sem medidas transitórias, mas é plenamente realizável e urgentemente necessária como resultado de medidas transitórias desse tipo.[27]

Lênin não se recusa mais a uma "classificação teórica" dessas medidas e as define não como "democráticas", mas como transitórias para o *socialismo*.

Durante esse tempo, os bolcheviques em Petrogrado permaneciam fiéis ao velho esquema (eles tentavam deitar a revolução, essa jovem indócil, indomável e enfurecida, no "leito de Procusto de uma 'teoria' estreitamente entendida" e se isolavam num oportunismo prudente; o *Pravda* de 15 de março

26 Vladímir Ilitch Lênin, *Obras escolhidas em seis volumes*, v. 3 (Lisboa/Moscou, Avante!/Progresso, 1986), p. 108.

27 Ibidem, p. 118.

concedia mesmo um sustentáculo condicional ao governo provisório (mais novo!) "na medida em que esse governo combatia a reação e a contrarrevolução"; segundo testemunho sincero do dirigente bolchevique Chliápnikov, em março de 1917:

> Estávamos de acordo com os mencheviques ao dizerem que passamos por uma fase de demolição revolucionária das relações de feudalidade e de servidão, às quais iam se substituir todas as espécies de liberdades particulares nos regimes burgueses.[28]

Podemos, pois, compreender sua surpresa quando as primeiras palavras que Lênin, na estação finlandesa de Petrogrado, dirigia a massa de operários, soldados e marinheiros formavam um apelo a lutar pela revolução socialista[29].

Na noite de 3 de abril e no dia seguinte, ele expôs ao partido as "Teses de abril" que produziram, segundo o bolchevique Zaléjski, membro do Comitê de Petrogrado, o *efeito de uma bomba que explode*. Aliás, em 8 de abril, esse mesmo Comitê de Petrogrado *rejeitou as teses de Lênin por treze votos contra dois, com uma abstenção*[30]. E é necessário dizer que as "Teses de abril"

28 Leon Trótski, *Histoire de la Revolution Russe*, v. 1 (Paris, Seuil, 1967), p. 333 e 336 [ed. bras.: *História da Revolução Russa*, trad. Diogo de Siqueira, São Paulo, Sundermann, 2007].

29 Ver as recordações de F. Somilov, em *Lenine tel qu'il fut* (Moscou, Livre Étranger, 1958), p. 673. Ver também as notas estenográficas que o bolchevique Bontch-Bruiévitch tomou do primeiro discurso de Lênin na estação: "É necessário que vocês lutem pela revolução socialista, que lutem até o fim, até a vitória completa do proletariado. Viva a revolução socialista", em G. Gólikov, *La Revolution d'Octobre* (Moscou, Progresse, 1966).

30 Leon Trótski, *Histoire de la Revolution Russe*, cit., p. 358. Ver E. H. Carr, *The Bolshevik Revolution*, 1917-1923, v. 1 (Londres, Macmillan, 1950), p. 77 [ed. port.: *A revolução bolchevique* 1917-1923, v. 1, trad. Antonio Sousa Ribeiro, Porto, Afrontamento, 1977]: "Ninguém tinha ainda contestado o ponto de vista de que a revolução russa não era, e não podia ser, senão uma revolução burguesa. Esse era o quadro doutrinal sólido e aceito no qual a estratégia política devia se inserir. Era difícil, no interior desse quadro, descobrir uma razão urgente qualquer para rejeitar *a priori* o Governo Provisório, que era sem dúvida burguês, ou pedir que se desse o poder aos sovietes, que eram essencialmente proletários... Era a quadratura do círculo. Coube, pois, a Lênin quebrar, diante dos olhos surpresos de seus discípulos, o próprio quadro doutrinal". Ver também o testemunho do bolchevique Olmínski, citado por Trótski nas p. 366-7: "A revolução que se inicia não pode ser senão uma revolução burguesa... Era um julgamento obrigatório para todo membro do partido. Era a opinião oficial do partido, uma palavra de ordem constante e invariável até a Revolução de Fevereiro de 1917 e mesmo algum tempo depois".

representavam, em certa medida, um *recuo* com relação às conclusões já atingidas na "Carta de longe 5": elas não falam explicitamente de transição para o socialismo. Parece que Lênin, diante do espanto e da perplexidade de seus camaradas, foi levado a moderar parcialmente seus propósitos. De fato, as teses falam muito de transição entre a primeira etapa da revolução e a segunda, "que deve dar o poder ao proletariado e às camadas pobres do campesinato". Mas isso não está necessariamente em contradição com a fórmula tradicional do "velho bolchevismo" (exceto a menção às "camadas pobres" em vez do campesinato como um todo, que é, bem entendido, muito significativo), pois o conteúdo das tarefas desse poder (democráticas somente ou já socialistas?) não está definido. Lênin sublinha mesmo que "nossa tarefa *imediata*" não é a "'introdução' do socialismo", mas "apenas passar imediatamente ao controle da produção social e da distribuição dos produtos por parte dos sovietes dos deputados operários", fórmula maleável em que a caracterização do conteúdo desse "controle" não é determinada[31]. O único tema que, pelo menos implicitamente, é uma revisão da antiga concepção bolchevique é o do Estado-comuna como modelo para a República dos Sovietes, e isso por duas razões:

1. a comuna era tradicionalmente definida, na literatura marxista, como a primeira tentativa de *ditadura do proletariado*;
2. o próprio Lênin tinha caracterizado a Comuna como um governo operário que quis realizar *ao mesmo tempo uma revolução democrática e uma revolução socialista*. É por essa razão que Lênin, prisioneiro do "marxismo de outrora", a tinha criticado em 1905. E pela mesma razão que Lênin, o dialético revolucionário, *a toma por modelo* em 1917. O historiador E. H. Carr tem, pois, razão ao destacar que os primeiros artigos de Lênin depois de sua chegada a Petrogrado "implicavam a transição ao socialismo, mas paravam antes de proclamá-lo explicitamente"[32]. Essa explicação vai se formar durante o mês de abril à medida que Lênin ganha as bases do partido bolchevique para sua linha política. Ela se faz principalmente em torno de dois eixos: a revisão do "velho bolchevismo" e a perspectiva

31 Vladímir Ilitch Lênin, "Sobre as tarefas do proletariado na presente revolução", cit., p. 72.

32 E. H. Carr, *The Bolshevik Revolution*, cit.

de transição ao socialismo. O texto capital a esse respeito é uma pequena brochura – pouco conhecida –, *Cartas sobre a tática*, redigida entre 8 e 13 de abril, provavelmente sob o impulso do editorial anti-Lênin do *Pravda* de 8 de abril. Na brochura, encontramos esta frase-chave que resume o movimento histórico efetuado por Lênin e sua ruptura definitiva, explícita e radical com o que havia de ultrapassado no bolchevismo "de outrora":

> Quem fala *agora* apenas de "ditadura democrática revolucionária do proletariado e do campesinato" está atrasado em relação à vida; devido a isso, *passou* de fato para a pequena burguesia contra a luta de classe proletária, e é preciso mandá-lo para o arquivo das raridades "bolcheviques" pré-revolucionárias (seria possível chamar de arquivo dos "velhos bolcheviques").[33]

Nessa mesma brochura, Lênin, defendendo-se de querer introduzir "imediatamente" o socialismo, afirma que o poder soviético tomará medidas para "os *passos* que se podem dar para o socialismo". Por exemplo, "o controle do banco, a fusão de todos os bancos num só, isso *ainda não é* o socialismo, mas é *um passo* para o socialismo"[34].

Num artigo publicado em 23 de abril, Lênin define nos seguintes termos o que distingue os bolcheviques dos mencheviques: enquanto os últimos "são pelo socialismo, mas acreditam ser prematuro pensar nele e tomar, desde o presente, medidas práticas para realizá-lo", os primeiros pensam que os sovietes "devem tomar de imediato todas as medidas praticamente realizáveis para fazer triunfar o socialismo"[35].

Que significam "medidas praticamente realizáveis"? Para Lênin, quer dizer principalmente *medidas que possam receber o apoio da maioria da população*. Quer dizer, não somente dos operários, mas também das massas

33 Vladímir Ilitch Lênin, "Cartas sobre a tática", em *Obras escolhidas em seis tomos*, v. 3, cit., p. 123. Ver também, na p. 128: "Será essa realidade abarcada pela fórmula velho-bolchevique do camarada Kámeniev: 'A revolução democrática burguesa não está terminada'? Não, a fórmula está ultrapassada. Não serve para nada. Está morta. Serão vãos os esforços para ressuscitá-la".

34 Ibidem, p. 131.

35 Idem, "Les Partis politiques en Russie et les tâches du proletariat", em *Oeuvres*, v. 24 (Paris, Éditions Sociales, 1958), p. 89.

camponesas. Lênin, liberto do limite teórico imposto pelo esquema pré-dialético "a passagem para o socialismo é objetivamente irrealizável" ocupa-se agora das condições político-sociais reais para assegurar "passos para o socialismo". Assim, em seu discurso na VII Conferência de Toda a Rússia do POSDR(b) (partido bolchevique), realizada entre 24 e 29 de abril, ele coloca o problema de forma realista e concreta:

> [...] é necessário falar de passos e medidas concretas [...]. Não podemos ser a favor de que o socialismo seja "introduzido", pois isso seria o maior dos disparates. [...] A maioria da população da Rússia é constituída por camponeses, por pequenos proprietários, que nem sequer podem pensar no socialismo. Mas que poderiam dizer contra o fato de que exista, em cada aldeia, um banco que lhes dê a oportunidade de melhorar sua exploração? Contra isso, nada podem dizer. Devemos propagandear essas medidas práticas entre os camponeses e reforçar neles a consciência de sua necessidade.[36]

"Introduzir" o socialismo significa, nesse contexto, a imposição imediata da socialização total, "de cima", contra a vontade da maioria da população. Lênin, em compensação, se propõe a obter o apoio das massas camponesas para algumas medidas concretas, de caráter objetivamente socialista, tomadas pelo poder soviético (com hegemonia operária). Com algumas nuances, essa concepção se assemelha espantosamente à concepção defendida desde 1905 por Trótski: "a ditadura do proletariado apoiada pelo campesinato" que efetua a passagem *ininterrupta* da revolução democrática à revolução socialista. Não por acaso Lênin foi chamado de "trotskista" pelo "velho bolchevique" Kámeniev em abril de 1917[37]...

Não há dúvida de que as "Teses de abril" representam um "corte" teórico-político com relação à tradição do bolchevismo do anteguerra. Dito isso, não é menos verdadeiro que, na medida em que Lênin havia preconizado,

36 Idem, "VII Conferência (de abril) de Toda a Rússia do POSDR(b) – Relatório sobre o momento atual", em *Obras escolhidas em seis tomos*, v. 3, cit., p. 148-9.

37 Ver Leon Trótski, *The Permanent Revolution* (Londres, New Park, 1962), p. 73 e 79 [ed. bras.: *A revolução permanente*, trad. Oliveira Sá, São Paulo, Kairós 1985]. Não se deve esquecer, por outro lado, que tanto para Lênin quanto para Trótski havia "um limite objetivo" para o socialismo na Rússia, na medida em que uma sociedade socialista terminada – abolição das classes sociais etc. – não poderia ser estabelecida num país isolado e atrasado.

desde 1905, a aliança revolucionária entre o proletariado e o campesinato (e o aprofundamento radical da revolução *sem* ou mesmo *contra* a burguesia liberal), o "novo-bolchevismo" nascido em abril de 1917 é o herdeiro autêntico e o filho legítimo do "velho-bolchevismo".

Por outro lado, se é inegável que os *Cadernos filosóficos* constituem uma ruptura filosófica com relação ao "primeiro leninismo", é necessário reconhecer que o método *utilizado* nos escritos políticos de Lênin de antes de 1914 era muito mais "dialético" que o de Plekhánov ou o de Kautsky.

Por fim, e para evitar possíveis mal-entendidos, não quisemos absolutamente sugerir que Lênin "deduziu" as "Teses de abril" da *Lógica* de Hegel... Essas teses são o produto de um pensamento realista-revolucionário diante de uma situação nova: a guerra mundial, a situação objetivamente revolucionária que ela criou na Europa; a Revolução de Fevereiro, a derrota rápida do tsarismo, o aparecimento maciço dos sovietes. Elas são o resultado do que constitui a essência mesma do método leninista: *uma análise concreta de uma situação concreta*. A leitura crítica de Hegel ajudou precisamente Lênin a se liberar de uma teoria abstrata e fixa que *servia de obstáculo a essa análise concreta*: a pseudo-ortodoxia pré-dialética da Segunda Internacional. É nesse sentido, e somente nesse sentido, que se pode falar do itinerário teórico que Lênin percorreu do estudo da *Grande Lógica* na biblioteca de Berna, em setembro de 1914, às palavras de desafio que "abalaram o mundo", lançadas pela primeira vez na noite de 3 de abril de 1917, na estação finlandesa de Petrogrado.

ÍNDICE ONOMÁSTICO[1]

1 As notas biográficas foram adaptadas de Vladímir Ilitch Lênin, *Obras escolhidas em seis tomos*, v. 6 (Lisboa/Moscou, Avante!/Progresso, 1989).

2 Entre parênteses, os sobrenomes verdadeiros.

Bourbon: dinastia de reis da França, que estiveram no poder entre 1589 e 1792, de 1814 a 1815 e de 1815 a 1830. p. 318.

Büchner, Friedrich Karl Christian Ludwig (1824-1899): fisiologista e filósofo alemão, representante do materialismo vulgar: combateu as ideias do socialismo científico. p. 190.

Carnot, Lazare Nicolas (1753-1823): matemático, político e militar francês, republicano burguês. p. 132 e 376.

César, Caio Júlio (*c.* 100 a. C.-44 a. C.): chefe militar e estadista romano. p. 60 e 318.

Copérnico (Kopernik), Nikolaus (1473-1543): astrônomo polonês, criador da teoria heliocêntrica. p. 278.

Demócrito de Abdera (*c.* 460 a. C.-370 a. C.): filósofo materialista grego, um dos fundadores da teoria atomística. p. 273, 288, 335, 349 e 351.

Descartes, René (1596-1650): filósofo racionalista, matemático e naturalista francês. p. 83 e 335.

Dietzgen, Joseph (1828-1888): operário alemão, social-democrata, filósofo. Chegou de maneira independente aos postulados básicos do materialismo dialético. p. 336 e 343.

Diógenes Laércio (séc. III): historiador da filosofia grego, autor de obras acerca dos filósofos antigos (em dez volumes). p. 234, 272, 299, 304-5, 346 e 349.

Diógenes de Sínope (*c.* 404 a. C.-323 a. C.): filósofo grego, um dos fundadores da escola cínica. p. 236, 262 e 346.

Engels, Friedrich (1820-1895): um dos fundadores do socialismo científico, amigo e companheiro de Karl Marx. p. 13, 18, 22, 23, 33-4, 37, 39, 49, 56, 62, 64, 73, 85-6, 92, 94, 117, 121-2, 131-2, 152, 169, 180, 246, 259, 264, 270, 292, 314, 319-20, 331, 342-6, 348, 351-2, 354, 360 e 364.

Epicuro (*c.* 341 a. C.-270 a. C.): filósofo materialista grego, ateu, seguidor de Demócrito. p. 297-304 e 353.

Espinosa, Baruch (1632-1677): filósofo materialista holandês de origem judaico-portuguesa, racionalista, ateísta. p. 112, 119-21, 168, 178-9, 248 e 335.

Gauss, Karl Friedrich (1777-1855): matemático alemão, autor de importantes trabalhos sobre matemática, astronomia teórica, geodesia, física e magnetismo terrestre. p. 220.

Gomperz, Theodor (1832-1912): filósofo positivista alemão, filólogo e historiador da filosofia antiga. p. 264.

Górgias de Leôncio (*c.* 483 a. C.-375 a. C.): filósofo sofista grego, partidário da democracia escravista. p. 278-80 e 282.

Hegel, Georg Wilhelm Friedrich (1770-1831): filósofo alemão idealista objetivo. Elaborou em todos os aspectos a dialética idealista, uma das fontes teóricas do materialismo dialético.

Hegesias (séc. IV a. C.-séc. III a. C.): filósofo grego da escola cirenaica ou hedonista. p. 285.

Heinze, Max (1835-1909): historiador alemão da filosofia, preparou o *Grundriss der Geschichte der Philosophie* [Ensaio de história da filosofia] de Friedrich Ueberweg. p. 264 e 285.

Henning, Leopold (1791-1866): filósofo hegeliano alemão. Na edição póstuma das *Obras* de Hegel, preparou *Ciência da lógica* e a primeira parte de *Enciclopédia das ciências filosóficas (Lógica)*. p. 102.

Heráclito de Éfeso (*c.* 530 a. C.-470 a. C.): filósofo materialista grego, um dos fundadores da dialética. p. 23, 118, 266-8, 270, 275, 331 e 335.

Holbach, Paul Henri Dietrich d' (1723-1789): filósofo materialista francês, ateísta; um dos ideólogos da burguesia revolucionária francesa do século XVIII. p. 335.

Homero: poeta épico semilendário da Grécia Antiga, autor da *Ilíada* e da *Odisseia*. Teria vivido em algum momento entre os séculos XII a. C. e VIII a. C. p. 316.

Hotho, Heinrich Gustav (1802-1873): historiador de arte e esteta da escola hegeliana. Na edição póstuma das *Obras* de Hegel, preparou a obra *Lições de estética*. p. 102.

Hume, David (1711-1776): filósofo escocês idealista subjetivo, agnóstico, historiador e economista. p. 145, 215-6 e 335.

Marx, Karl (1818-1883): fundador do socialismo científico, ao lado de Friedrich Engels. p. 8, 10, 13, 18, 22, 37, 45, 48, 54-6, 62, 69, 71, 76, 79, 90, 92-3, 97, 152, 158, 189, 191, 222, 248, 290, 317, 319-20, 327, 333 e 335.

Michelet, Karl Ludwig (1801-1893): filósofo hegeliano alemão; na publicação póstuma das *Obras* de Hegel, preparou *Ensaios filosóficos*, a segunda parte de *Enciclopédia das ciências filosóficas* (*Filosofia da natureza*) e *Lições sobre a história da filosofia*. p. 102.

Newton, Isaac (1642-1727): físico, astrônomo e matemático inglês, fundador da mecânica clássica. p. 132.

Parmênides de Eleia (séc. VI a. C.-séc. V a. C.): filósofo grego da escola eleata, discípulo de Xenófanes. p. 23 e 118-9.

Pearson, Karl (1857-1936): matemático, biólogo e filósofo idealista inglês. p. 166.

Pirro de Elis (*c.* 365 a. C.-275 a. C.): filósofo grego antigo, fundador do ceticismo antigo. p. 305.

Pitágoras (*c.* 580 a. C.-500 a. C.): matemático e filósofo grego, idealista objetivo, ideólogo da aristocracia escravista. p. 131 e 255-7.

Platão (Aristocles) (*c.* 427 a. C.-347 a. C.): filósofo grego, idealista objetivo, ideólogo da aristocracia escravista. p. 20, 23, 43, 77, 97, 105, 119, 158, 231, 234-5, 268, 281, 283, 285-91, 309-10, 314 e 335.

Plekhánov, Gueórgui Valentínovitch (1856-1918): um dos líderes pioneiros da social-democracia russa e internacional, filósofo que introduziu o marxismo na Rússia. Em 1903, aderiu às posições mencheviques. Sua posição filosófica distanciava-se, em alguns aspectos, do materialismo dialético. p. 173, 190, 283, 316, 331 e 335.

Protágoras de Abdera (*c.* 481 a. C.-411 a. C.): filósofo sofista grego, ideólogo da democracia escravista. p. 277-8 e 283.

Schelling, Friedrich Wilhelm Joseph von (1775-1854): filósofo idealista alemão. Elaborou a "filosofia da identidade", idealista objetiva. No último período, pregou a filosofia místico-religiosa da revelação. p. 60, 248 e 309.

Schulze, Gottlieb Ernst (1761-1833): filósofo idealista alemão, seguidor de Hume. Procurou reavivar e modernizar o ceticismo antigo. Na história da filosofia, é conhecido por Schulze-Enesidemo. p. 305.

Schulze, Johannes (1786-1869): pedagogo alemão hegeliano. Na edição póstuma das *Obras* de Hegel, preparou *Fenomenologia do espírito*. p. 102

Schwegler, Albert (1819-1857): teólogo, filósofo, filólogo e historiador alemão. p. 334.

Sexto Empírico (séc. II): médico e filósofo cético grego. Suas obras *Hipotiposes pirrônicas* e *Contra os matemáticos* legaram um rico material para a história da filosofia. p. 257, 259, 262, 268 e 306-8.

Sócrates (*c.* 469 a. C.-399 a. C.): filósofo idealista grego, mentor de Platão. p. 158, 234 e 281-3.

Tales de Mileto (*c.* 624 a. C.-547 a. C.): filósofo materialista grego, fundador da escola jônica. p. 234 e 254.

Tchernov, Viktor Mikháilovitch (1873-1952): um dos dirigentes e teóricos do partido socialista-revolucionário russo; em filosofia, eclético e agnóstico. p. 211 e 264.

Tiedemann, Dietrich (1748-1803): historiador alemão da filosofia. Sua obra em seis volumes *Geist der spekulativen Philosophie von Thales bis Berkeley* [O espírito da filosofia especulativa, de Tales a Berkeley] serviu como uma das fontes de Hegel para sua série de conferências sobre a história da filosofia. p. 278.

Ueberweg, Friedrich (1826-1871): filósofo e historiador da filosofia alemão. p. 264 e 285.

Volkmann, Paul (1856-1938): professor de física teórica em Königsberg. Em filosofia, idealista e eclético. p. 335.

Wolff, Christian (1679-1754): filósofo alemão, idealista e metafísico, sistematizador da filosofia de Leibniz e partidário do teleologismo. p. 112 e 221.

Xenófanes de Cólofon (*c.* 580 a. C.-470 a. C.): filósofo e poeta grego; fundador da escola eleata. p. 260.

Xenofonte (*c.* 430 a. C.-355 a. C.): historiador e político grego, adversário da democracia ateniense e partidário da Esparta aristocrática. p. 283.

Zenão de Eleia (*c.* 490 a. C.-430 a. C.): filósofo grego da escola eleata, discípulo de Parmênides. p. 260, 262 e 266.

CRONOLOGIA

Ano	Vladímir Ilitch Lênin	Acontecimentos históricos
1870	Nasce, no dia 22 de abril, na cidade de Simbirsk (atual Uliánovsk).	
1871		Em março, é instaurada a Comuna de Paris, brutalmente reprimida em maio.
1872		Primeira edição de *O capital* em russo, com tradução de Mikhail Bakúnin e Nikolai F. Danielson.
1873		Serguei Netcháiev é condenado a vinte anos de trabalho forçado na Sibéria.
1874	Nasce o irmão Dmítri Ilitch Uliánov, em 16 de agosto.	Principal campanha *naródniki* (populista) de "ida ao povo".
1876		Fundação da organização *naródniki* Terra e Liberdade, da qual adviriam diversos marxistas, como Plekhánov.
1877		Marx envia carta ao periódico russo *Отечественные Записки/ Otetchestvénie Zapíski*, em resposta a um artigo publicado por Nikolai Mikhailóvski sobre *O capital*.
1878	Nasce a irmã Maria Ilinítchna Uliánova, em 18 de fevereiro.	Primeira onda de greves operárias em São Petersburgo, que duram até o ano seguinte.
1879		Racha de Terra e Liberdade: a maioria funda A Vontade do Povo, a favor da luta armada. A minoria organiza A Partilha Negra. Nascem Trótski e Stálin.
1881		Assassinato do tsar Aleksandr II, no dia 13 de março. Assume Aleksandr III. Marx se corresponde com a revolucionária russa Vera Zassúlitch.

Ano	Vladímir Ilitch Lênin	Acontecimentos históricos
1882		Morre Netcháiev. Marx e Engels escrevem prefácio à edição russa do *Manifesto Comunista*.
1883		Fundação da primeira organização marxista russa, Emancipação do Trabalho.
1886	Morre o pai, Iliá Uliánov. Lênin conclui as provas finais do ensino secundário como melhor aluno.	
1887	Aleksandr Uliánov, seu irmão mais velho, é enforcado em São Petersburgo por planejar o assassinato do tsar. Em agosto, Lênin ingressa na Universidade de Kazan. Em dezembro, é preso após se envolver em protestos e expulso da universidade.	
1888	Lê textos de revolucionários russos e começa a estudar direito por conta própria. Inicia primeira leitura minuciosa de *O capital*. Reside em Kazan e Samara.	
1889	Conhece e convive com A. P. Skliarenko e seu círculo, a partir do qual entra em contato com o pai de Netcháiev.	Fundação, em Paris, da Segunda Internacional.
1890	Primeira viagem a São Petersburgo, a fim de prestar exames para a faculdade de direito.	
1891	Recebe diploma de primeira classe na faculdade de direito da Universidade de São Petersburgo. Participa de "iniciativa civil" contra a fome, denunciando a hipocrisia das campanhas oficiais.	
1892	Autorizado a trabalhar sob vigilância policial, exerce a advocacia até agosto do ano seguinte no tribunal em Samara.	

Ano	Vladímir Ilitch Lênin	Acontecimentos históricos
1893	Participa de círculos marxistas ilegais, atacando o narodismo, e leciona sobre as obras de Marx. Muda-se para São Petersburgo, onde integra círculo marxista com Krássin, Rádtchenko, Krjijanóvski, Stárkov, Zaporójets, Vanéiev e Sílvin.	
1894	Publica *Quem são os "amigos do povo" e como lutam contra os social--democratas?*. Conhece Nadiéjda K. Krúpskaia. Encontra os "marxistas legais" Piotr Struve e M. I. Túgan--Baranóvski no salão de Klásson.	Morte de Aleksandr III. Coroado Nicolau II, o último tsar.
1895	Viaja a Suíça, Alemanha e França, entre maio e setembro. Conhece sociais-democratas russos exilados, como Plekhánov e o grupo Emancipação do Trabalho. De volta à Rússia, é preso em 8 de dezembro, em razão de seu trabalho com a União de Luta pela Emancipação da Classe Operária, e condenado a catorze meses de confinamento solitário, seguidos de três anos de exílio.	
1896	Prisão solitária.	Nadiéjda K. Krúpskaia é presa.
1897	Exílio em Chuchenskoie, na Sibéria.	
1898	Casamento com Krúpskaia no dia 22 de julho, durante o exílio. Em Genebra, o grupo Emancipação do Trabalho publica "As tarefas dos sociais--democratas russos", escrito por Lênin no fim de 1897.	Congresso de fundação do Partido Operário Social-Democrata da Rússia (POSDR), em Minsk, 13-15 de março.
1899	Publicação de seu primeiro livro, *O desenvolvimento do capitalismo na Rússia*, em abril, durante o exílio.	
1900	Com o fim do exílio na Sibéria, instala-se em Pskov. Transfere-se para Munique em setembro.	Publicada a primeira edição do jornal *Искра/ Iskra*, redigido no exterior e distribuído clandestinamente na Rússia.

Ano	Vladímir Ilitch Lênin	Acontecimentos históricos
1901	Começa a usar sistematicamente o pseudônimo "Lênin".	
1902	Publica *Que fazer?* em março. Rompe com Struve.	Lançado o *Освобождение*/ *Osvobojdenie*, periódico liberal encabeçado por Struve.
1903	Instala-se em Londres em abril, após breve residência em Genebra. Publica "Aos pobres do campo" e se dissocia do *Iskra*.	II Congresso do POSDR, em Bruxelas e depois em Londres, de 30 de julho a 23 de agosto, no qual se dá a cisão entre bolcheviques e mencheviques.
1904	Abandona Comitê Central do partido. Publica *Um passo em frente, dois passos atrás* e o primeiro número do jornal bolchevique *Вперёд*/ *Vperiod*, em Genebra.	Início da Guerra Russo-Japonesa; a Rússia seria derrotada no ano seguinte. Mártov publica "O embate do 'estado de sítio' no POSDR".
1905	Escreve *Duas táticas da social--democracia na revolução democrática* em junho-julho. Chega a São Petersburgo em novembro. Orienta a edição do primeiro jornal diário legal dos bolcheviques, o *Новая Жизнь*/ *Nóvaia Jizn*, publicado entre outubro e dezembro.	Em 22 de janeiro, Domingo Sangrento em São Petersburgo marca início da primeira Revolução Russa. III Congresso do POSDR, de 25 de abril a 10 de maio, ocorre sem a presença dos mencheviques. Motim no encouraçado Potemkin em 14 de junho. Surgem os sovietes. Manifesto de Outubro do tsar.
1906	Em maio, faz seu primeiro discurso em comício, em frente ao palácio da condessa Pánina.	V Congresso do POSDR em Londres, de 13 de abril a 1º de junho. Convocação da Primeira Duma.
1907		Publicação da obra *Balanço e perspectivas*, na qual Trótski, a partir do balanço da Revolução de 1905, apresenta uma primeira versão da teoria da revolução permanente. Segunda Duma (fevereiro). Nova lei eleitoral (junho). Terceira Duma (novembro).
1908	Escreve *Materialismo e empiriocriticismo*, publicado no ano seguinte. Em dezembro, deixa Genebra e parte para Paris.	

Ano	Vladímir Ilitch Lênin	Acontecimentos históricos
1909	Conhece Inessa Armand na primavera, com quem manteria uma relação próxima.	
1910	Encontra Máksim Górki na Itália. Participa do Congresso de Copenhague da II Internacional. Funda *Рабочая Молва/ Rabótchaia Molva* em novembro e inicia série de artigos sobre Tolstói.	Congresso de Copenhague.
1911	Organiza a escola do partido em Longjumeau, perto de Paris.	Assassinato do ministro tsarista Piotr Stolypin em 18 de setembro.
1912	Instala-se em Cracóvia em junho. Eleito para o Comitê Socialista Internacional. Lança o *Правда/ Pravda* em maio, após a organização do Comitê Central dos bolcheviques, em Praga, no mês de janeiro.	VI Congresso do Partido em Praga, essencialmente bolchevique. Após anos de repressão, os operários russos retomam as greves. Bolcheviques e mencheviques deixam de pertencer ao mesmo partido. Quarta Duma.
1913	Muda-se para Poronin em maio. Escreve longos comentários ao livro *A acumulação do capital*, de Rosa Luxemburgo. Entre junho e agosto, viaja à Suécia e à Áustria.	
1914	Preso por doze dias no Império Austro-Húngaro após a eclosão da Primeira Guerra Mundial. Ele e Krúpskaia partem para Berna. Lê e faz anotações sobre *Ciência da lógica* de Hegel, texto central de *Cadernos filosóficos*.	Início da Primeira Guerra Mundial. O apoio dos sociais-democratas alemães aos créditos de guerra gera uma cisão no socialismo internacional. Greves gerais em Baku. São Petersburgo é renomeada como Petrogrado.
1915	Prossegue sua leitura de obras de Hegel e redige o fragmento "Sobre a questão da dialética". Participa da Reunião Socialista Internacional em Zimmerwald.	Movimentos grevistas na Rússia ocidental. Reunião socialista internacional em Zimmerwald, na Suíça, em setembro, com lideranças antimilitaristas.
1916	Escreve *Imperialismo, fase superior do capitalismo*. Comparece à II Conferência de Zimmerwald, em Kienthal (6 a 12 de maio). Morte de sua mãe, Maria Aleksándrovna Uliánova.	Dissolução da Segunda Internacional, após o acirramento do embate entre antimilitaristas e sociais-chauvinistas.

Ano	Vladímir Ilitch Lênin	Acontecimentos históricos
1917	Desembarca na Estação Finlândia, em Petrogrado, em 16 de abril, e se junta à liderança bolchevique. No dia seguinte, profere as "Teses de abril". Entre agosto e setembro, escreve *O Estado e a revolução*.	Protesto das mulheres no 8 de março deflagra Revolução de Fevereiro, a qual põe abaixo o tsarismo. A Revolução de Outubro inicia a implantação do socialismo.
1918	Dissolve a Assembleia Constituinte em janeiro. Publica *O Estado e a revolução*. Em 30 de agosto, é ferido em tentativa de assassinato por Dora (Fanni) Kaplan. Institui o "comunismo de guerra".	O Partido Bolchevique passa a denominar-se Partido Comunista. Assinado o Tratado de Brest-Litovsk em março. Fim da Primeira Guerra Mundial em novembro. Início da Guerra Civil na Rússia. Trótski organiza o Exército Vermelho, com mais de 4 milhões de combatentes, para enfrentar a reação interna e a invasão por tropas de catorze países.
1919	Abre o I Congresso da Comintern.	Fundação da Internacional Comunista (Comintern). Início da Guerra Polonesa-Soviética.
1920	Escreve *O esquerdismo, doença infantil do comunismo*.	II Congresso da Internacional Comunista, de 21 de julho a 6 de agosto. Morre Inessa Armand. Fim da Guerra Polonesa-Soviética.
1921	Em 21 de março, assina decreto introduzindo a Nova Política Econômica (NEP).	X Congresso do Partido, de 1º a 18 de março. Marinheiros se revoltam em Kronstadt e são reprimidos pelo governo bolchevique.
1922	No dia 25 de dezembro, dita seu testamento após sofrer dois derrames.	Tratado de Criação da União Soviética e Declaração de Criação da URSS. Stálin é apontado secretário-geral do Partido Comunista. Fundação do Partido Comunista Brasileiro.
1923	Após um terceiro acidente vascular, fica com restrições de locomoção e de fala e sofre de dores intensas.	XII Congresso do Partido, entre 17 e 25 de abril, o primeiro sem a presença de Lênin. Fim dos conflitos da Guerra Civil.
1924	Morre no dia 21 de janeiro. No mesmo ano, é publicado *Lênin: um estudo sobre a unidade de seu pensamento*, de György Lukács.	XIII Congresso do Partido, em janeiro, condena Trótski, que deixa Moscou.

"A luta continua", cartaz produzido entre maio e junho de 1968 pelo Atelier Populaire, instalado na École de Beaux-arts de Paris, para ser espalhado por manifestantes nas ruas da capital francesa. Dimensões: 65 cm × 51 cm.

Publicado em junho de 2018, cinquenta anos depois da onda de manifestações estudantis e operárias que transformou o cotidiano de Paris e influenciou universitários e trabalhadores no mundo todo, este livro foi composto em Minion Pro, corpo 11,5/14,9, e reimpresso em papel Pólen Natural 80 g/m² pela gráfica Lis, para a Boitempo, em abril de 2024, com tiragem de 1.000 exemplares.

Hulton Archive